FOOD BUSINESS

La face cachée de la gastronomie française

ISBN 2-87691-854-4

Dépôt légal : 1er trimestre 2004.
Imprimé en France
Conception couverture : Atelier Didier Thimonier
Mise en page : Marie Housseau

Nous nous efforçons de publier des ouvrages qui correspondent à vos attentes et votre satisfaction est pour nous une priorité. Alors, n'hésitez pas à nous faire part de vos commentaires :

Éditions Générales First
27, rue Cassette
75006 Paris – France
Tél : 01 45 49 60 00
Fax : 01 45 49 60 01
e-mail : firstinfo@efirst.com

En avant-première, nos prochaines parutions, des résumés de tous les ouvrages du catalogue. Dialoguez en toute liberté avec nos auteurs et nos éditeurs. Tout cela et bien plus sur Internet à : www.efirst.com

Olivier Morteau

FOOD BUSINESS

La face cachée de la gastronomie française

– Note au lecteur –

Cette enquête est le fruit de nombreuses années passées dans les restaurants en tant que journalistes et critiques, mais aussi d'enquêtes et d'interviews réalisées pour de nombreux guides gastronomiques et médias. La plupart des propos ici rapportés, nous les tenons directement des intéressés eux-mêmes. Traditionnellement dans ce milieu, ils sont tus par nos confrères. Nous trouvons qu'une ligne jaune a été franchie et qu'il est temps de répéter ce que nous avons vu et entendu. Il est indispensable que le système s'assainisse comme il est indispensable de protéger notre identité et celles de nos sources par crainte de représailles.

Sommaire

La bouffe copine

« Lorsqu'il est question de cuisine, on doit tout lire, tout voir, tout entendre, tout essayer, tout observer, pour ne retenir à la fin qu'un tout petit peu. »
Fernand Point (1897-1955), restaurateur à *La Pyramide*, Vienne.

On a parlé d'une « affaire Loiseau », on a eu tort. Cuisinier en même temps qu'entrepreneur, Bernard Loiseau avait en vingt ans transformé un modeste hôtel-restaurant bourguignon en une maison luxueuse réputée aux quatre coins du globe. Mais il n'était pas l'archétype du cuisinier moderne. Pourtant sa mort a remis en cause les certitudes des chefs et de leurs clients, celles des critiques et des médias. Elle a déclenché une vague de réactions qui n'en finit plus, de questions aussi sur un monde clos où il était de bon ton de ne parler que de « tradition », de « haute cuisine » ou d'« étoiles » mais jamais de « modernité », de « sens » ou d'« argent ». Le suicide de ce chef devenu star a donc attiré l'attention sur les affaires de la gastronomie française, sur ce qui se trame dans l'office avant le service, sur les gâte-sauces des guides gastronomiques et les coups bas dans les brigades. Et c'est tant mieux, car ces histoires ne sont pas toujours très reluisantes. Elles sont les derniers soubresauts des excès d'une génération. Le débat qui s'est ouvert il y a un an marque la fin d'un cycle. Un autre s'ouvre qui doit dessiner les contours de l'avenir de la gastronomie française.

Fermer les yeux sur toutes ces pratiques de la cuisine conduit depuis des années à des indulgences coupables dans cette « société d'admiration mutuelle » qui n'a de cesse que de se repasser sans cesse les mêmes plats, fades et froids. Les chefs qui invitent les journalistes, les médias qui sollicitent les chefs, la gastronomie connaît une légère tendance à tourner sur elle-même. Ceux qui en éprouvent un malaise sont automatiquement écartés. Le copinage s'effectue à un tel niveau que les articles consacrés aux restaurants, ou à ce qu'il est désormais convenu d'appeler l'« art de vivre » finissent par ressembler à des publicités déguisées. Se mêlent à cette gigantesque mascarade, dont le lecteur et le consommateur sont les victimes compatissantes, les industriels qui font travailler les chefs et financent les journaux par la publicité. En tête de cortège, les plumes installées, les cuisiniers connus qui se croisent dans les mêmes coteries et se passent sans cesse des couches de crème assaisonnée de compliments. La cuisine ressemble un peu au joyeux microcosme de la télévision, où les animateurs, les producteurs, les vedettes et les présentateurs se servent la soupe à tour de rôle, se reçoivent, se congratulent, alors qu'ils se détestent bien souvent. Les participants à ces agapes et leurs discours sont toujours les mêmes. Une sorte de monde magique de la gastronomie où tout le monde est beau et gentil et dans lequel on retrouve quelques critiques, Dieu sait pourquoi en vogue, et les chefs établis ou en passe de le devenir. Paresse ? Inanité du microcosme ? Sans doute les deux à la fois. Le processus des vases clos et communicants n'a jamais été aussi évident. Dans les rédactions, pas de mot d'ordre, mais l'on sait que les chefs et leur cuisine constituent toujours un sujet qui fait vendre, alors on en profite. Les Français adorent en savoir davantage sur les grands chefs étoilés et bien souvent inaccessibles. Mais à force de rester bloqués sur cette image d'Épinal de la cuisine française, ils finissent par occulter la réalité.

Fleuron culturel et économique de la France, la cuisine n'est plus un bastion inexpugnable. La mondialisation et la globalisation aidant, nos traditions ancestrales ont pris un coup de vieux. Habitués pendant des années à ne regarder que dans leur assiette comme des enfants bien élevés et à ne pas boire le vin du voisin, les gastronomes français se sont longtemps crus protégés. Mais devant la déferlante *world food*, de Singapour à New York, l'innovation française s'est retrouvée prise au piège. Le combat n'est plus aujourd'hui celui de l'exception culinaire hexagonale. Le métissage des cuisines et l'essor de la pizza, premier produit culinaire au monde devant le hamburger, sont passés par là. Les goûts des consommateurs changent, mais en France, de nombreux chefs font toujours la sourde oreille. La plupart, tenants de l'ordre établi et soucieux d'un art de vivre à la Escoffier ou à la Carême, voient d'un très mauvais œil toute remise en cause. Des vents mauvais secouent la cuisine française et ses traditions d'un autre âge. Mais elle n'est pas qu'une affaire de goût ou une affaire de famille. Il n'y a pas que des créateurs et des petites PME fragilisées par le poids des charges, les défenseurs des produits et les tenants de la modernité. On y trouve aussi beaucoup de business, d'inimitiés, de coups bas, d'histoires de terroir-caisses et de stars à dimension internationale qui jonglent avec les millions d'euros. La gastronomie et ses ramifications dans l'agroalimentaire ou le tourisme représentent une énorme machine à fric que beaucoup feignent d'ignorer. La cuisine, derrière ses apparences artisanales, est un secteur économique à part entière. Il est d'ailleurs beaucoup plus important qu'on veut bien le dire, tenu par de grands groupes et de richissimes entreprises, bien plus puissantes que les artisans cuisiniers indépendants ou les journalistes.

Il faut arrêter de croire que le *food business*, ce n'est rien, et de penser que les critiques ne cherchent qu'à couler d'honnêtes restaurateurs qui travaillent bien. Le restaurant, c'est un art, certes, mais c'est aussi la première sortie des Français, donc un marché. Les consommateurs doivent savoir ce qui s'y passe, en salle comme en cuisine, même si ce n'est pas toujours très propre. Les clients sont les premiers concernés, on l'oublie trop souvent. Ils sont ici au centre de cette enquête qui vise à rendre transparents les rapports entre les chefs et les critiques, entre le monde des affaires et celui de la cuisine. C'est même l'affaire de toute la cuisine française, des grands étoilés comme des autres. Car la gastronomie connaît une crise d'identité sérieuse. On le sait, elle suscite des rapports d'amour/haine, de passion, dans notre pays où chacun a son avis sur la question. Mais il est temps de se mettre à cogiter en France, pays de référence. S'adapter aux nouveaux modes de consommation et savoir revenir sur ses certitudes, voilà deux qualités en effet mal partagées des cuisiniers et des médias. Seuls de rares étendards debout dans la morne plaine permettent d'espérer que tout n'est pas perdu. Voilà de quoi éclairer le débat qui s'est ouvert, à l'heure ou un autre cycle commence avec l'arrivée d'une nouvelle génération et l'exemplaire Alain Ducasse, qui prouve qu'on peut mêler sans souci art et business.

Nous le savons, ce document est explosif. Il entend mettre fin à la règle du secret qui dure depuis trop longtemps. Il suscitera des réactions très vives, voire violentes. Mais il s'agit avant tout d'une enquête, pas d'un livre à charge. Nous ne nous sommes pas non plus contentés d'un état des lieux, et nous avons tenté d'esquisser les contours de plus en plus nets de la future cuisine française. On sait déjà ce que vont nous rétorquer nos détracteurs : « Ces gens-là n'aiment pas la cuisine, ils la méprisent, la jalousent et détestent les chefs ! » C'est absolument faux. Justement, c'est parce que la cuisine nous intéresse, nous passionne même depuis des années, fait partie de notre quotidien et nous fait vibrer, que nous nous sentons autorisés à dire haut et fort ce que tout le monde pense tout bas. Tout ? « Tout, tout, tout, vous saurez tout sur la cuisine, la belle, la laide, l'honnête et la poltronne... » C'est en effet parce que nous allons tous les jours au restaurant, pour notre travail ou notre plaisir – souvent les deux –, parce que nous connaissons les chefs, petits et grands, que nous ne pouvons plus taire ce que l'on vous cache depuis tant d'années. Tant d'hypocrisie nous étouffe. Il était temps d'investiguer la bouffe.

CHAPITRE 1

Quand la marmite déborde

« Si je perds une étoile Michelin, je n'ai plus qu'à "me faire Vatel". Avec mes différentes activités, j'ai souvent l'impression d'être un funambule avec des gens armés de ciseaux et prêts à couper le fil sous mes pieds. »
Bernard Loiseau (*Le Figaro Entreprises*, octobre 2002)

La fin tragique d'un chef

« Urgent – Mort de Bernard Loiseau, le chef étoilé de Saulieu. Saulieu (Côte-d'Or), 24 février (AFP). Bernard Loiseau, 52 ans, le chef étoilé de l'hôtel-restaurant *La Côte d'or*, est mort en fin d'après-midi à son domicile de Saulieu (Côte-d'Or), a-t-on appris de source préfectorale[1] ». C'est avec ces quelques lignes sibyllines que les médias apprennent ce 24 février 2003 le décès du célèbre chef cathodique. Quelques minutes plus tard, l'explication est donnée : Bernard Loiseau s'est suicidé à Saulieu en se

[1] Dépêche Agence France Presse, 24 février 2003, 21 h 44.

tirant une balle dans la tête avec son fusil de chasse. La disparition du cuisinier le plus populaire de France suscite immédiatement un concert de louanges à la radio comme à la télévision. Dans l'urgence, la consternation de tous et la fureur de certains prennent le pas sur l'explication clinique. France Info, LCI, TF1 et France 2 réagissent à chaud avec des invités proches du chef ou supposés tels. « On cherche les plus légitimes, d'abord, explique un présentateur de LCI qui tient à rester anonyme, mais s'ils ont trop parlé dans d'autres médias ou qu'ils refusent, on en appelle d'autres. La chaîne "mange" des invités toute la journée : il faut bien alimenter l'antenne. Et ce n'est pas toujours les plus pertinents, surtout sur ce genre de sujet. On va au plus simple, au plus légitime.» Parmi les premiers à s'exprimer par médias interposés, on trouve Guy Savoy,(restaurant *Guy Savoy*, trois étoiles, Paris), Périco Légasse, chroniqueur gastronomique, Jean-François Mesplède, journaliste lyonnais, ou encore Paul Bocuse, le « parrain » de la haute cuisine française. Comme à chaque fois, chacun prétend être « le meilleur ami » du disparu. Ainsi, nombreux sont ceux qui ont assuré lors d'interviews « lui avoir parlé un quart d'heure avant sa mort ». Mises bout à bout, ces conversations supposées auraient duré des heures. Mais surtout, les thuriféraires de Loiseau, les yeux embués de larmes, ont profité de la légitimité qui leur était conférée par les médias pour accuser ceux qui, selon eux, étaient les véritables responsables de la mort du chef : François Simon, journaliste et plume acide du *Figaro*, et le *Guide GaultMillau*, institution gastronomique. À leur suite, les cuisiniers de toute la France ont éructé, laissant éclater leur colère, leurs angoisses, leurs rivalités et surtout leurs rancœurs. Au mépris du mystère de la mort d'un homme, une profession voulait sur son dos régler ses comptes. L'aigreur des toques blanches a fait l'effet d'un exocet torpillant en plein vol le tranquille aréopage de critiques, de plumitifs et de pleureuses qui s'apprêtait à reprendre du service. Avec les journalistes, ils se sont battus froid comme jamais.

L'exécution médiatique en route

Le premier à faire les frais du courroux des chefs est le critique gastronomique François Simon. Très indépendant, volontiers franc-tireur, il est vilipendé par certains chefs dans les minutes qui suivent l'annonce de la mort de Loiseau. À leur suite, on trouve une partie de la presse, de l'opinion. Une véritable meute qui l'accuse d'être « responsable » de la mort de Loiseau. En cause, ce que le journaliste avait écrit dans *Le Figaro* quelques jours auparavant : « [...] Le microcosme se nourrit d'un exercice rituel en cette époque : les pronostics sur la sortie des guides gastronomiques, dont, bien entendu, le *Guide Rouge* (ex-*Michelin*). Bernard Loiseau (*La Côte d'or,* à Saulieu) a connu à cet égard une grande frayeur, puisqu'il était annoncé comme perdant sa troisième étoile, à l'instar des frères Pourcel du *Jardin des Sens,* à Montpellier ; ce qui, *grosso modo,* n'aurait soulevé aucune sincère surprise, les frères Pourcel valant deux belles étoiles. Il semble que ces deux restaurants gardent leurs macarons. Ils peuvent pousser un immense ouf... en attendant l'année prochaine. » Plume épicée et respectée, François Simon ne mâche pas non plus ses mots en évoquant la sortie prochaine de l'édition 2003 du *Guide GaultMillau* : « Loiseau va perdre deux points, c'est confirmé, inutile de repasser une couche. En revanche, il ne sera pas le seul à descendre puisqu'il sera accompagné par 25 de ses confrères notés de 17 à 19 »[2] Une semaine plus tard, Simon remet le couvert : « De nombreuses tables voient leur auréole rétrécir : *Taillevent,* Blanc, *Le Grand Véfour,* Loiseau… »[3] Mais il n'est pas la seule cible expiatoire des flèches venimeuses décochées par la horde des chefs en furie. *GaultMillau,* le célèbre *Guide* gastronomique, en fait également les frais. Quelques heures seulement après l'annonce du décès, les accusations portées par Paul Bocuse contre le *Guide* et les médias sont on ne peut plus claires[4], les menaces à peine voilées. Le ton monte. Avec lui, l'hallali contre les guides a sonné. Quelques heures plus tard, très sollicité par les médias qui s'emparent voracement de la polémique en train d'enfler, Bocuse surenchérit : ils veulent de la publicité pour relooker leur guide, là, ils vont l'avoir ![5] Mais de quoi est donc coupable le *Guide Jaune* aux yeux du chef lyonnais ? D'avoir tout simplement diminué de deux points la note de Bernard Loiseau, la passant de 19 à 17/20, dans son édition parue en février 2003. Cela alors que, depuis plus de vingt ans, ledit *Guide* a encensé Bernard Loiseau, contribuant fortement à sa renommée internationale. Dans la dernière livraison du *Guide Jaune,* Paul Bocuse se voyait également rétrogradé. Très vite, en tout cas, la colère de Bocuse fait tache d'huile. Elle recueille un fort courant de sympathie parmi les restaurateurs mal notés ou refusés par le *Guide.* Ce qui n'est

[2] *Le Figaro,* 15 février 2003.
[3] *Le Figaro,* 22 février 2003.
[4] AFP, 26 février 2003.
[5] AFP, 24 février 2003, 22 h 54.

guère étonnant quand on sait que *GaultMillau* établit une sélection de seulement 3 000 adresses parmi les dizaines de milliers de tables françaises. En furie, les cuisiniers n'hésitent pas à fustiger le *Guide*. Immédiatement, ce fut la curée : certains grands chefs profitent alors des invitations des médias ou des colonnes des journaux pour montrer du doigt la presse dans son ensemble, niant le travail des critiques, les accusant de ruiner les efforts d'hommes et d'entreprises, de se moquer des conséquences de leurs écrits. « Ce n'est pas une note qui tue, réplique immédiatement Patrick Mayenobe, le directeur de *GaultMillau* sur LCI[6]. Chaque année, le *GaultMillau* met en avant la capacité de renouvellement d'un chef, sa créativité, explique-t-il. Le fait d'enlever deux points à la note de Bernard Loiseau, c'était une façon de lui dire "Attention, tu mets ta créativité de côté", mais jamais de porter atteinte à son talent. » La démonstration ne sera pas suffisante pour désamorcer la pompe. Sans doute aurait-il dû préciser, comme ce sera fait plus tard par de trop rares journaux consciencieux, que Loiseau n'était pas le seul à avoir baissé : avec lui, plus de 25 « institutions » ou maisons historiques de la gastronomie française avaient été rétrogradées. Quoi qu'il en soit, l'exécution médiatique est en route. Instinctivement, les chefs condamnent en bloc les agissements des critiques gastronomiques. Ils disent vouloir refuser le verdict des guides et surtout leurs revirements, alors qu'ils les avaient toujours suscités jusqu'à présent. Il n'y a qu'à compter le nombre de courriers écrits à la presse chaque année par les uns et les autres et sollicitant une visite ou une faveur pour le constater. Pourtant André Daguin, président de l'UMIH (Union des métiers et des industries de l'hôtellerie), le

[6] LCI, Le journal, 25 février 2003, matin.

principal syndicat représentant les professionnels de la restauration est furieux : « C'est assez facile de descendre des idoles pour se mettre en valeur, et si c'est ça, j'espère que ceux qui l'ont fait ne vont pas dormir pendant longtemps… On y veillera ! »[7] Quelques mois plus tard lors d'un colloque sur le sujet, une restauratrice parisienne relativise : « Ce que les chefs n'ont pas aimé, c'est qu'on s'acharne sur un mec : Loiseau. À ce moment-là, il aurait fallu sacrifier aussi tous les autres. Chapel, Lorrain, ils ont vécu ça, ils s'en sont bien sortis, mais combien il y en a qui ont fait des dépressions et qui ont lâché le métier parce qu'ils n'ont pas supporté qu'on leur tape dessus ? Chez d'autres, aussi, c'est la catastrophe. Derrière la réputation, il n'y a plus rien, et en plus vous payez le prix fort. » L'« affaire Loiseau », objet de piques violentes, d'atermoiements et de profonds désaccords, était née. Elle était sortie d'un tourbillon de colère qui semblait en mesure d'entraîner tout le système avec lui. Restait à comprendre pourquoi…

La fausse « affaire Loiseau »

Le petit monde de la gastronomie française a été secoué comme jamais par le suicide de Loiseau. « Le choc a été tel qu'il a conduit un certain nombre de journalistes à dire beaucoup de bêtises sur les motivations du suicide de Bernard Loiseau et un certain nombre de chefs à dire des conneries sur le métier de critique », remarque Emmanuel Rubin, journaliste gastronomique au *Figaroscope* L'événement, il est vrai, a provoqué un débordement et un

[7] LCI, Le journal, 24 février 2003, 23 h 30.

flot de déclarations à tort et à travers dans les deux camps, aussi bien du côté des cuisiniers que des journalistes. En fait, pour une fois qu'on offrait du temps d'antenne aux chefs pour parler d'eux et d'un des leurs, ils se sont lâchés. Ces prises de parole ont immédiatement provoqué un immense malaise. Et comme la haine est bonne nourricière en terme d'audience, il y avait là tous les ingrédients pour que la mayonnaise prenne. Les médias ont donc largement attisé la polémique. Sur les ondes d'une radio nationale, à 8 h, le 25 février, on a ainsi pu entendre : « Bernard Loiseau s'est suicidé, il venait de perdre deux points dans le *Guide GaultMillau.* » Tout cela, alors que Dominique Loiseau , sa veuve, s'empresse d'expliquer que « le coup de folie »[8] de son mari n'a rien à voir avec tout ce raffut et que la direction du *Guide Michelin* répète qu'elle a, pour couper court aux rumeurs, confirmé dès le 7 février que le cuisinier conservait ses trois étoiles. « On était, bien entendu, sûrs de M. Loiseau », explique alors Gonzague de Jarnac, directeur de la communication du *Guide Rouge.* Mais personne ne veut rien entendre, ni les chefs ni surtout la presse écrite, qui a consacré plusieurs centaines d'articles à la mort de Loiseau. En réalité, l'« affaire Loiseau », comme on l'a appelée à tort, n'a jamais existé. Les médias ont monté en épingle un épiphénomène, la mort d'un homme, pour en faire un événement public et médiatique qui n'avait pas lieu d'être, les raisons de son suicide étant, bien entendu, ailleurs, comme l'ont confirmé depuis bon nombre de témoins privilégiés.

« Bernard était anxieux et dépressif », explique du bout des lèvres le chroniqueur gastronomique à la retraite, Michel Piot, plusieurs mois après l'événement. « Sa femme

[8] AFP, 25 février 2003, 20 h 59.

m'a dit : "Pour en arriver là, il fallait que le verre soit plein !" Certes, il a fallu une goutte pour qu'il déborde, mais le verre était déjà plein avant. » Une façon de confirmer que l'accusation portée par les chefs contre les médias ne tient pas debout. En effet, personne n'était fondé à dire, sous prétexte que Bernard Loiseau était maniaque et perfectionniste, qu'il se serait donné la mort en raison de la diminution de deux points de sa note dans *GaultMillau*. Ni que l'information publiée par *Le Figaro* et évoquant la perte de sa troisième étoile y était pour quoi que ce soit. Peu après le drame, Marc Veyrat, le grand chef savoyard, a également témoigné : « Soyons sérieux, dans ce métier, on connaît les règles du jeu. Les deux points perdus n'expliquent pas son geste, c'est un faux procès. »[9] C'est bien le moins de la part du chef qui obtient pour la première fois 20/20 la même année chez *GaultMillau* et deux fois trois étoiles à Annecy et à Megève. Il peut donc voler au secours du *Guide Jaune*. Mais c'est sa façon à lui d'expliquer la tragédie personnelle de Bernard Loiseau. Affirmer le contraire est facile et simpliste. Mais certains ne s'en sont pas privés, comme Jean Miot, chroniqueur gastronomique, ancien président de l'AFP et du *Figaro*, qui persiste dans la polémique : « Donner deux points de moins à Bernard Loiseau, c'était totalement injustifié. Et encore, il aurait fallu que *GaultMillau* explique pourquoi... Je conteste la diminution de la note qui lui a été attribuée. Le seul reproche qu'on aurait pu lui faire, c'est peut-être de ne pas avoir varié plus souvent. Mais, en tout cas, la qualité et la perfection étaient toujours de mise chez lui. Et, dans la mesure où la qualité demeure, ça ne justifie pas d'enlever des points. » Assurément, pour

[9] *Le Parisien*, 26 février 2003.

reprendre les mots de Pierre Desproges, « Le suicide, c'est un manque de savoir-vivre. » Mais la plupart des chefs et des journalistes qui connaissaient bien Loiseau le savaient : ce « faux jovial », selon l'expression du journaliste du vin, Michel Dovaz, était fondamentalement dépressif. « Il a eu le trop-plein, il était très fatigué », confirme de surcroît Dominique Loiseau. Quelques mois plus tard, André Daguin tentera de justifier la conduite hargneuse des chefs : « On ne pouvait pas rester calmes... L'un de nous venait de disparaître, il fallait qu'on dise quelque chose. [...] À la mort de Bernard, les chefs se sont dit : "Il y a un des nôtres qui s'est suicidé, il y a une raison : c'est ce salaud de Untel !" La réalité n'est pas tout à fait celle-là, même s'il y a un fond de vrai. Quand on a quelqu'un d'aussi fragile et dépressif que Loiseau, qui était malade depuis trente ans, qui donnait mais ne recevait pas, c'est toujours difficile. Parfois, il fallait lui dire trois ou quatre fois les mêmes choses, sinon ça ne rentrait pas. Il n'écoutait pas, car il était toujours en ébullition, en mouvement. Il n'était pas vraiment quelqu'un de pondéré, d'équilibré. Donc, il a suffi du petit écho d'un journaliste pour que... »

Tant va la cruche à l'eau...

À trop désigner le coupable, le responsable à la source du drame, il fallait bien qu'un chef franchisse un pas supplémentaire. Ce fut chose faite dès le mercredi 26 février avec la divulgation d'une lettre comminatoire de Jacques Pourcel, patron du *Jardin des sens* à Montpellier, lui-même rétrogradé par *Michelin* et *GaultMillau*. Également président de la chambre syndicale de la haute cuisine française, il s'adressait ainsi en interne à l'ensemble de ses 70 adhérents dans un courrier qui n'était pas destiné à être rendu public : « On peut dire, et même affirmer, que ce sont eux[10] qui ont tué Bernard Loiseau. »[11] Et plus loin : « On va, bien entendu, évoquer d'hypothétiques problèmes financiers, une dépression... Les journalistes trouveront certainement une façon de détourner la vraie raison de la mort de Bernard, réagissons ! » On sent d'ailleurs dans cette argumentation la patte d'un avocat ou d'un juriste. Pourcel va même jusqu'à recommander à ses adhérents de manifester « contre des journalistes et des guides », car « on ne peut accepter que des guides ou des journalistes puissent mener des hommes doués au désarroi à tel point qu'ils en viennent à se donner la mort ». L'un des destinataires, pas vraiment solidaire, s'empresse de communiquer la lettre à l'AFP. Le lendemain, *Le Figaro* et *Libération* en publient de larges extraits[12]. Le boomerang se retourne vite contre son auteur. Pourcel a parlé trop vite, trop tôt, trop fort... et s'en est mordu les doigts : « J'ai été mis sur le devant de la scène à cause d'une lettre qui n'était pas destinée à être rendue publique. [...] J'ai envoyé cette note interne, mais elle n'était pas une prise de position en tant que telle, elle était la synthèse de ce qui se disait. » Le critique gastronomique, Jacques Gantié, réplique le jour même : « On est à deux doigts de l'apostrophe mitterrandienne adressée aux chiens après le suicide de Bérégovoy. »[13] Quelques jours plus tard, Alain Ducasse démissionne de la chambre syndicale, refusant de

[10] Les critiques (NDA).
[11] *Libération, Le Figaro*, 28 février 2003, et *L'Hôtellerie*, n°2812, 13 mars 2003.
[12] *Nice-Matin*, 28 février 2003.
[13] Édito, Le *Nouveau GaultMillau*, avril-mai 2003.

« cautionner le contenu de cette lettre », suivi par Michel Del Burgo, ancien chef trois étoiles de *Taillevent*, mais aussi Reine Sammut, et d'autres cuisiniers moins connus. Dans la foulée, François Simon porte plainte pour « diffamations et injures publiques » à l'encontre de Jacques Pourcel. Dans son numéro d'avril-mai 2003, *GaultMillau* répliquera avec un dossier « Faut-il manger la critique gastronomique ? » en donnant la parole à Jacques Pourcel, mais également aux actionnaires du magazine : « Nous avons été évidemment choqués par les propos de Monsieur Bocuse, qui a voulu nous faire passer pour responsables aux yeux de l'opinion », explique Louis Ballande, P-DG du groupe éponyme et actionnaire de *GaultMillau*. « Nous avons un moment envisagé de porter l'affaire devant la justice, car cette exploitation diffamatoire d'une situation aussi douloureuse nous a scandalisés », renchérit Justin Onclin, président-directeur général de *GaultMillau*. Attaqué, insulté, calomnié et traîné dans la boue dans plusieurs centaines d'articles de presse en France et à l'étranger, le *Guide Jaune* a été sous les feux de la rampe. Le bruit autour de l'événement, « le lancement agité »[14] a fait beaucoup parler du guide. Au démarrage, les ventes de *GaultMillau* ont gagné près de 30 % avant de retrouver un niveau habituel. Paradoxalement, l'événement public constitué par la polémique dès le lendemain de la mort de Loiseau aura finalement contribué, par ricochet, à faire davantage parler de *GaultMillau* que toutes les années précédentes, et ce, sans bourse délier. Mais l'antagonisme reste total.

« À la mort de Loiseau, Dutournier, Pourcel, Bocuse et Daguin ont multiplié les piques et les attaques contre les critiques, estime Michel Piot, président de l'APCIG[15]. Cette

[14] Association professionnelle des informateurs et des chroniqueurs de la gastronomie.
[15] Voir Chapitre 2.

réaction était épidermique. » Ce choc émotionnel pour la profession a été tellement grand qu'il a malheureusement entraîné des déclarations à tort et à travers. Il y en a qui ont trop parlé et surtout pour dire n'importe quoi. Il faut dire que la frustration des chefs est réelle, depuis que la critique existe[16] : à chaque fois qu'ils ne sont pas encensés ils feignent de ne pas savoir pourquoi, ou font semblant d'être indignés. Des rancœurs se sont accumulées au fil du temps, et la mort de Bernard Loiseau les a libérées.

Souvent dénigrée, maltraitée même par ceux qui ne sont pas sanctifiés par elle, mais surtout par le public, la critique gastronomique traîne une odeur de soufre, une réputation trouble, et les soupçons latents de connivence sont ressortis. Institution dont on ne sait vraiment si elle est vénérable ou vénéneuse, la critique gastronomique demeure pourtant en France inébranlable et pétrie de certitudes. Assez mystérieuse, plus vraiment anonyme, mais toujours assez secrète, la critique joue un rôle très particulier dans la gastronomie française qui lui vaut cette image sulfureuse de copinage aveugle avec les restaurateurs. Une image qui rejaillit largement sur l'ensemble des journalistes et de la presse et qui est parfois justifiée, accuse Dominique Loiseau, exemple à l'appui : « Dans *Le Figaro économie* du lundi qui suit la mort de mon mari, Michel Garibal écrit comme tant d'autres que les affaires de Bernard Loiseau se portaient mal et qu'il avait de grosses difficultés financières, ce qui pourrait expliquer sa mort. » C'est pour Dominique Loiseau le signe de l'incompréhension qui existait et qui demeure entre les chefs et les journalistes. La veuve du chef s'indigne de ne pouvoir faire entendre la vérité et stigmatise le fait que le chroniqueur

[16] Photo publiée dans *Paris Match*, 27 février – 5 mars 2003, N.D.L.A.

ne soit pas venu à la réunion d'information organisée pour la presse et les actionnaires de Loiseau SA pour poser ses questions et obtenir des réponses. Dominique Loiseau se rappelle également d'un article paru dans un grand quotidien de province : « Ils ont ressorti une vieille photo où Bernard pose avec un fusil de chasse, la photo est légendé de telle sorte que le lecteur croie qu'il pose avec l'arme avec laquelle il allait se tuer. Il se trouve que Bernard était chasseur... Mais, franchement, cette photo, ce n'est pas un peu déplacé ? » « Déplacée » aussi, la séance de photos de Dominique Loiseau et de ses enfants pour *Paris Match* dans les jours qui ont suivi le décès ? Beaucoup l'ont affirmé. Certains l'ont même accusée d'avoir voulu se faire de la publicité. Rétrospectivement, Madame Loiseau assure pourtant : « Nous n'avons pas posé pour la une. Dans la presse, on accepte une séance de photos, mais bien souvent, on ne sait pas s'ils vont les passer, s'il ne va pas y avoir quelque chose de plus important pour eux. *Paris Match* ne nous avait pas dit : "On va faire la une avec vous !" En plus, ils avaient déjà fait la une avec Bernard la semaine précédente. » Chroniqueur du *Figaro* et grand connaisseur de la presse, Jean Miot confirme avec certitude : « Ses affaires marchaient remarquablement bien, et elles marchent toujours bien. On a dit beaucoup de choses inexactes au moment de la mort de Bernard. Je pense qu'il était tout simplement épuisé moralement. C'était un garçon extrêmement fragile qui ne supportait pas l'idée de ne pas rester le premier. Il était dans un état de dépression profonde.

Sa mort tient en une phrase qu'il m'avait dite au début de l'année : "En 2002, je n'ai raté que quatre dîners." Il était là presque tous les jours en cuisine, c'était ça, Loiseau.

Mais on a raconté tellement de conneries... ». Tous sont loin de partager son avis. Comme beaucoup de gens, Guy Martin (*Le Grand Véfour*, à Paris) ne comprend pas, mais il n'excuse pas non plus : « En tant que cuisinier, c'est un geste qui n'est pas facilement compréhensible, mais ce que j'arrive à comprendre, c'est que dans un moment difficile, si l'environnement est vraiment noir, une petite goutte puisse faire déborder le vase. » Sa liberté de ton est partagée par Michel Sarran (*Michel Sarran*, Toulouse) : « Beaucoup de choses dites ont été déplacées dans cette histoire. Certains ont donné des leçons. »

Nombreux sont ceux, en effet, semblent avoir oublié que le critique apporte la récompense, la médaille qui, bien souvent remplit la salle. Sans lui, la plupart du temps, rien n'est possible. Il coûte à André Daguin de le reconnaître : « Je suis de ceux qui doivent tout aux critiques. À Auch, au fin fond du Gers, on ne peut pas remplir son restaurant sans un article ou des bonnes critiques. C'est le côté schizophrène des cuisiniers : certains changent, ils prennent le melon, la grosse tête. Le malaise des chefs est plus important qu'ils ne veulent le laisser paraître. » En novembre 2003, un médecin interrogé par l'équipe du *Droit de savoir* (TF1), lors d'une émission très complète sur ce drame, affirmera que Bernard Loiseau était bel et bien malade. Il précisera même que Bernard Loiseau était atteint d'une psychose maniaco-dépressive bipolaire.

C'est-à-dire que le chef alternait des périodes d'extrême agitation et des phases très dépressives, sans pour autant se soigner ni aller voir un psy. Généralement, ce syndrome atteint des gens qui ne reconnaissent pas être malades et refusent de se soigner. Il s'agit d'une maladie très grave dont très peu de gens réchappent. Dans une phase de dépression, les suicides sont fréquents, car le malade n'a pas la capacité de surmonter ses angoisses. Enfin, la polémique était close.

« Loiseau n'est pas Vatel »[17]

Dans le concert de louanges qui a suivi la mort de Bernard Loiseau, nombreux sont ceux qui ont comparé le chef de Saulieu à Vatel. Mais au fond, la plupart ignoraient à la fois la trajectoire du premier et l'histoire du second. L'histoire ne s'est pas répétée : ce sont des petites histoires qui ont été colportées. Comme l'écrit le journal *Le Monde*, « L'un s'est passé l'épée au travers du corps pour un retard de marée, l'autre est tombé victime des lois du marché. » Célèbre cuisinier du XVIe siècle, maître d'hôtel hors pair[18], Vatel se suicida « parce que la marée n'arriva pas » et passa à la postérité grâce à Madame de Sévigné, qui relata sa mort avec beaucoup d'emphase : « Le grand Vatel, cet homme d'une capacité distinguée de tous les autres, dont la bonne tête était capable de contenir tous les soins d'un État. » Auprès du surintendant Nicolas Fouquet, ministre des Finances de Louis XIV, puis au service des princes de Condé au château de Chantilly, il fit des merveilles lors de dîners somptueux et de réceptions spectaculaires. C'est au beau milieu d'un dîner donné en 1671 à Chantilly en l'honneur de Louis XIV, auquel avaient pris place plus de 2 000 personnes, qu'il se donna la mort faute d'avoir pu tenir ses promesses. L'histoire retiendra cette phrase que d'aucuns ont cru pouvoir attribuer à Loiseau : « Je ne survi-

[17] Titre d'une tribune de Jean-Paul Géné, parue dans *Le Monde*, 6 mars 2003.
[18] Voir *Vatel et la Naissance de la gastronomie*, Fayard, 2000, Dominique Michel.

vrai pas à cet affront-ci. » L'officier de bouche se retira dans sa chambre et s'enfonça une épée dans le cœur. Quelques instants plus tard, la marée arriva, accentuant un mythe déjà grand. Aucun témoignage historique ne permet d'affirmer avec certitude les raisons du suicide de Vatel : déception amoureuse, changement de maître, plusieurs pistes seront étudiées au XIXe siècle sans succès. Le rapport avec Bernard Loiseau ? « Un sens de l'honneur qui a conduit à la mort », selon certains grands chefs. Pour le reste, on est bien loin de la légende de Vatel. Fils d'un laboureur du nord de la France, Vatel est devenu au fil du temps l'emblème de l'art de recevoir et des arts de la table par son raffinement et son goût du spectacle. Loiseau, à sa façon, a lui aussi un peu incarné ce rêve de réussite. Mais la comparaison s'arrête là. Ambitieux, le chef de Saulieu a été la principale figure de la « Cuisine Académie », sans cesse à la recherche de la notoriété. Il a péri par là où il a péché. Ne disait-il pas de ses clients : « [...] Les gens veulent me voir. La gueule du chef est comprise dans l'addition. À la fin du repas, il faut que je sois pris en photo avec la mamie, que je dédicace un menu... Ils ont bien mangé, mais sans cela, il leur manquerait quelque chose. »[19] Issu d'une famille modeste, Bernard Loiseau, qui avait effectué son apprentissage chez les frères Troisgros (restaurant *Troisgros*, Roanne), avait connu une ascension sociale phénoménale. Fils d'un chapelier auvergnat et non enfant du métier, sa carrière a été en effet exceptionnelle. « C'est le seul exemple que je connaisse », admire Pierre Troisgros. Il était devenu un chef trois étoiles, un entrepreneur à succès et une vedette du petit écran. Saulieu avait de nombreuses fois accueilli François Mitterrand, entre autres

[19] *L'Humanité*, 28 décembre 1995.

personnalités de premier plan. L'ancien président de la République l'avait même décoré de la Légion d'honneur lors d'une réception à l'Élysée. Chez lui, les vedettes du petit écran (Michel Drucker, Jean-Pierre Pernaut, Daniella Lumbroso, Inès de la Fressange...), les stars et les politiques étaient toujours attablés, ce qui ne manquait pas, souvent, d'étonner ses amis. Mais Loiseau en voulait toujours plus, d'où son anxiété. Il travaillait sans relâche, ne fermant jamais son restaurant, contrairement à la plupart de ses confrères. Ironie du sort : « Nous avions prévu de fermer quelques jours sur la saison 2003-2004 », explique sa veuve, Dominique. Il n'en a pas eu le temps, pressé qu'il était de rembourser les 50 000 euros mensuels qu'il devait jusqu'en 2010. Dépassé par le système qu'il avait lui-même mis en place, comme le Relais & Châteaux, le spa, la piscine et surtout ses activités annexes, Bernard Loiseau n'a pas tenu le coup.

Ce qui a toujours sous-tendu l'action du chef de Saulieu, c'était surtout qu'il voulait succéder au grand Paul Bocuse, s'étant toujours reconnu comme le fils spirituel du chef français le plus connu à l'étranger. Il n'y aura jamais vraiment réussi, ne se satisfaisant jamais d'être lui-même. Quant à Bocuse, on lui attribue une boutade à l'attention de Bernard Loiseau à ses débuts, à propos de sa cuisine à l'eau : « Quand j'observe le Rhône, j'ai l'impression de voir passer toutes les sauces perdues de Loiseau ! » Le chef de Saulieu était en tout cas fier d'avoir fait la une du *New York Times*, en 1991, lors de l'attribution de sa troisième étoile. Mais le *must*, ce fut sans doute son entrée en Bourse en décembre 1998 : une première mondiale. Sur le second marché, il lève alors 3,9 millions d'euros, du jamais vu pour un cuisinier. Ce fut son heure de gloire. « Ça m'a fait gagner dix ans », aimait à répéter, sourire aux lèvres, Bernard Loiseau. Au lieu de s'endetter encore plus pour assurer le développement de son restaurant devenu une entreprise, il retrouve sa liberté. André Daguin explique : « Il a formidablement bien réussi son entrée en Bourse. Il a levé 25 millions de francs avec une action qui est restée collée au fond. Il m'a raconté la scène quand il était allé voir son banquier : il est arrivé, il lui a fait un chèque de 12 millions et lui a dit en souriant : "Au revoir, monsieur, et merci beaucoup." C'est quand même pas mal, non ? Il a remboursé toutes ses dettes d'un coup. C'est pas idiot. Là, c'est une des rares fois où je l'ai vu profondément content. » Cinq ans après, le groupe continuait de dégager de confortables bénéfices. On aurait pu croire que le pire était passé. Loiseau, lui, répétait souvent, comme un mantra : « Le plus dur, ce n'est pas d'atteindre le sommet, mais d'y rester ! » Pour Daguin, c'est l'évidence même : « Bernard, il donnait du bonheur autour de lui, mais il n'était pas joyeux. Il ne s'est pas suicidé pour des sous, ça n'a rien à voir avec son suicide. Je ne sais pas comment allaient ses affaires, mais je le connais depuis qu'il était cuisinier à la barrière de Clichy et ce n'est pas une question d'argent. Après, il a été installé comme chef par Jamin à la barrière Poquelin. Ensuite, il a travaillé chez Troisgros, avec Jean Troisgros, qui était dur et qui lui a dit un jour : "Si un jour tu deviens cuisinier, moi, je me fais archevêque."[20] Puis, petit à petit, il est devenu chef, puis chef reconnu, puis très grand chef et enfin chef médiatique mondial. Mais autour, il y avait quoi ? Rien. Il était sur une base meuble. Il n'existait que parce qu'il était un grand chef. Et quand tout d'un coup il s'est aperçu qu'il risquait

[20] AFP, 24 février 2003.

de ne plus être dans le club des trois étoiles, il s'est foutu en l'air. Ce n'était pas une question d'argent, parce que question sous, il n'était pas naïf du tout. » Alors si la critique n'est pas coupable, si les finances ne sont pas responsables, où trouver une explication à l'« affaire Loiseau » ?

La polémique entre la presse et les chefs a néanmoins révélé un malaise, chacun accusant à tort et à travers. Les cuisiniers sont une profession en mal de reconnaissance : conditions de travail souvent difficiles, frais et charges importants, situation économique dégradée, de nombreux chefs sont meurtris. Ils ont fait de Bernard Loiseau leur emblème. « Il était le porte-parole de la cuisine française, a toujours martelé Dominique Loiseau. Il était vraiment populaire, les clients voulaient le voir. » Seulement, ce n'était sans doute pas là son ambition. Ce que confirme malgré elle Madame Loiseau : « Bernard, ce que faisaient les autres chefs, il s'en foutait. Il ne jurait que par sa cuisine et ne croyait qu'en lui. » C'est bien le problème : même s'il savait déléguer, preuve en est sa maison qui continue de tourner sans lui, et ses bistrots également, Bernard Loiseau n'a pas « fait école », comme Alain Ducasse, Troisgros ou d'autres. « Il faudra que de l'eau ait coulé sous les ponts pour entendre Dominique Loiseau avouer à regrets : "C'est vrai, Bernard était un peu entre deux époques" (...) il ne comprenait pas qu'on s'intéresse plus à la décoration qu'à l'intérieur de l'assiette »[21], comme pour excuser son manque de modernité, d'ouverture. Certes, il y a pas mal d'étoilés Michelin qui ont travaillé à Saulieu, mais de là à dire qu'ils y ont été formés... Peu de cuisiniers ont marché dans les pas du père Loiseau, même si régulièrement d'anciens stagiaires ayant essaimé dans le monde entier se retrouvent pour un réveillon

---

[21] *Vol de nuit*, TF1, 17 décembre 2003, 00 h10.

ou envoient une carte postale pour se rappeler au bon souvenir de Saulieu. Il y a bien Hervé Sauton, chef de l'*Hôtel du Castellet* (Le Beausset), qui, comme Loiseau, auquel il doit sa place, travaille les meilleurs produits, Johann Maraccini, chez *De Lagarde* (Paris), ou Arnaud Magnier, du *Clairefontaine* (Luxembourg), entre autres, mais les véritables orphelins du chef sont peu nombreux. La plupart ont d'ailleurs cherché à moderniser son art, à l'affiner, à le dépoussiérer. Dominique Loiseau s'en défend : « Il y a plein de cuisiniers pour qui Bernard était un modèle. Il en est passé du monde en 27 ans ! » Mais personne dans la maison n'est en mesure de citer un ancien véritablement formé ici et qui figure aujourd'hui dans le peloton de tête de la cuisine française. C'est quand même un comble.

CHAPITRE 2

La petite histoire de la critique gastronomique

« Sans la liberté de blâmer, il n'est point d'éloge flatteur. »
Beaumarchais

Haro sur la critique !

Chefs et critiques, cuisiniers et journalistes, la relation est complexe, les rapports, parfois ambigus. La mort de Bernard Loiseau a cristallisé ces oppositions. Un an après, on n'a toujours pas l'impression que cela ait vraiment conduit à plus d'humilité de part et d'autre et à davantage de compréhension et de dialogue entre chefs et critiques. Mais si la situation ne s'est guère apaisée, c'est sans doute que les antécédents sont trop nombreux, et les décennies de honteuse collusion, de complaisance et de copinage, enfouies au plus profond des garde-manger. Comme un secret de famille bien gardé, les chroniqueurs gastronomiques font mine d'ignorer le sulfureux passé de cette confrérie, qui compte bien des moutons noirs. Une histoire qui permet de mieux toucher du doigt la controverse qui concerne les critiques gastronomiques et leurs rapports avec les cuisiniers. « Ils sont des narrateurs engagés, écrit James de Coquet. Ils ne nous racontent pas comment on déjeune à tel endroit mais comment ils ont déjeuné eux-mêmes. On a eu pour eux les mêmes égards que s'ils étaient saint Paul à la veille d'écrire son *Épitre aux Colossiens*[1]. » Pour mieux comprendre le débat actuel, il conviendrait de faire un petit voyage à travers le temps pour remonter aux balbutiements de la critique gastronomique et tenter de comprendre d'où vient cet acharnement contre elle et quelles sont ses justifications.

À l'origine pas vraiment démocratique, la pratique gastronomique et l'éducation du goût se répandent plus largement à partir du début du XXe siècle, comme l'écrit Jean-Pierre Poulain : « C'est la bourgeoisie qui institue le grand moment du restaurant. [...] Pour guider le bourgeois, apparaît la critique gastronomique. Le restaurateur éduque le client, lui apprend ce qui est bon. En même temps, les pratiques des élites se diffusent dans la société. »[2] Mais c'est à la fin du siècle précédent que le premier critique moderne a exercé. Né en 1758, Alexandre Balthasar Grimod de La Reynière a manié la plume jusqu'en 1838, ce qui en fait le pionnier des journalistes gastronomiques. Affublé d'une infirmité de naissance, cet aristocrate issu d'une famille de riches fermiers généraux est écarté de la vie de sa famille et exilé dans un couvent près de Nancy.

---

[1] James de Coquet, *Lettre aux gourmets aux gourmands aux gastronomes et aux goinfres sur leur comportement à table et dans l'intimité*, Relais & Châteaux, décembre 1996.

[2] Jean-Pierre Poulain, auteur de *Penser l'alimentation*, *Manger aujourd'hui*, éditions Privat, et *Sociologies de l'alimentation*, PUF, 2002.

C'est à la table de l'abbé qu'il découvre l'art du bien manger avant de retrouvrer sa liberté. Entre 1803 et 1812, Grimod de La Reynière publie l'*Almanach des gourmands*, premier ouvrage à n'être ni technique ni scientifique et qui effectue la recension des meilleures tables, cafés et boutiques. À cette fin, Grimod de La Reynière constitue un jury de gastronomes qui attribue des « légitimations » aux meilleurs plats goûtés. Sans le savoir, il venait d'établir la première classification des meilleurs cuisiniers, en donnant des appréciations à chacun de leurs plats. Évidemment, celles-ci ne sont pas du goût de tous, et Grimod de La Reynière se fait rapidement beaucoup d'ennemis. D'autant que, le succès aidant, le critique devient très populaire. Les restaurateurs mal notés en prennent ombrage et tentent de déstabiliser Grimod de La Reynière. Il est accusé de partialité et même menacé de procès. Fantaisiste, provocateur-né, La Reynière a mené une vie tonitruante à l'encontre des mœurs de sa famille. Ami avec Restif de la Bretonne, écrivain révolutionnaire connu pour ses écrits licencieux, il s'est marié avec une comédienne, ce qui ne se faisait pas dans la bonne société. Non seulement ses écrits de table revêtent une importance historique, mais par les controverses qu'il a suscitées, La Reynière a incarné de façon paroxystique l'invention de la critique gastronomique. Et même plus, « jusqu'à ce que le goût du ragot l'emporte sur le goût du ragoût », comme il a été écrit. Parmi ses contemporains, Anthelme Brillat-Savarin, auteur en 1825 de la *Physiologie du goût*, ouvrage décisif et encore édité aujourd'hui. Il y mêle histoire, récits, explications scientifiques et belle littérature, le tout non sans humour. Avec ce livre, Brillat-Savarin est le théoricien de la gastronomie moderne, « l'intellectuel qui se met à disserter sur l'art culinaire ». Ensuite, quelques almanachs et guides gastronomiques sont publiés au cours du siècle, et même une revue, *Le Gourmet*, fondée par le chroniqueur de théâtre Charles Monselet en 1858. C'est la première du genre. L'étape suivante est franchie par Ildefonse Léon Brisse, dit le baron Brisse, premier chroniqueur quotidien à partir de 1866. Dans le journal *La Liberté*, d'Émile de Girardin, Brisse signe tous les jours une page baptisée « Monde gastronomique », pour laquelle il teste un menu différent chaque fois.

Naissent alors les premiers guides touristiques comme l'allemand *Baedeker* en 1827 ou le suisse *Joanne* en 1841, qui deviendra plus tard le *Guide Bleu*. S'inspirant des publications de Grimod de La Reynière et de Brillat-Savarin, ils conseillent des bonnes tables. Le *Guide Michelin*, lui, apparaît en 1900[3], mais n'affirme réellement sa nature gastronomique que vingt ans plus tard. Les sujets restent largement circonscrits à la bourgeoisie et aux classes les plus aisées. C'est justement à cette époque que sévit Maurice Sailland, un gourmet d'Angers, plus connu sous le pseudonyme de Curnonsky. Nègre, puis écrivain, apprécié pour son talent littéraire, il n'était pas avare de bons mots et menait grand train gastronomique. « C'est en chroniqueur sans prétention qu'il aborde la bonne chère, note non sans ironie Pascal Ory. [...] Il se construit ainsi une figure ventripotente de bon vivant universel, dans laquelle se reconnaîtront plusieurs générations de confrères et de lecteurs. »[4] Ses repas pantagruéliques étaient aussi légendaires que ses amitiés avec les cuisiniers et ses frais de bouche astronomiques qu'ils prenaient à leur charge. Incapable de cuisiner

[3] Voir chapitre 3.

[4] *Le Discours gastronomique français des origines à nos jours*, collection archives Juillard, Gallimard, 1998.

pour la bonne raison qu'il vivait dans un deux pièces encombré de livres, square Henri-Bergson à Paris, Curnonsky était doté de capacités digestives hors du commun. Ses récits d'agapes orgiaques jalonnent ses écrits comme autant de records dont il était fier comme Artaban. Mais surtout, sa littérature s'apparente souvent au style « couronnes de louanges » du genre : « Tout le monde il est beau, tout le monde il est gentil et tout il était très bon. » Il fallait bien quand même remercier les gens qui vous avaient invité, non ? En 1927, le magazine *La Bonne Table et le Bon Gîte* consulte ses lecteurs en vue d'élire un « prince des gastronomes ». C'est Curnonsky qui fut élu, ce qui lui valut la reconnaissance de ses pairs et des professionnels dont il a excellé à tresser le panégyrique, jusqu'à la fin de ses jours. En 1953 fut créée sous son égide la première association des chroniqueurs gastronomiques français. Parmi les membres fondateurs, on trouve d'étonnantes et extravagantes figures de la chronique gastronomique d'après-guerre : Francis Amunategui, Robert Courtine et surtout Henri Clos Jouve, auteur des célèbres *Carnets de croûte* en 1963 et instigateur de la « coupe des meilleurs pots » à Lyon, puis à Paris. Comme eux, Curnonsky aimait qu'on le reconnût en public et qu'on le traitât fort bien. « À la fin de sa carrière, écrit James de Coquet, Cur était devenu le dalaï-lama de la gastronomie française. On le révérait à l'égal d'un dieu. Certains restaurants parisiens ont d'ailleurs fait mettre une plaque sur le fauteuil qu'il occupait chez eux. Honneur tout à fait mérité car il était à la fois une robuste fourchette et un conteur délicieux. Il aimait les hommages, mais ils ne lui montaient pas plus à la tête que le bon vin. » Encore aujourd'hui, chez *Lapérouse* (Paris 6e), une photo le représente bien repu à la sortie du dîner de ses 80 ans qui lui fût bien entendu offert.

Les autres chroniqueurs, bien moins importants, sont également « rincés » par les restaurateurs qui s'offrent de la publicité à bon compte dans les gazettes. Jouisseurs, épicuriens, les premiers critiques gastronomiques ne se refusent rien, ils sont sans complexe face aux plaisirs de la table. L'entre-deux-guerres est propice à l'essor des restaurants. La presse n'est pas en reste avec le mondain James de Coquet, qui livre ses chroniques gastronomiques au *Figaro.* Il est l'ami de Pierre Lazareff, qui anime un petit groupe, « Les moins de trente ans », où il retrouve Joseph Kessel, Pierre Fresnay ou encore Jean Fayard. Plume brillante, Coquet s'impose comme l'un des plus érudits stratèges de la table, et ses écrits, régulièrement réédités, charment la grande bourgeoisie. « Il est à la chronique culinaire ce que le champagne est au vin de table [...], écrit Régis Bulot, il maîtrise avec brio le plus beau sujet du monde, parfois galvaudé par de petits mangeurs. »[5] Avoir un gros appétit, s'en mettre plein la panse, c'est, il faut le noter, le gage de qualité d'un journaliste qu'exigent depuis toujours les hôteliers et les restaurateurs. Chez Coquet comme chez d'autres, les mots « gourmets », « gourmands » et « gastronomie » riment le plus souvent avec goinfres. Pour lui, la passion de la bonne chère est davantage celle de la gourmandise que celle de la cuisine. L'époque n'est pas en effet à l'analyse des mets et des plats, mais aux longues dissertations égocentriques sur les agapes des chroniqueurs. « Ce qu'on appelle la table, écrit James de Coquet, ce n'est pas seulement ce qu'on y sert, sa décoration, l'environnement, la qualité des convives. C'est aussi

---

[5] Ouvrage déjà cité.

les propos qu'on tient autour de la nappe. Je suis persuadé que, s'ils sont uniquement axés sur la nourriture, cela vous coupe l'appétit. »[6] S'y ajoute donc la gourmandise des femmes et du sexe, tout cela se mélangeant allègrement dans ses livres. Ce qui fait dire à certains de ses contemporains à la fin des années 30 que Coquet « est un faux aristocrate, un faux critique, un faux journaliste, une erreur en somme », qui « attache une importance excessive aux badinages mondains » et « s'est coupé de ses lecteurs ». Voilà donc à quoi ressemble le critique gastronomique type régnant sur le genre jusqu'à la fin des années 70. Depuis, rien n'a vraiment changé. Après la guerre, *La France gastronomique*, le guide de Curnonsky, fait référence avec sa sélection de bonnes tables et ses conseils. Le « prince » fonde également *Cuisine de France* en 1947, magazine classique s'il en est. Curnonsky est le premier critique gastronomique à avoir traîné une réputation sulfureuse, notamment sur le plan politique. Il était très proche de Léon Daudet, dont la femme a publié en 1913 *Les Bons Plats de France*, un livre-plaidoyer pour la bonne vieille cuisine française de chez nous. Journaliste polémiste, Daudet a lancé avec Maurras le quotidien l'*Action française*. Plus tard, il se distinguera en qualifiant l'Allemagne hitlérienne de « seconde réforme allemande ». Le courant classico-traditionaliste en cuisine est assez répandu dans la France conservatrice de l'entre-deux-guerres. Curnonsky en est l'archétype, soutenu par l'*Action française*. Ce qui fait dire à Bénédict Beaugé, spécialiste de l'histoire de la gastronomie : « Cet éloge de la tradition dans ce qu'elle a de plus rassis, quelquefois pour ne pas dire de plus rance, a d'étranges résonances, et l'on sait comment, dans d'au-

[6] Ouvrage déjà cité.

tres domaines, cette peur de l'extérieur, de l'étranger, du cosmopolite, fait des ravages. »[7] Les gastronomades et les associations régionalistes en sont le prolongement. Ces accents très Barrèsiens, qui sont encore présents aujourd'hui sous la plume de quelques tenants du terroir et de la tradition, marquent une sorte de fil rouge dans l'histoire moderne de la critique gastronomique et justifient en partie l'anathème très tôt jeté sur elle. Les copinages et les compromissions en tout genre feront le reste. Mais l'essor de cuisiniers comme Fernand Point, qui débarrasse la cuisine de ses artifices, et surtout les premiers frémissements de la Nouvelle Cuisine finissent par « ringardiser » Curnonsky. Il se suicidera en se jetant par la fenêtre de son appartement dans les années 60.

D'excellents « collaborateurs »

Comme *Combat*, le quotidien de référence après la guerre, la plupart des titres de presse jugent la gastronomie futile et n'en parlent même pas pendant la reconstruction. Ce n'est que quelques années plus tard que *Le Monde*, nouveau quotidien calqué sur les bases du plus célébre journal de la résistance, s'y intéresse. Petit écho, brève, puis chronique, article, portrait, pendant près de cinquante ans, c'est Robert Jullien Courtine, alias La Reynière, qui se voit confier cette mission. Le journalisme gastronomique tel qu'on le connaît aujourd'hui n'existe pas à cette époque. Il n'est pas reconnu par la profession et ne nécessite alors pas vraiment de références particulières. Le poste n'exige pas non plus d'être détenteur d'une carte de presse profes-

[7] *Aventures de la cuisine française*, Bénédict Beaugé, Nil éditions, 1999.

sionnelle, ce qui a permis à d'anciens collaborateurs interdits dans la presse de se recaser. Courtine était de ceux-là, étonnant critique du *Monde*, connu pour ses sympathies collaborationnistes pendant la guerre. Non seulement il était à Paris pendant la durée de l'Occupation, mais il poursuivait son travail de journaliste en écrivant pour des journaux collabos. « Il n'était guère aimé dans la profession pour avoir fricoté pendant l'Occupation avec les Allemands », confirme François Simon. Mais il n'était pas le seul. Pas mal de journalistes, d'écrivains et d'hommes de lettres se rallièrent à la France de Vichy, et par le fait, à la milice et aux Allemands. Seulement voilà, ancien « camelot du roi », du nom du regroupement de jeunes gens souvent royalistes ou très à droite, dans la mouvance de l'Action française créée par Charles Maurras[8], Robert-Jullien Courtine fut également militant du Parti Populaire Français (PPF), fondé par Jacques Doriot. Et pendant la guerre, « il écrit dans *L'Atelier*, *Le Réveil du peuple*, *La France au travail*, *Au pilori*, *Le Bulletin d'information antimaçonnique*, et collabore à *Radio Paris* »[9]. À la fin de la guerre, certains échappèrent au sort de Robert Brasillach, sans doute pour avoir été moins virulents, mais ils eurent du mal à se recaser dans les journaux de la Libération en raison de leurs troubles années de guerre. On les relégua donc à ce qui n'intéressait personne en ces temps de rationnements : la critique gastronomique. Sophie Coignard, qui a formidablement reconstitué les réseaux des anciens vichystes et collaborateurs, parle d'un « entrisme sournois » auquel peu de journaux ont échappé. Elle explique comment Courtine s'est retrouvé avec Céline à Baden-Baden en 1945 avant d'aller rejoindre la rédaction de *Je suis partout* alors que les troupes alliées avançaient.

---

[8] *L'Action française*, Eugen Weber. Paris : Stock, 1962 (rééd. Fayard, coll. Pluriel, 1985).

[9] *Les Bonnes Fréquentations, histoire secrète des réseaux d'influence*, Sophie Coignard, Marie-Thérèse Guichard, Grasset, 1997.

Reprenant les mémoires écrites en prison à Fresnes par Jean Hérold-Pâquis, elle dresse un portrait peu glorieux de Courtine dont elle écrit : « Les Américains aux trousses, Courtine fuit en Autriche et franchit la frontière suisse, de la neige jusqu'à la ceinture. » Comme durant la reconstruction la cuisine n'est pas une priorité, loin de là, on relègue ses thuriféraires au fond des rédactions, près de la poubelle. Pendant des années, avant que la fonction s'anoblisse et qu'on la confie à des collaborateurs placardisés ou à des amis du directeur de la rédaction, les journalistes gastronomiques vont végéter, subissant moqueries et quolibets. Surtout, leurs articles intéressent peu et suscitent le plus souvent l'indifférence. « Étonnez-vous après que cette profession traîne casseroles et réputation sulfureuse, renchérit Simon. C'est congénital. » C'est donc par rage et par dépit que beaucoup sont arrivés au genre gastronomique. Installé au fond de la rédaction, Courtine a longtemps été au *Monde* réduit à la portion congrue. Charmant, pour ceux qui l'ont connu, grinçant sans amertume, il maniait la plume et les mots avec brio. « Ses lecteurs y dégustent ses savoureuses chroniques (...). Mais ils ignorent que l'amateur de bonne chère "bouffait du juif" à longueur de colonne dans les années 40 ! Et qu'il continua dans la même veine outre-Rhin à Radio-Patrie, l'ancêtre du PPF. »[10] Ses chroniques, incisives, faisaient pourtant souvent mouche. Elles demeurent encore aujourd'hui un modèle du genre. Ce qui n'empêcha pas un jour Hubert Beuve-Méry, le fondateur du *Monde,* qui avait lui-même recruté Courtine, de le moquer en l'affublant du titre de « meilleur collaborateur du journal », en référence à son passé peu glorieux d'antisémite notoire. Pendant plus de vingt ans,

[10] Ouvrage déjà cité.

La Reynière est, de tous, celui qui connaît le mieux la cuisine. Parmi ses confrères, Francis Amunatégui est l'un des seuls à se distinguer jusqu'au début des années 60. La plupart des titres de presse n'avaient alors pas de pages gastronomiques et les grands quotidiens évoquaient même rarement le sujet. Seule vivotait une presse gastronomique complaisante, qui, écrivent Gault & Millau, « dans un style dégoulinant de sauce à la crème, narrait avec un comique involontaire les agapes de gros messieurs apoplectiques[11] ». Le copinage, les banquets gratuits et les congratulations réciproques étaient la norme entre chroniqueurs et cuisiniers. Il n'y avait pour ainsi dire pas de véritables journalistes gastronomiques et les arts de la table étaient bien encroûtés. L'idée même de « critique » semblait assez incongrue à de nombreux cuisiniers : Michel Piot n'a-t-il pas écrit que pour la presse gastronomique après guerre « écrire les louanges des restaurants, des chefs et de leurs plats, n'était qu'une annonce de leur activité de journaliste » ?[12]

La notion prend toute sa force avec l'arrivée d'Henri Gault et Christian Millau à partir de 1960[13]. Ils renouvellent le genre et mettent les pieds dans le plat en expliquant que, jusqu'alors, « La gastronomie a été inventée par des pédants qui rêvaient de se faire prendre au sérieux. » Gault & Millau écriront par exemple du style et de la cuisine de Curnonsky qu'ils sont « bardés d'à-peu-près et farcis aux truismes » et, « tant mieux, en train de mourir ». Pour le discréditer, il n'y a pas mieux. Ou plutôt si : « Curnonsky ne manquait pas d'esprit, son écriture ampoulée avait certaines grâces, et si ce prince élu fut nourri toute sa vie

[11] *Gault & Millau se mettent à table*, Stock, 1976.
[12] Annuaire APCIG, 2003-2004
[13] Voir Chapitre 4.

aux frais de la princesse, on le disait généreux, indifférent aux sollicitations de la publicité. » Opération qui vise indirectement Courtine, le chroniqueur du *Monde*, fervent défenseur de l'empereur des gastronomes. Vexé, il parlera à son tour de la Nouvelle Cuisine de Gault & Millau comme d'un « coup de bluff publicitaire », suscitant une polémique comme les Français les aiment tant. Il faut dire qu'au moment où le livre-programme de Courtine *L'assassin est à votre table* (1969) ressort en librairie, la Nouvelle Cuisine va naître. Révolution en marche, elle veut effacer des mémoires les chroniqueurs bons vivants, les chevaliers des confréries gastronomiques, les répugnants qui « dégoulinent de fond de veau, de béchamel et de vol-au-vent » et « ne savaient pas manger ». Pour autant, François Simon relativise leur rôle : « Avec l'arrivée de Christian Millau et Henri Gault, le journalisme est entré en cuisine, tandis que les chefs sortaient pour prendre la vedette. C'était la fin d'une époque. Celle d'une cuisine heureuse, amicale et sans beaucoup d'argent. La critique était conviée, elle donnait son avis. La gastronomie a basculé dans la recherche légitime du gain avec son lot de stress. »[14] Avec *Garçon, un brancard !*, et d'autres brûlots, Gault & Millau jouent dans les années 60-70 le rôle des trouble-fête, interrompant une coterie ancestrale qui retrouvait maqués journalistes et cuisiniers. Ils modernisent et anoblissent la critique gastronomique en donnant un grand coup de pied dans une fourmilière qui se reformera néanmoins assez vite. Depuis eux, les quotidiens, les magazines, la radio, puis la télévision et les sites Internet se sont emparés d'un os qui n'en finit plus d'être rongé : l'appétit et la gourmandise des Français. De *L'Humanité* à *L'Express*, en passant

---

[14] *Loiseau, les guides et les critiques*, Bernard Delattre, *Dernières nouvelles d'Alsace*, 7 mars 2003.

par *Challenges*, il n'est presque plus un titre, même spécialisé, qui n'a pas son chroniqueur gastronomique attitré. Bénédict Beaugé confirme : « Depuis la fin de la guerre, les relations entre cuisiniers et professionnels du discours gastronomique ont considérablement évolué. Lorsque Raymond Oliver s'installe au *Grand Véfour*, il le fait quasiment au milieu d'un désert médiatique. Aujourd'hui, chaque quotidien et chaque hebdomadaire a un ou plusieurs journalistes spécialisés, sans parler de la presse gastronomique ou culinaire, devenue pléthorique. »[15] Devenant des stars, les cuisiniers se sont également mis à intéresser les pages *people* des magazines, à faire partie de la vie quotidienne des Français. Et des journalistes n'y connaissant rien aussi.

L'aile ou la cuisse ?

« Comment devient-on chroniqueur ? Au piston et au culot, mon cher ! Il n'existe aucune école, aucun diplôme. Ce pourquoi la presse gastronomique est encombrée de nullités qui s'ingénient à faire illusion, dont l'ignorance est sidérale et la probité, plus que douteuse. Et l'on voit, triste spectacle, des prétentieux qui ne savent pas faire cuire un œuf empoisonner l'existence de restaurateurs émérites. » Sûrement trop caricaturale, féroce à souhait, la charge signée Hubert Monteilhet, dans son roman *La Part des anges*[16], n'en pose pas moins clairement la question de la légitimité du critique gastronomique.

Le fondement même de la critique, quelle qu'elle soit, est basé sur cet aphorisme de Beaumarchais : « Sans la

[15] *Aventures de la cuisine française, op. cit.*
[16] *La Part des anges,* Hubert Monteilhet, Éditions de Fallois, 1990.

liberté de blâmer, il n'est point d'éloge flatteur. » Être critique, ce n'est finalement rien de plus que d'exercer son sens critique. La plupart des gens qui exercent cette fonction, dans la critique gastronomique, par exemple, sont autoproclamés. Mais qu'importe ? Comme dans le métier de cuisinier ou de restaurateur, il y a de tout. Ils apprennent et se forment sur le tas, comme les chefs le deviennent après avoir été apprentis.

Cultivé, d'un goût assuré, le critique a longtemps été un ancien restaurateur ou un ancien professionnel qui faisait profiter un journal et ses lecteurs de son expérience. Ils jouent un rôle d'information auprès du public. Ils ne sont pas là pour juger du bien et du mal, ce ne sont pas des censeurs de la gastronomie. Ils se doivent d'exister, pour jauger, mesurer, informer le public.

« Nous ne sommes pas des censeurs, écrivaient Gault & Millau en 1965, mais deux gourmands qui expriment leurs plaisirs et leurs déceptions. À la différence de certains critiques, nous ne nous trompons jamais, car nous ne prétendons point, nous, avoir raison… »[17] Par la force des choses, toute critique, tout avis est subjectif. Certains sont mieux renseignés ou plus habilités que d'autres, c'est tout. Une règle difficile parfois à comprendre, injuste, sans doute, et dans les deux sens, mais on n'a pas encore trouvé mieux. Les critiques retranscrivent, comme un miroir à un moment donné, une situation d'un restaurant, un état des lieux de la cuisine. Personne ne peut se prévaloir dans ce domaine d'avoir un avis parfaitement indépendant et intemporel. Et lorsque c'est le cas, il y a tromperie sur la marchandise.

Le métier de critique ne consiste pas à dire « j'aime » ou

[17] *Henri Gault, Christian Millau,* Guide Julliard de Paris, 1965.

« je n'aime pas ». Dans un exercice de style très technique, il est censé s'éloigner de la subjectivité pour se rapprocher de l'objectivité, ce qui est un leurre. « La gastronomie est un art, et l'art se commente sans objectivité, avec passion, écrivaient Gault & Millau en 1963, tout en précisant que cette année-là, aucun restaurant ne leur a paru mériter leur distinction de quatre étoiles symbolisant la perfection. Ce qu'on demande au critique, c'est de dire si, *in fine*, il faut aller dans un restaurant ou pas, si on y mange bien ou mal. Y compris pour des adresses parfois franchement mauvaises mais dont tout le monde parle et qu'il faut bien renvoyer dans leurs 33 mètres. Le critique ne mange pas comme les autres. Il fait attention au moment, à l'ambiance, comme un critique de spectacle, il ausculte la mise en scène, comme un critique de cinéma ou de théâtre, s'intéresse à un plat comme un critique d'art, jusqu'à sa structure, sa composition, sa présentation. Se mêlent dans son appropriation des éléments tangibles et d'autres moins, lissés par un contexte, souvent, une perspective parfois, une prospective, plus rarement.

Certains s'échinent, comme Jean Miot, à vouloir établir le distinguo entre « le chroniqueur, qui ne parle que des bons établissements » et le « journaliste ou le critique de guide ». Sous-entendu : la chronique est un billet d'humeur très court, il y a peu de place pour parler des tables, contrairement à l'article qui est plus conséquent, avec un travail d'enquête, de test, ou la critique, qui est un texte court dans un guide, qui dresse une fois par an l'état des lieux d'un établissement. « La vraie sanction, c'est le silence, se justifie Miot. J'ai pour coutume de ne parler que des restaurants où le client que je suis est content. » Antoine

Gerbelle évoque ce qu'il qualifie de « mensonge par omission » : « Il y a un échange incessant entre ceux qui critiquent et ceux qui produisent, qui fausse la réalité au détriment des lecteurs et des consommateurs.[18] » « Je suis peut-être mieux traité que les autres », reconnaît Miot, faussement ingénu. Puis il se croit obligé d'ajouter : « Je regarde comment les autres sont servis, si les voisins sont bien traités. Je ne suis pas dupe ! »[19] C'est d'ailleurs ce qu'ils disent tous pour se justifier, comme Nicolas de Rabaudy, un ancien du *Figaro*, au style suranné et aux méthodes d'un autre âge. Son excuse ? « Il faut pouvoir goûter tous les plats et donc se faire connaître. Le savoir doit être transmis par les chefs, il faut beaucoup d'humilité quand on est critique. On apprend énormément avec eux : Robuchon m'a beaucoup donné, il m'a transmis ses secrets, ses mystères. »[20] Ce qui permettrait donc, selon Rabaudy, d'effectuer un jugement en meilleure connaissance de cause. Mais le plus souvent, il s'agit d'une astuce qui permet de se présenter au chef, de faire en sorte qu'il se souvienne de vous et n'oublie pas les petites attentions réservées aux critiques. Chacun croit ainsi qu'il est l'ami de l'autre ou veut le croire. Pour preuve, Jacques Gantié, qui a colonne et table ouvertes partout, n'a-t-il pas écrit à propos de Bernard Loiseau : « On aurait aimé être le copain de ce cuistot qui en avait bavé et vous apostrophait sur le ton du bateleur. » Des amitiés parfois intéressées qui permettent aux critiques d'être bien informés et aux chefs d'être bien notés dans tel ou tel guide, telle ou telle publication. Il n'est pas bon refuser un système qui a beaucoup d'adeptes. Une pratique qui peut mener loin. C'est ainsi que Dominique Loiseau

[18] Débat déjà cité.
[19] Débat déjà cité.
[20] Débat déjà cité.

confirme dans son livre : « Je relisais aussi les articles ou documents consacrés à Bernard avant publication, surtout ceux qui étaient diffusés par les médias étrangers. »[21] Les réécrivait-elle ? Cela a bien dû lui arriver. Journaliste, donc indépendant, qualifié « d'incontrôlable » et de dangereux par les cuisiniers, François Simon a fait la preuve que la chronique pouvait être une arme redoutable, tout en refusant l'allégeance qu'exigent les chefs. Il a fait de sa liberté de plume un argument de vente, et ça marche. C'est sans doute parce qu'on en a besoin.

Barbiches et postiches

Comme dans un film avec de Funès, il est arrivé à Henri Gault et à Christian Millau, du temps de leur splendeur et de leur toute-puissance, de se déguiser, comme ça, juste pour rire, histoire de voir s'ils étaient traités de la même façon que lorsqu'on les reconnaissait. Cela les intéressait de tester comment ils étaient traités. Millau réserve sous un faux nom et arrive avec une perruque. Gault réserve sous son nom, à une table de son compère. À la sortie, Gault avait excessivement mal mangé car le chef en avait trop fait, alors que Millau avait apprécié la qualité du repas. Il ne faut pas oublier qu'ils avaient fait la une du *New York Times*, ils étaient donc des gens importants qu'on ne traitait pas à la légère et étaient légitimement reconnus dans les restaurants. Une autre fois, Christian Millau est entré dans un restaurant avec une perruque et une moustache. À la sortie, le maître d'hôtel l'a salué d'un « Au revoir, Monsieur Millau ! ». En dehors de quelques gags, Gault & Millau ne croyaient

---

[21] *Bernard Loiseau, Mon mari*, Dominique Loiseau, Michel Lafon, 2003.

pas du tout à l'anonymat, cheval de bataille du *Guide Michelin* et de critiques contemporains. André Daguin, qui fût longtemps restaurateur avant d'entamer une seconde vie de syndicaliste, témoigne : « Michelin, je ne les ai jamais connus, jamais. Gault & Millau, oui, bien sûr. Il ne faut pas se raconter d'histoires. Millau, il est venu plusieurs fois chez moi. Pourtant, je ne voyais pas que lui, et chaque année on avait une note, donc c'est qu'il y avait d'autres mecs qui travaillaient avec lui. » Les enquêteurs de *GaultMillau* sont anonymes, mais clandestinité ne veut pas dire méconnaissance, contrairement à ce que prétendent certains critiques à l'ancienne. Est-il nécessaire de passer inaperçu, quitte à se déguiser ? « C'est fondamental, explique Simon. L'anonymat vous délivre la vérité d'un restaurant, sa véritable nature, son genre et non ses artifices, son maquillage. » L'anonymat est justifié par ceux qui le préconisent pour l'indépendance qu'il permet de garder : pas de petites attentions ni de cadeaux, bref, le prix à payer pour assurer sa tranquillité. Il est clair qu'un critique réputé ou influent, qui est reconnu, bénéficie d'égards à nuls autres pareils. François Simon confirme : « Logiquement, un critique gastronomique ne doit pas parler à un chef. » Rester anonyme serait la meilleure façon de déjouer les pièges, de vérifier l'authenticité ou la chaleur de l'accueil, le placement en salle, le service, jusque dans l'assiette, les portions, les cuissons. Pour préserver son identité, Simon a poussé le vice de la mise en scène à apparaître flouté à la télévision, à prétendre que personne ne le connaissait. Il considère que, pour le grand public comme bien souvent pour les professionnels, le critique gastronomique est un mystère, comme l'est sa façon de travailler, et qu'il doit le rester. Impartial, le critique ne doit pas se dévoiler, doit payer son addition tout en restant caché pour ne pas se faire repérer une prochaine fois. Un véritable art de la dissimulation qui masque en réalité un faux débat. Car la question n'est pas tant celle de l'anonymat que celle de l'honnêteté. Un journaliste qui travaille pour un guide ou un magazine doit pouvoir conserver une position de réserve évidente, un recul et une distance critique certains.

L'indépendance et l'honnêteté sont d'ailleurs un véritable argument de vente tant pour les guides que pour la presse. *Michelin* ou le *Figaroscope* ne font pas de publicité pour vanter le sérieux de leurs enquêtes, mais elles sont pourtant considérées comme telles par le public et par les professionnels. Cela, alors qu'en France, contrairement aux États-Unis et à l'Angleterre, il n'y a pas vraiment de règles déontologiques en vigueur dans la profession de journaliste, encore moins dans celle de chroniqueur ou d'informateur, qui n'est pas régie par la commission de la carte professionnelle de journaliste. Ce qui explique sans doute la promptitude de certains à se retrancher derrière telle ou telle appellation. Pour leur part, les journalistes ne doivent en principe pas travailler pour des entreprises autres que des sociétés de presse ou de médias. Ils sont payés pour leur travail, défrayés pour leurs reportages, et ne doivent accepter ni cadeau ni invitation. Il en est de même pour les critiques de restaurants, dans la presse ou dans les guides. Théoriquement, là encore, les journalistes sont censés payer leurs repas, ce qui n'est presque jamais le cas pour des raisons économiques. Très peu de journaux, de publications ou de médias, offrent de régler les additions, surtout lorsque, au *Grand Véfour* ou à l'*Arpège*, elle peut facilement atteindre 700 à 800 euros pour deux. Un mois ordinaire pour un critique parisien, hormis les essais de grandes tables, c'est plus de 2 000 euros de frais[22]. Combien en disposent réellement pour exercer leur métier de critique ? À Paris, ils ne sont guère plus d'une dizaine et ils sont connus. Comment font les autres ? Peut-on rester indépendant quand on ne paye pas son addition ? Pour Alain Ducasse, « le fait de payer ou pas ne veut rien dire. Il faut arrêter de jouer. La plupart des critiques, on les connaît. Nous, on préfère leur faire goûter des choses, plusieurs plats de la carte, plutôt que de les voir repartir, par exemple, avec une mauvaise impression d'un plat qui ne leur correspond pas. Et franchement, est-ce que les critiques de livres, de cinéma ou de théâtre paient toujours leur place ? Pour autant, ça ne les empêche pas de faire leur travail. On a besoin d'eux ». Tellement, que le service communication d'Alain Ducasse, dirigé par la fidèle Emmanuelle Perrier depuis Monaco, relayé à Paris et appuyé par les équipes de l'agence de communication Euro RSCG, publie sans relâche lettres d'informations et dossiers de presse à destination des journalistes. Les invitations à déjeuner ou séjourner dans les maisons du groupe sont lancées par le chef lui-même ou obtenues par des journalistes directement auprès du service de presse. Rares, très rares sont ceux qui les refusent. Au dernier déjeuner de presse organisé par Alain Ducasse au *Relais Plaza*, à Paris, le 13 octobre 2003, seuls Emmanuel Rubin (*Figaroscope*, BFM) et Alexandre Cammas (*Nova*) étaient absents. Tous les autres critiques, chroniqueurs et journalistes invités avaient répondu présent. Mais chez Ducasse, la pratique du déjeuner de presse est différente : elle est là pour créer

[22] France 2, *Les Coulisses du pouvoir*, novembre 2003.

du lien. « Un peu plus d'humanité dans la critique », c'est justement ce que réclament des chefs comme Alain Lamaison (*La Signoria*, Calvi) et Christophe Bacquié (*L'Alivu*, Calvi), qui aimeraient bien pouvoir communiquer avec eux davantage.

Le complexe croisé

Avant la mort de Loiseau, jamais les chefs ne s'en étaient vraiment pris aux critiques. Au fond, c'est sans doute par manque de courage. Aucun ne voulait prendre le risque de désavouer tel ou tel guide ou critique, histoire de ne pas voir son établissement sanctionné. C'est dire les relations ambiguës et complexes, parfois très malsaines, qui lient les deux parties. En devenant connus les uns grâce aux autres, on aurait pu penser que journalistes et cuisiniers vivraient en bonne intelligence. Hélas, ce n'est pas toujours vrai. Difficile en tout cas pour les chefs de cracher dans la soupe. Ce que traduit ainsi Périco Légasse à propos du *Guide Michelin*, qu'il trouve trop rarement contesté officiellement pour que ce soit honnête : « La gamelle s'écrase tout mou devant Bibendum. »[23] Mais il a suffi que le plus connu d'entre eux, Paul Bocuse, élève la voix pour que tous s'engouffrent dans la brèche comme des moutons de Panurge. Les mots qu'individuellement ils craignaient jadis d'exprimer leur venaient naturellement à la bouche. L'occasion finalement idéale d'exprimer les rancœurs accumulées à l'encontre des guides et des journalistes. Tous le savent, un bon classement dans un guide, une colonne dans un quotidien ou la publication d'une recette dans un magazine permettent aux cuisiniers de se

[23] Périco Légasse, *Marianne*, 10-16 mars 2003.

faire connaître, font venir du monde et contribuent à leur rayonnement. Mais beaucoup n'acceptent que les éloges et pas les contreparties de la notoriété. La preuve, lorsqu'un article est défavorable ou jugé insuffisamment élogieux, le restaurateur écrit souvent au journal ou au guide, demandant de ne plus être cité ou exigeant de faire corriger le texte le concernant. Tant que « tout le monde il est beau, tout le monde il est gentil », les chefs cautionnent le système, l'encouragent, mais dès qu'un article ou une recension sont fâcheux, les restaurateurs s'emportent. Le système est vicié par tous ceux qui usent et abusent de ces pratiques sans jamais les dénoncer, jouent la connivence et sombrent dans le clientélisme. Ce qui empêche tout dialogue au nom d'un intérêt suprême, le commerce. Pour André Daguin, cette tension entre chefs et critiques est bien plus profonde : « Il y a des rapports de fascination/répulsion entre les journalistes et les chefs, entre le fixe et le mobile, le fixe étant le chef, et le journaliste, le mobile, qui est toujours plus noble que l'autre. C'est pour ça que les officiers allaient à cheval et les autres à pied. Deuxièmement, l'opposition assis/debout. Un journaliste, c'est quelqu'un qui est à table, qui est assis et qui est servi par le chef. Ça conditionne les choses. Bien sûr, l'assis/debout, ça peut être aussi l'inverse, chez le médecin ou le professeur. Il y a des fois où l'on exerce un rapport de domination quand on est assis, d'autres fois, c'est l'excès inverse. » L'« affaire Loiseau » serait donc la révélation de profondes frustrations endurées par les chefs, souvent bien seuls lorsqu'il s'agit d'assumer les conséquences morales ou économiques de leur activité. Mais le fait que le cuisinier doive endosser le poids de la critique sans pouvoir jamais y répondre l'exonère-t-il de la refuser lorsqu'elle ne lui plaît pas ? C'est ce que semble penser Jacques Pourcel lorsqu'il dit : « Un vent souffle sur la presse gastronomique et c'est tant mieux. Je n'ai rien contre les journalistes gastronomiques, mais il faut mettre fin à une sorte d'*omerta.* »[24] Les cuisiniers sont des gens susceptibles : perfectionnistes, ils apportent un grand soin à un nombre infini de choses, mais si un détail heurte un client, ils le trouvent trop tatillon. S'il s'agit d'un journaliste, son affaire est faite : « On ne juge pas sur un repas, assure le patron d'un trois étoiles de province qui tient à rester anonyme, c'est scandaleux. Et pour peu que la couleur de la nappe ou la musique d'attente du répondeur n'ait pas plu au journaliste, ça se retrouve dans un guide pour un an ou dans un article de journal, alors que ça ne dérange pas la plupart des clients. Il ne faut pas chercher la petite bête, c'est mesquin. Les journalistes, ce qu'on leur demande, c'est un descriptif d'une maison. C'est leur choix. On ne leur demande pas d'être dithyrambiques. » Dominique Loiseau enfonce le clou à propos des méthodes des critiques qu'elle trouve trop empiriques : « Le *Guide Zagat*, au moins, est un minimum statistique. En faisant appel aux lecteurs et à leurs avis dont il publie une synthèse, le couple Zagat a connu aux États-Unis un succès qui ne s'est pas démenti depuis. Ils recueillent les avis des consommateurs et dressent la moyenne des vérités. » Plutôt que de refuser la critique, elle semble chercher à la décrédibiliser, allant jusqu'à mettre en doute les procédés d'investigation. À propos des journalistes gastronomiques, certains ont repris à leur compte l'apostrophe mitterrandienne aux « chiens », d'autres ont parlé de « terroristes »[25]. Même Paul Bocuse s'est lâché : « Les critiques sont comme des eunuques : ils savent lire, mais ils ne peuvent pas. » La critique est aisée et l'art (surtout

[24] Circulaire de la Chambre syndicale de la haute cuisine française, 26 février 2003.

[25] Le journal permanent du *Nouvel Observateur*, 28 février 2003.

culinaire) est difficile, c'est en effet sur ce postulat largement partagé par les cuisiniers que se base la contestation des critiques. Un sujet qui suscite des réactions si passionnées qu'on a même entendu des restaurateurs expliquer que les critiques ne sont pas indispensables, pour la bonne raison que « nous n'avons pas besoin des critiques pour vivre, alors que ceux-ci n'existeraient pas sans les restaurants ». Contrairement au métier de journaliste ou de critique, censé être de tout repos, les cuisiniers mettent dans la balance les difficultés d'être un créateur et un gérant d'entreprise : horaires monstrueux, vacances impossibles, travail physique, personnel mal formé, charges trop lourdes, approvisionnement de plus en plus délicat en produits de qualité... N'en jetez plus, la cour est pleine, et la liste bien longue des difficultés d'être un chef. « La critique existe, il faut qu'elle existe, assure Daguin. Seulement, il y a les bons et il y a les autres. Nous, on n'est que cuisiniers, on n'est pas énarques », se justifie-t-il. Cela exonère-t-il pour autant les restaurateurs de leurs responsabilités ? Mais surtout, les hommes de l'art prennent un malin plaisir à souligner l'incompétence en cuisine de ceux qui font métier d'en parler. « Jamais je n'ai vu de suicide de critique, rajoute André Daguin, 9 critiques sur 10 aiment leur métier et font notre promotion... Pour les autres... On aurait pu faire l'économie de quelqu'un qui s'est tué. Car il y a des critiques qui viennent d'office pour nous attaquer. » Or, drapés dans leurs tabliers blancs, symboles d'une virginité trompeuse, d'une fausse innocence bafouée, les cuisiniers se sont arc-boutés sur une position corporatiste, préférant jouer la carte de la solidarité professionnelle et jeter l'opprobre sur un bouc émissaire tout trouvé. Cela pour faire l'économie d'une remise en question d'un système pervers, où la notoriété, la gloire, l'argent et les médias ont des conséquences profondes et durables sur les structures. Il est si facile pour des chefs connus d'accuser les médias d'avoir tué leur ami Loiseau, alors que l'un d'entre eux tente d'obtenir de *Paris Match* une photo de groupe à la sortie de la messe d'enterrement !

CHAPITRE 3

La dictature Michelin

Les tyrans du palais

Contrairement à une légende bien tenace, on a vu que le *Guide Michelin* n'est pas le premier guide touristique de l'histoire. En Allemagne, dès 1827, a été édité le *Guide Baedecker*, et en Suisse, en 1841, le *Guide Joanne*, qui deviendra le *Guide Bleu* en 1916. Fondé en 1900 et destiné au départ aux automobilistes clients des pneumatiques des frères Michelin, le *Guide* est distribué gratuitement jusqu'à la Première Guerre mondiale. Il donne « tous les renseignements utiles à un chauffeur pour approvisionner son automobile, pour la réparer et lui permettre de se loger et de se nourrir[1] ». Interrompue entre 1914 et 1918, la publication du petit livre rouge reprend de façon payante, cette fois, en 1920. Très vite, la partie guide gastronomique vient à dominer, mais ce n'est qu'en 1923 que *Michelin* attribue pour la première fois des étoiles. C'est même encore plus tard, à partir de 1931, que le Bibendum commence à classer véritablement les restau-

[1] *Michelin édition 1900 fac similé 2000*, offert gracieusement aux chauffeurs.

rants. En attribuant une ou deux étoiles aux meilleures tables, et en leur donnant une signification particulière : « bonne table locale », « table excellente, mérite le détour », ou « une des meilleures tables de France, vaut le voyage », le *Guide Michelin* instaure dans la première moitié du siècle un système de notation qui n'a jamais été détrôné depuis. Sa force, *Michelin* la tire de ses nombreuses inspections, longtemps réalisées par les services du géant du pneumatique qui contrôlaient les dépôts de pneus et les garages agréés. Les représentants de Michelin forment donc historiquement le premier bataillon d'inspecteurs. Par leur présence quotidienne sur le terrain et leur maillage exhaustif du territoire français, ceux-ci étaient alors les seuls à pouvoir dresser l'inventaire des tables du pays.

Rouge depuis sa première édition, le *Guide Michelin* s'est rapidement imposé auprès des automobilistes. L'édition historique de 1923 consacre 23 établissements trois étoiles dont la célèbre *Mère Brazier* à Lyon. Interrompu par la force des choses entre 1940 et 1945, le *Guide* de la firme de pneumatiques ressort en 1946, mais sans ses étoiles ! Celles-ci sont abandonnées, le temps du plan Marshall et de la reconstruction. Elles ne feront leur réapparition qu'en 1951 avec la *Mère Brazier*, *Alexandre Dumaine* à Saulieu et le *Père Bise* à Talloires. Ce n'est qu'après la Seconde Guerre mondiale et surtout lorsque chacun a pu acheter une voiture que le guide est vraiment devenu incontournable et que son influence s'est largement étendue. *Michelin* devient alors vraiment connu sous le nom de « *Guide Rouge* ». Pendant les années 50 et 60, la croissance aidant, le tourisme et la gastronomie deviennent les occupations préférées des Français. Le *Guide Rouge* est porté par l'essor du tourisme automobile et s'établit comme la seule et unique référence des amateurs de bonnes tables. D'un guide de voyage automobile, il est devenu gastronomique, mais c'est bien malgré lui, assure André Trichot, qui en fut le directeur de 1968 à 1985 : « Si la gastronomie est un des éléments devenus majeurs, ce n'est pas le fait de *Michelin*, mais de la clientèle et des médias. » Le succès du *Guide Michelin* convainc en tout cas les propriétaires et les chefs de restaurants qu'obtenir des étoiles est le but. Pour l'édition 1965, la vedette est Paul Bocuse, qui est récompensé de trois étoiles. Les autres chefs en rêvent la nuit : « Quand j'ai rencontré Loiseau, a raconté Claude Verger, le précédent propriétaire de Saulieu, il n'avait jamais mis les pieds à Paris. Comme je l'interrogeais sur ses motivations, il m'a répondu : "Je veux trois étoiles". » Le *Guide* incarne l'image d'une certaine frange de la France de l'époque, celle des auberges au bord des nationales, des cuisiniers replets et confits d'orgueil, baignant dans toutes les confréries et les associations aux noms ronflants et gourmands.

La guerre des étoiles

Les récompenses décernées par *Michelin* chaque année et les chefs qui travaillent dur pour les obtenir, c'est la partie visible de l'iceberg. La réalité est bien moins avouable, car le *Guide Michelin* exerce en réalité une grande influence en cuisine. Tout cuisinier qui veut percer doit en effet être distingué par le *Guide Rouge* et vit dans la perpétuelle crainte des enquêtes. Pour le quotidien *Le Monde*, le *Michelin* « n'est pas innocent dans cet équilibre de la terreur, lui qui sait si bien la faire régner au sein de cette courte et puissante centurie de chefs reconnus, flattés et surveillés[2] ». En un mot, tout cela serait conscient et parfaitement réfléchi. Au fond, rien de très étonnant quand on sait qu'économiquement parlant, quand un chef gagne ou perd une étoile, ça a un effet sur le chiffre d'affaires qui est colossal. Nombreux sont ceux, de Marc Meneau (*L'Espérance*, Vézelay) à Jean-Michel Lorrain (*La Côte Saint Jacques*, Joigny), en passant par Claude Terrail (*La Tour d'argent*, Paris) ou Émile Jung (*Le Crocodile*, Strasbourg) à l'avoir expérimenté lorsqu'ils ont perdu un macaron. Dans la profession, on s'accorde à dire que le gain ou la perte d'une étoile se traduit par plus ou moins 30 % d'activité. Les chefs se battent pour garder ou obtenir des étoiles, surtout les grands. Nombreux sont ceux qui ne vivent que pour cela. Jean Terlon (*Le Saint-Pierre*, Longjumeau) remarque qu'« une étoile apporte 10 % de clientèle supplémentaire et trois étoiles 40 % en plus la première année ». Autrement dit, *Michelin*, c'est efficace. Mais attention, quand on met la main dans l'engrenage, il faut être assez solide pour tenir le coup en cas de retour de manivelle. Car postuler pour l'échelon supérieur quand on a une ou deux étoiles entraîne un surcroît automatique de frais de fonctionnement et une hausse des prix pour assurer le standing. Il faut pouvoir tenir le rythme des exigences de *Michelin*. « Lors d'un rendez-vous avec *Michelin*, ils m'ont dit : "vous allez être dégradé si vous ne faites pas un effort de décoration", note un restaurateur. Et le chef d'aller souscrire un crédit pour y remédier et conserver ainsi sa distinction. Mais le plus souvent, ce sont des remarques indirectes ou des conseils anodins qui mettent la pression

---

[2] *Classe luxe*, in Le Monde, mercredi 31 décembre 1997.

aux restaurateurs. On dit souvent que la qualité des toilettes, le nappage ou l'argenterie sont des critères discriminants pour *Michelin.* Quand un chef a compris ce qu'il lui manquait pour l'étoile, il se laisse influencer. C'est ce que Jacques Le Divellec appelle « améliorer un peu la cage ». Il faut dire que le décor a toujours joué pour beaucoup dans l'attribution des étoiles. Gault & Millau racontaient que Paul Bocuse lui-même devait aussi sa troisième étoile à des travaux effectués dans ses toilettes à la suite des remontrances du *Michelin.* Certains cuisiniers ont fait le choix de la simplicité, mais rares sont encore ceux que les étoiles n'ont pas fait rêver. Chaque restaurateur sait donc ce qu'il lui reste à faire. Pour Michel Piot, président de l'APCIG[3], il est évident que « le *Guide Michelin* a une influence sur la fréquentation ». Il estime, lui, « que la première étoile apporte 100 % de plus, les suivantes environ 30 % à chaque saut qualitatif ». Mais au fond, peu importent les chiffres, ce qui compte, c'est cette observation : « Quand on regarde par exemple la situation des grands palaces parisiens et de leurs restaurants, remarque Jean Miot, il y en a un seul qui s'en sort très bien, c'est Philippe Legendre (*Le V,* hôtel *George V*). Sa troisième étoile fait qu'il ne désemplit pas, même dans le contexte actuel de morosité économique. En dépit des questions qui se posent chaque année à la sortie du guide, oui, le *Michelin* remplit les salles. » Sur plusieurs dizaines de milliers de restaurants en France, un peu moins de 4 000 figurent dans le *Michelin.* Être dans le *Guide,* c'est bon, c'est toujours un avantage. « On est obligés de faire toujours plus, témoigne un chef breton qui lui aussi préfère taire son nom, toujours mieux. Pas nécessairement en cuisine, mais davantage en salle, en décor, en

[3] Association professionnelle des chroniqueurs et informateurs de la gastronomie et du vin.

investissements. » Il ne faut pas rêver, si les chefs sont dans le système, c'est qu'ils le veulent bien. Stephan Joly (*L'Auberge des 3 J*, Nocé) ne dit pas autre chose : « Tout fonctionne par non-dits avec les guides gastronomiques. Ils ne vous disent pas "Si tu veux garder ton étoile, il va falloir améliorer ça ou ça...", mais tu sais que si tu ne le fais pas, ils pourront te le reprocher l'année suivante. » Ainsi, nombreux sont ceux qui considèrent qu'en investissant, ils auront plus de chances d'obtenir un bon classement qu'en restant tels qu'ils sont. C'est ce que Jean-Pierre Coffe appelle « cavaler derrière l'inutile ». De là à y voir un lien de cause à effet... De la même manière, après dix ans d'attente, Guy Savoy a rejoint le club fermé des chefs triple étoilés en mars 2002, six mois après avoir confié le relookage complet de son restaurant de la rue Troyon (Paris 17e) à l'architecte star, Jean-Michel Wilmotte. Pour la prochaine édition du *Guide Rouge*, le Landerneau gastronomique parisien parie également trois étoiles au *Carré des Feuillants* (Paris 1er) d'Alain Dutournier. Lequel patiente depuis longtemp dans l'antichambre des trois étoiles mais vient de refaire complètement le décor de son adresse. Cité chaque année par la presse comme éligible à la troisième étoile, mais ne l'a jamais eue. Il a donc mis à profit l'été 2003 pour rénover luxueusement son restaurant. Gageons qu'à la suite de cela, il ne devrait pas rester longtemps sans un troisième macaron. Il n'est d'ailleurs pas dit qu'au moment où ces lignes seront publiées, *Michelin* n'aura pas déjà distingué l'éminent cuisinier. De fait, l'argent investi par les restaurateurs dans leurs établissements semble contribuer à l'obtention des étoiles. Seulement voilà, l'impact de la première étoile est souvent décisif pour les maisons, car il permet immédiatement de sortir de l'anonymat, comme ce fut le cas entre autres pour Gilles Goujon lors de son premier macaron (*L'Auberge du vieux puits*, Fontconjousse). Pour la troisième, l'impact est démultiplié. Pour Bernard Loiseau, la troisième étoile qu'il a obtenue en 1991 lui a ouvert les portes de la gloire : une du *New York Times*, de toute la presse française et européenne, contrats avec l'édition, avec des industriels, ou encore manifestations à l'étranger. L'influence est moindre à Paris, où la volatilité de la clientèle est moins importante. Néanmoins, lorsque Gérard Besson, deux étoiles dans la capitale (*Gérard Besson*, Paris), a été rétrogradé récemment, il en a senti l'impact sur son activité[4]. *Michelin* a un effet immédiat bien plus important que tout autre support. Au même moment, le critique Gilles Pudlowski écrivait en effet de Gérard Besson : « Ce classique bon chic se bonifie comme le bon vin avec le temps », le restaurant ne s'est pas rempli pour autant. Pour ne pas licencier, six mois après sa dégradation, Besson a dû raccourcir ses vacances et rénover entièrement sa salle, jugée désuète. En cause également, son répertoire, considéré comme trop traditionnel et immobiliste par *Michelin*. Par-delà l'hémorragie de clientèle, perdre une étoile peut s'avérer également douloureux sur le plan du prestige. Quel chef n'a pas vu son activité fléchir lors de la perte d'une étoile ? Dans la gastronomie, le *Guide Rouge* est le plus redouté des censeurs. Ce que *Michelin* fait, *Michelin* peut donc le défaire. Et il en joue. Lorsque les chefs gagnent ou perdent une étoile, ils ne reçoivent jamais d'explication franche, ni dans un sens ni dans l'autre. Périco Légasse confirme : « Le *Guide Michelin*, lui, ne daigne jamais fournir la moindre explication lorsqu'il retire une étoile à une

[4] *L'Express*, 15 mai 2003.

maison, avec les conséquences que l'on sait. »[5] Ce fut le cas pour Marc Meneau lorsqu'il perdit son troisième macaron en 1999. Un journaliste de *L'Express* rapporte ses propos : « C'est un peu comme si on vous enlevait un enfant. »[6] Nombreux sont ainsi les chefs qui éprouvent du ressentiment à l'égard de *Michelin*, et regrettent comme Henri Charvet (*Au comte de Gascogne*, Boulogne-Billancourt) qu'il faille faire ses preuves. Il rapporte : « Quand je me suis installé à Boulogne, ils m'ont retiré une étoile, alors que j'en avais deux précédemment et que j'avais gardé la même équipe, juste changé de lieu. Et j'ai perdu 25 % de clientèle. Je ne trouve pas ça très élégant. » Que dire alors des deux étoiles attribuées bien tardivement à Jean Ducloux (*Greuze*, Tournus) et à la surprise générale des critiques ?

Faire et défaire

D'autres restaurateurs soulignent l'effet désastreux de leur sortie du *Michelin* sur la clientèle étrangère. Les Français qui connaissaient leur établissement ou en avaient entendu parler continuaient à aller chez eux, mais les touristes qui arrivaient en France avec le *Michelin* passaient à côté de ces restaurants sans le savoir. « La perte de la troisième étoile ne fait fuir que la clientèle étrangère », assure Michel Piot. Meneau confirme : « Nous avons perdu une partie de la clientèle étrangère pour laquelle *Michelin* joue un vrai rôle de prescripteur. »[7] Ne plus être dans le *Guide* a eu pour de nombreuses entreprises des effets graves et durables. André Daguin se souvient notamment des répercussions sur Jean Bardet (*Restaurant Jean Bardet*, Tours) de son retrait du

[5] Article déjà cité.
[6] *L'Express*, 15 mai 2003.
[7] Article déjà cité.

guide. Tout a commencé par un banal contrôle de la DGCCRF[8] dans les cuisines de cette grande table deux étoiles de Tours, et des constatations : des asperges qui ne sont pas de Perthuis, comme indiqué sur la carte, mais du Portugal, un vin bien intitulé « Vin de pays », mais proposé sur la carte des vins dans la colonne des AOC[9]. Simple erreur d'imputation, voilà des « détails » selon certains, mais surtout des choses qui dérangent dans un trois étoiles. C'est ainsi que, cette année-là, sans l'attente du jugement, le *Michelin* choisit, compte tenu de la mauvaise publicité donnée à cette affaire, de sortir le restaurant de Bardet du guide. Le *Michelin* s'est bien gardé de le dégrader, mais Bardet n'est plus apparu dans le *Guide Rouge*. Ce n'est que l'année suivante qu'il a réintégré sa place. D'une condamnation qui paraissait au départ évidente, l'affaire s'était en effet vite dégonflée. Loin du scandale annoncé par la presse, notamment locale, Bardet a fini par écoper d'une petite amende et de la publication du jugement dans l'une des éditions de *La Nouvelle République*. L'« affaire Bardet n'aurait jamais dû exister », finira par reconnaître le patron de la DGCCRF, évoquant un excès de zèle de ses troupes. Mais le *Guide Rouge* ne mesure pas toujours sa responsabilité. Par exemple, comment expliquer, une fois encore, que *Michelin* en 2003 ait continué d'accorder ses trois étoiles à une des plus grandes tables parisiennes après le départ de son chef ? D'ordinaire, les classements sont suspendus et le restaurant mis en observation en cas de changement de chef ou d'événement d'importance. C'est à n'y rien comprendre : Del Burgo a dirigé trois restaurants différents avec les mêmes recettes et les mêmes fournisseurs, mais, remarque sa femme, « suivant le nom du restaurant,

---

[8] Direction générale de la concurrence de la consommation et de la répression des fraudes.

[9] Appellation d'origine contrôlée.

il est passé d'une à trois étoiles et quand il en est parti, les macarons sont restés ». Des étrangetés de ce genre, il y en a plusieurs dizaines chaque année dans le *Guide*. Il suffit par exemple de se rappeler que *Michelin* a rapidement attribué une troisième étoile aux frères Pourcel dès 1998. Récompensé la même année, Michel Bras (restaurant *Michel Bras*, Laguiole), l'un des génies de la cuisine contemporaine l'avait, lui, attendue bien plus longtemps. Ces curiosités illustrent les faiblesses du *Michelin* au quotidien.

D'ici à affirmer que la règle du « deux poids, deux mesures » parasite le bon fonctionnement du *Michelin*, il n'y a qu'un pas que plusieurs critiques n'hésitent plus à dénoncer. Au *Figaroscope*, Emmanuel Rubin s'étonne, chaque année, de la célérité avec laquelle Bibendum sanctifie certaines adresses plutôt que d'autres. Selon lui, « la fameuse grille d'enquête du *Michelin* est de moins en moins crédible. Il y a encore dix ans, pour qu'une adresse décroche l'un des fameux macarons, il s'écoulait au minimum une année ; le temps que l'adresse s'installe, fasse ses preuves et que les enquêteurs puissent la visiter plusieurs fois. Désormais, *Michelin* court après la nouvelle table, le « crypto-scoop » ou le coup qui fera parler de lui. C'est peut-être très bien d'un point de vue informatif, mais c'est terriblement suspect quant aux méthodes de sérieux revendiquées par Bibendum ». Un exemple récent, en novembre 2000, le grand chef japonais, Hiramatsu, ouvre son restaurant éponyme à Paris. Une vingtaine de couverts seulement, dans l'île Saint-Louis. Toute la presse en parle et, deux semaines après l'ouverture, il y avait déjà plus d'un mois de délai pour réserver une table. Dans l'édition de mars 2001 du *Guide Rouge*, Hiramatsu obtenait d'entrée une étoile ! Vu la difficulté à obtenir une place dans ce restaurant et vu les délais de fabrication du *Guide*, les inspecteurs *Michelin* ont forcément fait quelques entorses aux règles habituelles. Pourquoi ? Comment ? Peu importe, une chose est sûre : *Michelin* cultive désormais une déontologie à géométrie variable.

Pour beaucoup, *Michelin* est donc dépassé. Trois journalistes, Alexandre Cammas, Emmanuel Rubin et Guillaume Crouzet, co-signaient en 2002 une chronique frondeuse dans un grand quotidien. Sous le titre du *Ronron dans les macarons*, le trio ne ménageait pas ses propos en affirmant que « *Michelin* avait vieilli. Et avec lui une certaine idée de la gastronomie française. Comme si aujourd'hui la vérité de la cuisine se jouait ailleurs. Fini le temps où, précédé d'un secret sourcilleux, le verdict du *Guide* forçait le respect en tranchant net et cinglant comme couperet sur billot. Désormais, le soufflé attendu retombe avant même d'être servi. Chaque année, les mêmes soubressauts à propos des mêmes palmarès et ce sentiment singulier qu'au final, Bibendum se dégonfle. Qu'il micheline à vide avec des promus attendus, des déclassés sans risque et une popotte ordinaire pour lier l'ensemble. »

De même, la position du *Guide Michelin* par rapport à Dominique Loiseau et à son équipe n'est pas aujourd'hui sereine. Elle est symptomatique de cette collusion qui existe entre les chefs et les institutions. Pour la première fois en plus de 100 ans d'existence, *Michelin* se trouve face à une situation inédite. D'ordinaire, lorsqu'un chef quitte une maison, il part avec son second et tout ou partie de sa brigade. Dès lors, il est clair que sa note ne se justifie plus l'année suivante. Lors d'un décès, le *Guide Rouge* respecte généralement une période de deux à trois mois sans enquête, histoire de laisser les équipes se remettre en place et reprendre du poil de la bête. Mais cette année, à Saulieu, c'est le second de Bernard Loiseau qui a repris les rênes de la maison, l'essentiel du personnel est encore là et les recettes sont, pour la plupart, celles du chef défunt. « Rien n'a changé, confirme Dominique Loiseau, la brigade est là au travail et les cadres ont vingt ans de maison. Le second, les maîtres d'hôtel, le directeur administratif et financier sont là depuis longtemps. Mais *Michelin* va être obligé de prendre des décisions, je n'aimerais pas être à leur place. » Un aveu qui en dit long sur les mœurs de la profession : après avoir conservé pendant un an la troisième étoile de son mari, Dominique Loiseau semble mettre en garde *Michelin* contre une rétrogradation : « Si on perd l'étoile alors que rien n'a changé, ce serait une première en France. On sait faire du Bernard Loiseau, ça, ça ne va pas changer. » Aujourd'hui, elle se donne pour but de ne pas baisser la qualité : « Le client qui vient mérite ce qu'il y a écrit dans le *Guide*. Les trois quarts des spécialités ne vont pas changer. Le fond de carte reste celui de Bernard, celui qui magnifie le produit. » Patrick, le second, a travaillé pendant vingt ans aux côtés des Loiseau, ce qui fait dire à certains : « Il fait mieux Loiseau que Loiseau, lui a la chance d'avoir un style. » Officiellement, *La Côte d'or* demande à *Michelin* de faire son travail, sans favoritisme, parce que « cela ne nous rendrait pas service », mais au fond, l'ancienne équipe de Loiseau n'en pense pas moins.

Ils ne comprendraient pas que le *Guide Rouge* sanctionne un travail qui leur a valu trois étoiles depuis dix ans. Pour eux, c'est comme si rien n'avait changé, ou presque.

La loi d'airain *Michelin*

Dans ce contexte, il n'est donc guère étonnant que le comportement des chefs, leurs carrières, leurs changements de maisons, soient le plus souvent dictés par le *Michelin.* En évoquant, à l'été 2003, le possible transfert de Philippe Legendre (trois étoiles au *George V* à Paris) au *Crillon*, Michel Del Burgo (ancien du *Bristol*, de chez *Taillevent*) prévenait ainsi : « Il devrait se méfier, le *Michelin* ne va pas aimer. Ça ne fait pas deux ans qu'il a ses trois macarons. » Plaire ou ne pas plaire, là est la question. Mais pas seulement : dans les grands hôtels, par exemple, posséder un restaurant étoilé est une nécessité. « La pression de *Michelin* est très forte, souligne une attachée de presse qui tient à rester anonyme pour des raisons évidentes. Ça permet aussi aux chefs d'aller voir le propriétaire et de lui dire : "Regardez les moyens qu'ont les autres, il faudrait refaire la salle, investir..." Les propriétaires d'hôtels sont très attentifs au palmarès du *Guide Rouge.* » Le restaurant *L'Obélisque* de l'hôtel *Crillon* dirigé par Dominique Bouchet a perdu sa deuxième étoile début 2003. Moins de quelques semaines après, la direction entamait des pourparlers avec plusieurs jeunes étoilés pour remplacer son chef des cuisines : interrogé, Yannick Alléno a préféré le Meurice, puis Jean-Louis Nomicos a été reçu, mais ça n'a pas fonctionné. Il y a eu aussi Frédéric Anton dont le nom a été murmuré ou encore Michel Del Burgo... En tout, une vingtaine de grands chefs ont été interrogés. « La perte des deux étoiles n'a pas été digérée par la direction du groupe, confie un des cuisiniers consultés. Ils ont voulu sanctionner le chef. » Le pouvoir du *Michelin* a sans doute largement dépassé les intentions des fondateurs. Manipulé, il peut se révéler très pervers. On raconte ainsi que si Alain Passard (L'*Arpège*, Paris), qui avait choisi, fin 2000, de ne laisser que les légumes et les fruits à sa carte, est finalement revenu sur sa décision, c'est pour mieux satisfaire aux critères du *Michelin*, comme on a pu le lire dans la presse : « Une passade ? C'est ce qu'on pourrait croire en voyant ressurgir viandes blanches, crustacés et poissons sur le menu de l'*Arpège* [...]. Passard avait viré au vert et caressait l'ambition de nourrir ses contemporains de légumineuses exclusivement [...]. C'était compter sans le *Guide Rouge*, qui, discrètement, a pesé dans la décision du Grand Radical de revenir à une variété plus conforme à nos habitudes alimentaires. » C'est une réalité : le *Guide* demande des comptes aux restaurateurs et ne se contente pas de leur attribuer des récompenses ou de leur retirer des bons points. Examen attentif des cuisines et des frigos, questionnaire à remplir avec soin, les obligations des chefs envers le grand régent de la cuisine française sont innombrables. Mais le summum est atteint par la fameuse visite annuelle que chaque chef se doit d'accomplir auprès du *Michelin* à Paris. La plupart des lecteurs du guide l'ignorent, mais c'est pourtant le cas.

Tous les ans, le directeur convoque les chefs au siège parisien, 46 avenue de Breteuil, comme un ministre de l'Intérieur convie ses préfets ou le Quai d'Orsay ses ambassadeurs. Un à un, ils viennent pour dresser le bilan de leur activité. À voix haute, la plupart des restaurateurs minimisent ce rendez-vous, assurent qu'il s'agit d'une rencontre tout à fait anodine, qu'ils s'y rendent de leur plein gré, que rien ne leur est imposé, que rien n'est jamais décidé par *Michelin*, de peur de leur déplaire. « Souvent, les entretiens sont tellement "langue de bois" qu'ils ne servent à rien », explique un restaurateur pour qui ce rendez-vous crucial est quand même l'unique motivation de son déplacement annuel à Paris. En privé, il en va bien souvent autrement. « Tout restaurateur doit rendre visite à *Michelin* chaque année, confirme Jacques Le Divellec. On apporte les cartes, on parle. Mais je reconnais qu'il y a des années où je n'y suis pas allé. » En fait, chacun tente de se dédouaner, de se trouver une excuse pour minimiser la portée de cet entretien en réalité majeur. Lors de ce rendez-vous, les chefs expliquent leur démarche, tentent de grapiller une étoile, jouent des coudes, essaient de se faire communiquer les éléments du dernier rapport les concernant, de comprendre la position officieuse du *Michelin* à leur égard, d'infléchir telle ou telle décision, de gagner du temps, de promettre plus de régularité, de nouveaux travaux. « Tout cela, c'est du bidon, répondait Bernard Loiseau lorsqu'on lui demandait pourquoi *Michelin* l'avait convoqué. Est-ce que tu as déjà vu le *Michelin* convoquer qui que ce soit ? On n'est pas à l'école. » Pourtant, de nombreux proches, chefs et journalistes le confirment, Loiseau s'est bien rendu à Paris à l'été 2002 pour rencontrer Derek Brown, le directeur du *Guide*. Au fond, même s'ils jugent le système désuet et discrétionnaire, les chefs savent bien qu'il serait hasardeux de ne pas s'y rendre. Ce que les chefs y gagnent, c'est de connaître un peu mieux le directeur du *Guide*. Parfois, il évoque avec eux un courrier de lecteur, un rapport alarmant. Interrogé sur la visite estivale de Loiseau à *Michelin* quelques mois avant son suicide, le directeur de la communication de *Michelin* réfute pour sa part ces explications : « Tous les restaurateurs qui en font la demande sont reçus par le patron du *Guide*, qui commente le courrier des lecteurs et le travail des inspecteurs du *Guide*. En aucun cas, il n'est discuté du classement à venir. Ces rendez-vous sont confidentiels. » Néanmoins, Bernard Naegellen, le précédent directeur du *Michelin*, est ainsi à l'origine de la troisième étoile de Loiseau. Un jour que celui-ci s'inquiétait : « Cela ne vous gêne pas que je fasse de la cuisine à l'eau ? », Naegellen lui avait répondu : « Non, puisque votre eau paraît bonne. » Peu nombreux sont les restaurateurs qui osent déroger à la règle et ne se sentent pas obligés de demander un rendez-vous. C'est qu'on ne plaisante pas avec *Michelin*. L'austérité, c'est le maître mot du *Guide Rouge* : dans le bureau, une table, des chaises, une absence totale de décoration. « On parle, on lit ensemble des lettres de clients, on en ressort avec cette drôle d'impression, ni bonne ni mauvaise, d'avoir à rendre des comptes », évoque un restaurateur de la Côte d'Azur étoilé depuis des années. Certains, comme Marc Meneau, envoient leur femme. Pour le reste, c'est l'*omerta* : les chefs n'osent pas trop se plaindre en public du *Michelin*, de peur qu'il n'en prenne ombrage. Car l'influence extraordinaire qu'exerce le *Guide Rouge* est bien réelle. Peu après l'ouverture de *La Ferme de mon père* à Megève en 2000, Marc Veyrat reçoit ainsi la visite du directeur du *Michelin*. Bernard Naegellen lui dit qu'il trouve sa cuisine « trop semblable » à celle qu'il propose à l'*Auberge de l'Éridan* et que, par conséquent : « Nous nous donnons un peu de temps pour nous faire une opinion », raconte le chef savoyard. Pour concurrencer Alain Ducasse, déjà deux fois trois étoiles, et obtenir à son tour consécration, Marc Veyrat met donc les bouchées doubles : nouveaux menus et plats caractéristiques d'un

« gastro » de montagne. Un changement sous influence qui lui vaudra quelques mois plus tard la reconnaissance du *Michelin*. L'influence et l'autorité supposées du *Guide Rouge* en agacent pourtant plus d'un. Et, comme l'écrit justement Jean-Pierre Quélin dans *Le Monde*, il ne fait autant tourner sa puissance que quand il châtie : « N'oubliez pas, vous, à qui la renommée a été offerte, n'oubliez pas que vous êtes devenus les vassaux. Pour toujours. »[10]

Michelin, quand tu nous tiens !

Dans le paysage gastronomique français, le *Michelin* pèse un poids considérable. Il écrase même tout le reste. Sa notoriété est indiscutable et son influence énorme. Chaque année, il fait et défait les chefs et leurs empires, exerçant son magistère impérieusement. « C'est l'unique référence », reconnaît Paul Bocuse, le pape de la cuisine. « Eux, au moins, ne se préoccupent pas de savoir si votre femme est rousse ou si vous avez changé de chien. » Il n'y a donc *a priori* rien à redire à la réussite du *Guide Rouge*. Mais le problème, c'est que le classicisme et le conservatisme y règnent en maître. Sorte de conservatoire des arts culinaires, le *Guide Rouge* vante les mérites de la bonne vieille tradition en dehors de laquelle il n'est pas toujours bien vu de travailler. Le trois étoiles, c'est l'aristocratie, le deux étoiles, la grande bourgeoisie, et l'étoile, la petite bourgeoisie et les notables. C'est en tout cas le message formel que Bibendum a toujours véhiculé. « La hiérarchie des étoiles ne reflétait pas la France réelle, mais une France officielle, conventionnelle et figée dans la mayonnaise », écrivirent Gault & Millau. Certains parlent aujour-

[10] *Le Monde*, mercredi 10 mars 1999.

d'hui de « rails qui se rétrécissent de plus en plus », « d'étoiles qui coûtent cher en raison des contraintes imposées ». « *Michelin* note mais ne nous guide pas », critique Christian Rouger (*Maxime*, à Poitiers). « Le *Guide Rouge* ne s'aventure pas et n'est pas forcément un découvreur de talents non plus. » Comme nombre de ses confrères, François Simon parle d'un guide qui « n'a pas beaucoup de courage ». Hormis quelques rares exceptions du même acabit, les journalistes, mais surtout les chefs, ne critiquent jamais le *Guide Rouge*. Il suffit pour comprendre cela de demander à Guy Martin (*Le Grand Véfour*, Paris) ce qu'il en pense : « *Michelin*, ce sont des gens qui font honnêtement leur boulot. Non, je ne vais pas me plaindre. Je reprends *Le Château de Divonne*, six mois après, j'ai une étoile, cinq ans après, j'ai deux étoiles et je n'ai fait aucune grande maison, puisque je suis pizzaiolo. J'arrive ici, en 2000, on a la troisième ! Il faut comprendre que c'est aussi très dur quand on est cuisinier, une fois qu'on est en haut, de redescendre, de ne plus avoir le premier rôle. Forcément, ça doit faire mal. Heureusement, d'ailleurs, sinon ça voudrait dire qu'on se fout de tout. Mais d'un autre côté, je pense qu'il faut se dire "c'est génial, d'avoir pu accéder à ça". Pouvoir se dire qu'on fait partie des 20 ou 30 meilleurs, c'est formidable ! »

En fait, une bonne partie de la jeune génération de cuisiniers suit encore docilement le sentier tracé par ses aînés et voue également au *Guide Rouge* un culte que beaucoup de religions envieraient. La force et aussi la contradiction du *Michelin*, c'est que la cuisine française s'est construite autour de lui, avec « ces juges au-dessus de notre tête », selon l'expression de Marc Veyrat. Tous ceux qui cuisinent aujourd'hui ont appris à le faire avec – ou sans – *Michelin*, mais jamais contre lui. Difficile en effet d'en faire abstraction. Il s'agit d'une sorte de passage obligé pour des chefs qui souhaitent une reconnaissance. « À notre corps défendant, nous servons de référence [...] », s'est justifié par le passé un ancien directeur du *Michelin.* Mais comme de nombreux cultes, le *Guide Rouge* est composé d'un dieu, le directeur, d'un dogme, l'anonymat, d'un rite, la régularité, et d'un sacrement, celui du secret. Le culte du mystère n'est pas absent. Le *Michelin* est devenu un guide « à goût unique » et il entretient précieusement le lien avec ses fidèles. De là à l'appauvrissement des cuisines régionales et au pillage culinaire, il n'y a qu'un pas. On pourrait le résumer ainsi : le poids des tendances et le choc des casseroles.

Mais l'appauvrissement de la critique en a résulté aussi, puisque pendant un siècle les pictogrammes *Michelin* se contentaient de résumer une adresse avec quelques hiéroglyphes. Limités en nombre et surtout peu chargés de sens, ils ont longtemps castré l'enthousiasme des restaurateurs, les réduisant à une performance annuelle. En faisant l'économie de quelques mots pour résumer l'esprit d'un chef ou d'une maison, Bibendum a coupé la parole à toute une profession. Il a longtemps été impossible de faire la différence dans le *Michelin* entre une gentille table moyenne de province sur la descente et un jeune chef créatif en pleine ascension. Et ce ne sont pas les formules lapidaires sorties dans les dernières éditions qui vont changer grand-chose.

Le côté obscur de la force

Aux dires de nombreux professionnels, la réputation du

Michelin est largement usurpée. Aujourd'hui, il est des cuisiniers – et pas des moindres –, qui considèrent qu'il n'est plus en phase avec son temps. Comment expliquer, sinon, le fait qu'un des chefs les plus appréciés de la capitale, Yves Camdeborde, devenu indépendant (*La Régalade,* Paris) après être passé par les grands palaces parisiens, avoue « n'avoir jamais cherché à obtenir une étoile » ? Ce serait même plutôt le contraire. Camdeborde, qui au fond ne préfère pas y penser, considère que le *Guide* a bien trop d'influence sur les chefs. Son néobistrot, le premier du genre, beaucoup copié mais rarement égalé, a donc totalement échappé aux critères de sélection *Michelin,* comme bon nombre d'autres chefs et de jeunes talents, alors que sa cuisine est particulièrement appréciée. Pourquoi ? Parce que son cadre est moins luxueux, que ses plats francs du collier ne s'embarrassent pas de fioritures et que le patron se met moins la pression. De lui-même, il s'est exclu de la course aux étoiles. C'est aussi le cas de Bruno Oliver, un jeune chef (*Le Café Gourmand,* Bordeaux) qui s'est tenu volontairement à l'abri : « Un macaron modifie la personnalité du cuisinier, il oblige au "gastronomiquement correct". »[11] Un sentiment de plus en plus partagé par la jeune garde, qui n'a pas envie de rentrer dans le rang. Nombreux sont donc ceux qui refusent le système. Peur de dépendre des banques et de ses actionnaires, d'être à la merci d'un guide dont ils ne reconnaissent pas l'autorité, de ne cuisiner que pour les grands patrons ou les étrangers fortunés ? Un peu de tout ça, sans doute.

Résultat : Christian Constant, l'ancien chef du *Crillon,* propose au *Violon d'Ingres* (Paris) une cuisine de bistrot impeccable, qui s'éloigne de celle, guindée, des palaces.

---

[11] *L'Express,* 15 mai 2003.

C'est « le sens de l'histoire ». « Ce n'est ni une mode ni une vogue, mais un mouvement de fond », note le consensuel critique Gilles Pudlowski[12] : « Les jeunes chefs qui ont appris les bonnes manières chez les grands s'installent à leur compte en reprenant de braves bistrots parisiens. Si bien que ces derniers, qui proposaient jadis à Paris une aimable tambouille, deviennent de vraies grandes adresses. » Autre bel exemple, Christophe Chabanel (ancien chef de *La Dînée,* Paris), qui avait trouvé là une solution très rentable pour échapper à la crise de la haute cuisine. En transformant il y a quelques années son restaurant de chef en bistrot avec menu carte, il avait diminué de moitié les prix tout en faisant grimper sa marge. Comment ? En réduisant les frais de personnel et en augmentant le nombre de couverts et de clients habitués. Son chiffre d'affaires avait crû de 25 % et sa marge de 10 %[13]. Un succès qui met en lumière les failles du *Michelin* et son incapacité à reconnaître des formes contemporaines de gastronomie et donc à s'adapter. Tout ce qui sort des sentiers battus, qui ne respecte pas à la lettre les consignes d'une institution obsolète, est purement et simplement ignoré. À force de refuser les modes, *Michelin* a manqué de reconnaître les esprits créatifs, les toques fêlées ou dissipées, afin de satisfaire ses valeurs sûres. Le résultat, c'est que le nombre d'étoilés *Michelin* a fortement baissé ces dernières années, alors que les trois étoiles, eux, se sont multipliés, surtout à cause de la concurrence entre les groupes hôteliers et de la forte injection de capitaux étrangers.

D'ailleurs, sur dix trois étoiles à Paris, sept sont la propriété de gros investisseurs, seulement deux de chefs, et un d'un individu à titre privé. André Trichot, ancien

---

[12] *Le Point,* 30 avril 1999.

[13] *L'Argent de la restauration, GaultMillau* n° 345, avril-mai 2001.

directeur du *Michelin*, le reconnaît : « On a peut-être multiplié un peu vite les trois étoiles, mais l'apport des palaces avec des capitaux importants n'est pas étranger à ce constat. »[14]

Ce faisant, *Michelin* est passé à côté du vent de rénovation qui souffle sur une certaine cuisine française. Cela n'a pas encore suffi à remettre en cause le mode de fonctionnement du guide, mais le répit devrait être de courte durée tant les brèches se multiplient. Ce qui sauve Michelin pour le moment, c'est que tous les cuisiniers que le *Guide* a consacrés le soutiennent contre les plus jeunes ou les plus révolutionnaires. Cependant, de nombreux quotidiens régionaux pour qui la sortie du *Michelin* était une aubaine, un sujet tout trouvé tombé du ciel, n'en font plus désormais leurs choux gras. Raison invoquée par la presse de province ? « On n'y découvre plus rien et les lecteurs trouvent les guides injustes. Il faut se féliciter que *GaultMillau* déniche les jeunes talents, même si son aura décline, parce que cette année, le *Michelin* est en dessous de tout et pas seulement pour notre région. *Michelin* n'est plus LA référence. » Et la presse nationale s'est mise à stigmatiser les faiblesses du *Michelin*, contrairement à ce qui est communément admis. Ainsi, début 2003, plusieurs journaux ont testé la nouveauté de *Michelin* pour rompre avec la monotonie des étoiles, les « bibs gourmands », censés récompenser les meilleurs rapports qualité-prix, sans réelle satisfaction. Une fois de plus, pas un seul cuisinier n'est parti à l'abordage du *Michelin*. Ce qui n'étonne pas vraiment Périco Légasse, qui fut l'un des premiers journalistes à pourfendre le système *Michelin* le qualifiant de « plus redouté » des guides gastronomiques.[15]

---

[14] *L'Hôtellerie*, n° 2819, mai 2003.
[15] Article déjà cité.

Parmi les défauts souvent reprochés au *Michelin* : l'importance que le *Guide Rouge* accorde au confort, au détriment des plats et du contenu de l'assiette, ou encore l'accent mis dans la dernière édition sur une cuisine bourgeoise, classique, et sur celle des grands palaces qui ont des moyens, au détriment d'établissements plus modestes. Par ailleurs, *Michelin* récompense rarement d'emblée les grands créatifs, comme Olivier Roellinger, Jean-Michel Lorrain ou Marc Meneau. Et bien souvent, les enquêteurs, sans doute en raison de leur timidité, sont jugés timorés voire frileux par les observateurs. Certains n'hésitent pas à dire aussi que les anciens professionnels de la restauration, devenus enquêteurs, sont aigris à force de voir d'anciens confrères mieux réussir qu'eux. Chroniqueur au quotidien *Libération*, Vincent Noce est lui aussi sévère à l'égard de la bible des gastronomes français allant même jusqu'à dénoncer l'opacité du système.[16] Quant à l'édition 2003, Noce conseillait aux lecteurs de ne pas l'acheter : « Dans l'ensemble, le découvreur de curiosités et de nouveaux talents peut fort bien se passer de cette édition. Il lui suffit de crayonner une étoile au *Cinq* à Paris et au *Louis XV* de Monaco, deux établissements confortablement installés dans des palaces. »[17]

Tout est dit, ou presque, mais Francois Simon en rajoute une couche : « Grâce à nous, vous allez faire une économie cette année, celle de l'achat du *Guide Michelin.* On l'a dit ici, cela a été répété ailleurs, l'addition 2003 n'est franchement pas terrible ; mieux vaut garder votre bon guide 2002, la reliure est excellente, elle peut même traverser trois bonnes années. »[18]

---

[16] *Le guide rouge règne en maître*, in *Libération*, 3 mars 2003.

[17] *Suivez les bonnes étoiles*, in *Libération*, vendredi 28 février 2003.

[18] *Un guide peut en cacher un autre*, in *Le Figaro*, samedi 15 février 2003.

Trois étoiles : la médaille du travail de la cuisine française

« Trois étoiles, qu'est-ce que c'est ? s'interroge un restaurateur parisien réputé qui préfère conserver l'anonymat. Est-ce que ça récompense strictement la qualité de l'assiette, est-ce que c'est aussi le décor ? Ça récompense en fait plus une carrière. La différence entre les deux et les trois étoiles, c'est qu'une fois qu'on a les trois étoiles, c'est à vie, on ne les perd presque jamais. » L'attribution des fameux macarons est au cœur de la nébuleuse *Michelin*. Et le microcosme gastronomique français ne semble vivre que pour la remise, une fois l'an, de ces récompenses. Depuis des années, chefs et journalistes cherchent à comprendre les critères qui rentrent dans l'attribution d'une, de deux ou de trois étoiles, mais sans pouvoir y parvenir. « Il y a une chose que je ne sais pas et que personne ne sait, explique Jean Miot, c'est quels sont les critères, comment sont attribuées les étoiles ? Quand on entre dans un restaurant, on ne juge pas que ce qu'il y a dans l'assiette. On juge le climat, l'accueil, l'ambiance, le décor, la qualité du service, la beauté des assiettes. » En effet, *Michelin* s'est toujours refusé à divulguer ces critères. Ainsi, il est vraiment difficile de connaître les modes de sélection du *Guide Rouge*. Certains chefs ont deux macarons alors qu'ils en méritent trois, selon la critique unanime, et d'autres qui en ont trois n'en méritent en réalité que deux. Il est de surcroît bien rare que des grands chefs soient déclassés, sauf en cas d'incident grave. Alors, qui décide, et comment ? Pendant longtemps, personne ne s'en est soucié, *Michelin* étant réputé pour son sérieux et son anonymat. Mais le fait que *Michelin* refuse purement et simplement pendant des décennies de tenir une conférence de presse pour annoncer son palmarès et commenter ses choix a commencé à agacer tout le monde à l'heure de la transparence. Après être longtemps demeuré intouchable, *Michelin* est aujourd'hui sous le feu de la critique. Pour répondre à ses contradicteurs qui accusent le *Guide Rouge* de favoriser des restaurants ayant réalisé de lourds investissements pour se moderniser ou proposer des décors attrayants, *Michelin* rétorque qu'il est capable de donner des étoiles à un restaurant qui a des nappes en papier. Mais alors, pourquoi certains restaurateurs semblent-ils si soucieux de faire connaître leurs investissements ? Implicitement, Jean-Claude Vrinat (*Taillevent*, Paris) confirme : « Mon rôle n'est pas d'être sur le devant de la scène, mais d'agir pour nos clients. Dans ce domaine, personne ne peut dire que nous négligions la cuisine. Les investissements des dernières années au *Taillevent* sont là pour le prouver. » Flora Mikula (*Flora*, Paris) s'interroge : « Est-ce que c'est vrai ? Peut-être que certains se disent aussi : "on va refaire le décor et peut-être qu'on aura la deuxième ou la troisième étoile l'année prochaine". » Un restaurateur voisin explique son étonnement : « C'est sûr qu'on voit des choses pas tout à fait normales dans le *Michelin*... Par exemple, celui qui a la troisième étoile en face cette année (*Le Cinq*, NDLA)... Eh bien, il y en a peut-être d'autres en province qui l'attendaient, lui n'en avait pas besoin. En fait, on a remercié l'homme, le chef, mais comme son hôtel est classé parmi les meilleurs du monde, qu'il en ait deux ou trois ne change rien à l'affaire. Je pense que Régis Marcon, qui est au fin fond de la Haute-Loire[19], ça lui aurait peut-être fait plus de bien financièrement. Il a eu du courage de rester dans son coin. »

[19] *Auberge et Clos des Cimes*, Saint-Bonnet.

Pour les chefs, obtenir une deuxième et surtout une troisième étoile est plus qu'une consécration. Car c'est aussi la voie royale et salutaire vers la réussite[20] ou l'indépendance économique, comme le souligne André Daguin : « Les étoiles, c'est bien, à partir de deux surtout, parce que ça vous permet de très bien gagner votre vie... ailleurs ! Parce que la notoriété permet à ceux qui ne sont pas trop bêtes de bien exploiter le personnage. Mais ce n'est pas tellement normal. Un restaurant de qualité devrait pouvoir nourrir celui qui l'exploite et c'est loin d'être toujours le cas, ça reste exceptionnel. La plupart des chefs en région survivent car ils ont des revenus extérieurs. Guérard est adossé à la chaîne thermale du soleil, donc il a un certain confort, mais c'est sans doute le premier de sa génération à l'avoir fait. » Il y a un autre problème, note François Simon, c'est que « les chefs auraient voulu rester étoilés à vie comme l'on devient académicien ». Ceux qui les perdent ne comprennent pas et s'estiment trahis. Il est cela dit rarissime qu'un trois étoiles soit dégradé. Lorsqu'un chef les a, c'est presque pour la vie. C'est d'ailleurs ce qu'ils demandent, à en croire Claude Darroze (*Claude Darroze*, Langon) : « C'est notre Légion d'honneur ! » Ce qui pose la question de l'intérêt de cette distinction et de son sens : est-elle un honneur, une étape, une consécration, que signifie-t-elle ? Car obtenir la troisième étoile, c'est presque se voir offrir un siège à vie à la chambre des lords britanniques. Se voir décerner une distinction honorifique à l'instar du César d'honneur qui récompense le travail d'une vie, le couronnement d'une carrière. « L'étoile au *Michelin*, c'est l'équivalent de l'ENA pour un cuisinier, le seul vrai diplôme que peut avoir un chef », reconnaît Joël Rault (*Jardin d'Ohe*, Saint-Maur-des-Fossés).

[20] Voir chapitre 6.

André Daguin confirme : « Dans les trois étoiles, c'est vrai que ça peut ressembler à des distinctions *ad vitam aeternam*. Mais dans les restaurants une ou deux étoiles, c'est moins vrai. *Michelin* a une force énorme, ce sont les Américains notamment qui viennent en France. Chaque année, il y en a beaucoup qui viennent faire le tour de France des trois étoiles et qui rendent à *Michelin* des rapports circonstanciés sur leurs repas, c'est presque mieux qu'un inspecteur. » Cela est particulièrement vrai dans les régions touristiques. La clientèle étrangère se fie massivement au *Guide Rouge*. C'est d'ailleurs surtout à l'aune de la clientèle étrangère que les étoilés reconnaissent le poids et l'influence du *Michelin*. « La troisième étoile vous facilite la vie, explique Guy Savoy. Ça vous ouvre des portes. On entend parler de vous dans le monde entier, il y a des articles partout jusque dans l'Utah. »[21] Nombreux sont ainsi les deux macarons qui, devant l'afflux d'étrangers, ont investi plusieurs centaines de milliers d'euros pour construire des chambres d'hôtel, histoire de permettre à la clientèle internationale de dormir sur place. Quand Dominique Loiseau, ancienne journaliste au magazine professionnel *L'Hôtellerie*, a débarqué à Saulieu, la clientèle était composée en grande majorité de Français – près de 80 %, pour seulement 20 % d'étrangers. Aujourd'hui, comme dans la plupart des grandes tables, la proportion de nationaux est tombée en dessous de 60 %. Depuis dix ans, les Américains représentent une part croissante de la clientèle des maisons étoilées.

Mais qu'est-ce qui justifie, par exemple, que Paul Bocuse affiche ses trois étoiles à Collonges-au-Mont-d'Or depuis 1965 ? « Notre critère, c'est la qualité dans la continuité », réplique-t-on chez *Michelin*, où l'on oublie de dire qu'on

---

[21] *Vol de nuit, TF1*, 17 décembre 2003, 00 h 30.

apprécie surtout l'effort, et même les efforts des chefs. Bref, il faut non seulement mériter les étoiles, mais aussi montrer qu'on y tient vraiment. Pour le reste, c'est motus. Tout ce que les chefs savent, comme l'explique Guy Martin, c'est que « ce qui est génial quand on a trois étoiles, et là je pense à Bernard Loiseau qui les a gardées longtemps, c'est que dans des moments difficiles, il faut penser qu'on a déjà réussi ça en partant de rien. Il faut se dire : "Par rapport à tous ceux qui font ce métier, je fais partie de l'exception." Mais c'est dur de rester au top ». Pas étonnant, donc, que comme Martin, Bocuse n'ait rien à reprocher au *Michelin* après trente-huit ans aux trois étoiles. D'ailleurs, il s'en verrait bien, lui, attribuer une quatrième. Pourtant, nombreux sont les journalistes gastronomiques à considérer que certains chefs, aussi « grands » soient-ils, ne les méritaient pas chaque année depuis trente ans, chaque soir, et même, ne les méritaient plus du tout. *GaultMillau* a ainsi rétrogradé Bocuse de 19 à 17 en deux ans. Mais *Michelin* hésite depuis quelques années à retirer une étoile aux chefs confirmés. Philosophe, après plusieurs décennies dans la restauration, Jacques Le Divellec, lui, en est certain : « *Michelin*, un jour, ils me baisseront à une étoile quand ils en auront marre de me voir. » Vraiment ?

Les fonctionnaires de la gastronomie

La plupart des clients ignorent les méthodes employées par *Michelin*. Car le *Guide Rouge* a la réputation d'être fait par des gens « sérieux et réfléchis et qui prennent leur temps ». Même si « on les accuse parfois d'être trop lents ou timorés ». En fait, la formation et l'esprit du bataillon des enquêteurs *Michelin* sont proches de ceux d'une administration. Leurs méthodes ressemblent davantage à celles de la Sécurité sociale ou de la direction de la Répression des fraudes qu'à celles du journalisme, gastronomique ou pas. Véritables hommes de l'ombre, les enquêteurs *Michelin* sèment l'angoisse en toute iniquité. « Ils viennent souvent à deux ou trois. Leur attitude est typique, note une attachée de presse influente dans la restauration parisienne : ils n'ont pas de portable qui sonne, ils sont un peu VRP et ils sont tristes. Un jour, j'en ai rencontré un au *George V*, le profil, c'était France Télécom, genre représentant de commerce. Mais ils sont très courtois, très respectueux et surtout très honnêtes. » L'anonymat des inspecteurs *Michelin* est une réalité, comme en témoigne André Daguin : « Chaque fois que je croyais avoir débusqué un inspecteur du *Michelin*, ce n'était pas ça ! En moyenne, ils passent tous les deux ans et ils changent tout le temps pour ne pas être reconnus. On dit toujours que l'inspecteur du *Michelin* est seul, mais c'est faux. Des fois, ils sont deux messieurs, des fois, ils sont en couple. La consigne que j'avais donnée à mes gars, c'était : "Si vous pensez que c'est quelqu'un du *Michelin*, la première règle, c'est "pas de conneries !" Mais pas plus, parce que si on "sur-sert" et qu'on "sur-cuisine", le coup d'après, on se fait aligner". » Les mêmes arguments sont servis par les chefs étoilés comme Guy Martin : « En dehors des directeurs du *Michelin*, je n'ai jamais rencontré d'enquêteurs. Déjà, je ne vais pas en salle, mais pour reconnaître les gens, il faut être sacrément physionomiste ! Les gens du *Michelin* se présentent après le repas, ils nous disent qu'ils sont *Michelin*, qu'ils veulent visiter un peu, mais sinon, on n'arrive pas à les reconnaître. Il y a certaines fois, on se dit que c'est le *Michelin*, mais en même temps, quand on cuisine, on ne passe pas son temps à se demander qui est à telle ou telle table. Et puis on ne peut pas faire trois cuisines différentes, donc, pour nous, chaque table, c'est le *Michelin*. En général, il vaut mieux pas que le personnel le sache. Quand on le sait, c'est stressant. C'est rare que les gens du *Michelin* se présentent et viennent visiter les cuisines.» Et comme les enquêteurs changent, il est bien rare que les restaurateurs les repèrent. Laissant entendre que le contenu de l'assiette n'est pas primordial pour eux, un chef raconte : « On reconnaît les inspecteurs du *Michelin* à ce qu'ils demandent d'abord les toilettes avant la carte, contrairement aux autres clients. Leurs manies, leurs envies sont toujours l'inverse de celles d'un client *lambda.* » Alain Capelle (*Village Suisse,* Le Touquet) confirme : « Ils sont venus l'année dernière et se sont présentés après le repas. Ils ont demandé à voir la carte des vins, les toilettes. Ils m'ont d'ailleurs donné quelques conseils sur tel ou tel point de la carte. Je me souviens qu'ils m'ont fait une remarque sur une sauce qui accompagnait un plat et qu'ils trouvaient trop proche d'une autre sauce associée à une autre entrée. » Les inspecteurs jouent un rôle assez curieux, dans le sens où ils sont protégés par leur anonymat et qu'ils sont les seuls juges du goût des clients, qu'il s'agisse d'un gastronome averti ou d'un néophyte. Leur impartialité légendaire n'a d'égal que leurs méthodes tatillonnes d'un autre âge.

Qui plus est, jamais un ancien de *Michelin* n'a vraiment raconté l'histoire de l'intérieur. Comme dans une organisation secrète, les responsables régionaux ne sont pas connus, pas plus que le fonctionnement interne. Les locaux n'ont que rarement été filmés, les documents internes jamais publiés dans la presse, comme s'il s'agissait d'un secret Défense. Ce qui renforce l'impression de grand mystère qui ressort régulièrement à propos du *Guide Rouge*. L'austérité à la fois du guide et de ses méthodes en fait une vieille institution qui paraît bien archaïque, alors que le faste a quitté bien des grandes tables et que l'insouciance ne règne plus en maître ni en salle ni en cuisine. Les inspecteurs du *Michelin* sont tous salariés de la maison de pneumatiques. Chacun d'entre eux parcourt entre 25 et 30 000 kilomètres en moyenne par an[22]. Les enquêteurs *Michelin* paient leurs additions, observent secrètement, scrutent le moindre détail tout en s'assurant de ne pas être remarqués. Un art de la dissimulation qui ne s'assortit pas toujours d'une fantastique culture culinaire ni d'un goût hors du commun. Pour être inspecteur *Michelin*, il suffit bien souvent d'avoir raté sa carrière dans l'administration, ou de s'être reconverti dans la restauration, parfois collective, et de témoigner de bons et loyaux services à la Cuisine. Très carrés, les inspecteurs *Michelin* parviennent la plupart du temps à passer incognito. Aucun grand chef ne prétend en privé avoir jamais reconnu l'un d'entre eux : généralement, ceux qui avaient l'air d'en être n'en étaient pas, et réciproquement. À la fin du repas, ils se présentent, demandent, comme l'Hygiène ou l'Inspection du travail, à visiter les cuisines et les frigos. Philippe, un restaurateur renommé près d'Orléans qui tient à rester anonyme pour éviter les représailles, confirme : « Les gens de chez *Michelin* viennent en moyenne tous les deux ans. Ils arrivent vers 11 h, 11 h 30, juste avant le coup de feu, ce qui est très pratique, deman-

[22] Chiffres Michelin.

dent si vous pouvez leur accorder quinze minutes, vous posent quelques questions, remplissent des fiches et demandent à visiter les cuisines. » Flora Mikula assure ne pas avoir connu ce type de désagréments : « Pour moi, le *Michelin* est toujours anonyme. Beaucoup de confrères me disent naïve, je sais qu'il doit y avoir des abus, mais moi, chaque fois que je les ai eus dans mon restaurant, je ne m'en suis jamais rendue compte. Michel Sarran, quand il a ouvert à Toulouse en juin (*Michel Sarran,* Toulouse), il a eu son étoile en mars de l'année d'après et il ne s'y attendait pas du tout, il n'avait vu personne venir. Plus tard, il a demandé un rendez-vous pour sa deuxième étoile. Ils lui ont refusé le rendez-vous. Le jour où il a été reçu, la personne qu'il a vue lui a dit : "Vous avez été énormément visité même pendant les premiers mois de votre ouverture. Vous avez été revisité depuis et vous êtes en bonne voie pour la deuxième." Un autre jeune chef parisien qui monte confirme : « Moi, j'ai eu *Michelin* à deux mois de l'ouverture. Je leur avais écrit pour leur dire que je m'installais, je leur avais envoyé la carte. Et puis, un jour, il y a un monsieur seul qui est venu. Il a mangé, il a payé, il est sorti. Il a poussé la porte, il a rouvert la porte. C'est très pro. C'est très bien. On a discuté un petit peu, il a visité la cuisine. C'est pas mal comme mode de fonctionnement, c'est pas l'hygiène non plus, il a pas mis la tête dans les frigos pour voir. »

Un certain nombre de règles déontologiques sont expliquées aux enquêteurs qui signent tous un document dans lequel ils s'engagent également à respecter le secret professionnel, comme s'ils entraient dans une banque d'affaires ou un cabinet ministériel. *Michelin* assure que les inspecteurs qui faillissent à leur tâche sont exclus, mais aucun cas n'a jamais été recensé. Selon *Michelin*, les inspecteurs visitent tous les types d'établissements, du plus modeste au plus prestigieux. Chaque table goûtée ou visitée fait l'objet d'un rapport d'enquête, conservé d'année en année par l'administration *Michelin*. Les enquêteurs ne disposent d'aucune initiative. Ce ne sont pas eux qui rendent leurs jugements ni qui écrivent les lignes sibyllines qui servent de commentaires dans les nouvelles adresses. Ils se contentent de remplir ces fameux rapports de plusieurs pages, de gribouiller des notes. Ces dossiers sont ensuite remis à des responsables de zone qui harmonisent le tout. En interne, ceux-ci sont régulièrement briefés par le directeur du *Guide*, qui lisse également le fond et la forme. Par la suite, les membres les plus importants de ce comité de rédaction, qui se comporte comme un Politburo, passent en revue les établissements les plus prestigieux, ou ceux qui posent problème. Ils rediscutent alors du sort de chacun. Ensuite seulement se dessine la toque ou l'étoile remise à l'heureux élu. S'ajoute à cette cuisine interne une péréquation politique ou stratégique.

Elle est effectuée entre les notes, soit pour promouvoir un jeune qui monte et qui pourra dire : «Je dois tout au *Michelin*», soit pour défendre le seul restaurant valable d'un département ou d'une ville reculée, ou encore pour soutenir Madame Chapel ou Madame Pic après la mort du chef. Des paramètres étrangers à la cuisine, comme la santé financière d'un établissement où sa situation géographique, entrent donc en ligne de compte.

Autre caractéristique de *Michelin*, ces 35 dernières années : seuls trois directeurs se sont succédé à la tête du *Guide Rouge*, baptisé « l'Organisation » par le microcosme.

Entré chez *Michelin* en 1946, André Trichot a dirigé la maison de 1968 à 1985 : il y supervisait notamment les enquêtes de Bernard Naegellen (entré en 1968, il a été directeur du *Guide* de 1985 à 2000), ainsi que celles de Derek Brown, à la tête du *Michelin* depuis trois ans et qui partira à la retraite en juillet 2004. Son départ renforce la crise d'indentité, thèse du malaise du *Michelin*, puisqu'il aura été en place moins de quatre ans, ce qui n'est pas la politique maison. Car le faible *turn-over* facilite la mainmise de celui qui est en place sur le contenu éditorial. La pérennité du management évite les fuites et la concurrence déloyale. Les directeurs du *Michelin* et leurs goûts culinaires sont connus des restaurateurs et des enquêteurs.

Ils impriment, quoi qu'on en dise, leur marque au guide dont ils ont la charge. L'influence des directeurs sur le contenu est une évidence qui contredit sérieusement le principe d'indépendance et d'objectivité derrière lequel se retranche *Michelin.* Moins fin que les notations de *GaultMillau* ou d'autres, qui permettent des nuances et des paliers de notation plus évidents, le classement de *Michelin* est donc forcément discutable. Les notes les plus hautes sont décernées contre toute attente en petit comité et décidées en dernier ressort par Derek Brown, le directeur du *Guide Michelin.* « On retire ou on ajoute les étoiles après de nombreuses visites, une dizaine dans l'année pour les trois étoiles », explique un porte-parole de *Michelin* éditions. « Nous ne rechignons pas à visiter une table quinze fois, s'il le faut », explique Derek Brown. Dix, quinze visites pour une table ?

L'ensemble des critiques gastronomiques interrogés restent perplexes face à ce nombre. Ce qu'on ne nous dit pas non plus, c'est que si les grandes tables sont testées plusieurs fois, c'est que les notes sont le plus souvent subjectives. Généralement, c'est le directeur du *Guide* qui arbitre les décisions. Inutile de préciser qu'il est reconnu partout et reçu comme un roi, fastueusement.

Conscient tout de même, quoique tardivement, de ses érrements et de l'impact négatif que le mystère Michelin finit par avoir sur les ventes, Bibendum a entamé une véritable révolution de palais. En annonçant dès janvier 2004 l'arrivée de Jean-Luc Naret pour succéder à Derek Brown, Michelin semble désireux de renouer le dialogue. À 42 ans, cet ancien éléve de l'école hotelière de Paris a un profil d'OVNI, puisqu'il n'est entré chez Michelin qu'en septembre et qu'il n'a jamais été de la caste des enquêteurs. Signe des temps ? Preuve surtout que le *Guide Rouge* avait besoin de sang neuf et de transparence. Son arrivée qui semble signifier le retrait d'un directeur omniprésent, trop sans doute, s'accompagne également de la publication d'un “livre de style“, sorte de mode d'emploi du Michelin, censé, comme celui du journal *Le Monde,* porter haut son histoire et ses valeurs. Voilà pour le fond, car sur la forme, rien ne devrait changer avant l'année prochaine. À quand la révolution ?

Le business *Michelin*

L'anonymat des enquêteurs et le halo de mystère qui entoure le fonctionnement « secret » du guide suscitent également de plus en plus de curiosité dans la profession. Ce qui ne serait pas très grave si le *Michelin* n'avait pas une telle influence sur la gastronomie au sens large. « On ne sait pas comment ils travaillent », explique Périco Légasse, qui a violemment pris à partie Derek Brown, le directeur du guide, lors de la première conférence de presse du *Michelin* en 2002, le questionnant sur ses méthodes : « Qui sont vos inspecteurs ? Combien sont-ils, 30, 40, 50 ? Quels sont les critères de jugement ? » Des interrogations relayées par l'ensemble de la presse qui dénoncent l'opacité du guide, son refus de dire qui sont ses inspecteurs, combien ils sont, à quel tarif et comment ils sont payés, quels sont leurs diplômes ou leurs formations. Derek Brown, directeur du *Michelin,* s'explique : « Chacun de nos 100 inspecteurs anonymes visite près de 900 établissements une fois chaque année. Ce sont des hommes et des femmes de toutes nationalités. Ils tournent dans tous les pays d'Europe pour ne jamais être repérés. Ils sont triés sur le volet, issus d'une formation hôtelière et, surtout, *Michelin* leur demande d'être très cultivés, car ils doivent être capables de prendre un certain nombre de paramètres en compte comme le mobilier, les œuvres d'art, les équipements, l'environnement, le patrimoine, etc. Nous les formons pendant six mois avant de les envoyer sur le terrain »[23]. Personne n'ayant jamais pu vérifier ces assertions, rencontrer des inspecteurs, lire des enquêtes du *Michelin* ni accéder aux chiffres du *Guide Rouge,* le doute est permis. Ancien patron de l'AFP, Jean Miot s'interroge : « Ce que j'aimerais bien savoir, c'est combien ils sont exactement. C'est une question qu'il faudrait poser à la direction. On dit toujours qu'ils sont une trentaine, mais ça me paraît bien peu compte tenu du nombre d'adresses qu'il y a à visiter chaque année, et le nombre d'étoiles qu'ils distribuent. » Sous entendu pour

[23] *Hôtel restau Hebdo* n° 113, mardi 4 mars 2003.

faire le travail correctement comme l'entend *Michelin*, il faudrait au moins un enquêteur par département, plus des responsables régionaux et une direction éditoriale. Sinon, il semble difficile de pouvoir visiter toutes les tables de France une fois par an. Comme lui, on peut se demander si l'équipe du *Michelin* n'est pas plus réduite. « C'est tout simplement l'explication du fait qu'ils en oublient ou que, quelquefois, injustement, ils en enlèvent ou en rajoutent. Ce n'est pas une science exacte. Ce n'est pas une bible », note un chroniqueur gastronomique d'un grand quotidien national. Tout cela soulève, bien entendu, la question des conditions économiques de publication du *Guide Michelin.* Quand on sait par exemple que pour réaliser chaque année plusieurs dizaines d'éditions du *Guide du Routard* ou du *Petit fûté*, il n'y a qu'une grosse dizaine de permanents, il est légitime de s'interroger sur le nombre d'inspecteurs du *Michelin.* Sont-ils tous réellement salariés ou des collaborateurs occasionnels et des correspondants ? Plus de 9 000 adresses (hôtels et restaurants) figurent dans le *Guide Rouge France* : pour en faire deux par jour et par personne, cela nécessiterait déjà près de 20 permanents, sans compter le personnel administratif[24]. Or, la direction du *Michelin* se targue d'effectuer plusieurs visites annuelles par établissement, c'est-à-dire jusqu'à plus de 10 pour les trois étoiles. Il faudrait donc, rien que pour la France, entre 20 et 200 enquêteurs, soit un coût salarial compris au minimum entre 730 000 euros et 7 300 000 euros. Pour les frais, le calcul situe l'enveloppe entre 715 000 euros et 7 150 000 euros hors transports. Soit un coût, juste pour les enquêtes, compris entre 1,5 et 14,5 millions d'euros[25]. Mais, si l'on en croit les déclarations de *Michelin* sur son

[24] Estimations d'après les chiffres fournis par Michelin.

[25] Estimations d'après les chiffres fournis par Michelin.

nombre d'enquêteurs, le montant est plus proche de 10 millions d'euros. Cela pour un chiffre d'affaires revendiqué de 24 euros x 500 000 exemplaires = 12 000 000 euros, hors relecture, secrétariat de rédaction, cartographie, mailings, photogravure, impression, distribution et promotion. Une telle équation économique est tout bonnement impossible à résoudre ! Et en attendant, Bibendum continue d'affirmer pour preuve d'une inspection rigoureuse et régulière : « Tous les établissements visités font l'objet d'un rapport. » Des rapports qui n'ont pourtant jamais été rendus publics, comme le regrette André Daguin. Autre secret bien gardé du *Michelin*, c'est l'utilisation du courrier des lecteurs, plus de 90 000 lettres par an[26]. Le *Guide Rouge* exploite à moindres frais les renseignements fournis gratuitement par les établissements eux-mêmes mais surtout par les lecteurs, contents ou mécontents. Ce qui permet de découvrir les nouveautés et d'obtenir des informations précises sans fournir trop d'efforts. C'est, bien entendu, un atout majeur face à la concurrence. Et il ne coûte rien.

Chaque année, en tout cas, c'est le même scénario : comme le Goncourt et le prix de l'Académie française se disputent les lauréats, le *Michelin* et le *GaultMillau* se disputent la primeur de l'annonce de leur palmarès. Chaque année, les deux opérations de communication organisées concomitamment misent sur la surprise, l'effet d'annonce et l'engouement des médias pour lancer les ventes. Comme pour les prix littéraires, les fuites et les rumeurs vont bon train. Quelques restaurateurs affirment même être informés à l'avance. Plus d'un mois avant la publication, selon Périco Légasse. Quelques jours avant la parution du guide 2003,

[26] Article déjà cité.

Didier Metzelard (*La Mignardise*, Nancy) confiait : « Le *Michelin* sort vendredi. Je sais qu'il est excellent pour moi. Je passe de la 8e à la 3e place à Nancy. » *Michelin* dément : « En aucun cas, le chef n'est au courant du classement à venir concernant son établissement. » Sauf que, généralement, à quelques semaines de la sortie annoncée du *Guide Rouge*, bruissent des fuites savamment orchestrées pour entretenir le suspense et créer l'événement. Pour prouver qu'elle est contre, la direction du guide précipite alors l'annonce officielle de son palmarès. C'est ce qu'elle a fait en 2002 et en 2003, publiant son palmarès le 7 février au lieu du 28. Mais ça ne leurre personne : en coupant l'herbe sous le pied de ses concurrents, *Michelin* tient un raisonnement d'entreprise. Car le *Guide Rouge* n'est autre que le fleuron de la collection de livres touristiques publiés par la maison. Éditer des guides gastronomiques est avant tout une affaire de gros sous pour la multinationale du pneu, où l'on sait comment dégraisser ses effectifs et tailler dans les coûts, fussent-ils humains. Pas de philanthropie, donc, chez les éditeurs du *Guide Rouge* : chaque année, il faut vendre, vendre et encore vendre. Et l'on y met les moyens : millésime de l'année imprimé en gros sur la couverture pour donner un coup de vieux aux anciennes éditions, envoi de dossiers de presse à plusieurs centaines de journalistes à Paris et surtout en province, organisation d'une grande soirée de lancement avec plusieurs milliers d'invités dans un grand palace parisien. C'est qu'économiquement, les guides *Michelin* au sens large sont une très belle affaire. Le *Guide Rouge*, lui, annonce officiellement 400 000 exemplaires vendus en France, et 150 000 à l'étranger, ce qui en fait le premier guide gastronomique en nombre les bonnes années. Mais, en réalité, il se tire plutôt autour de 350 000 exemplaires[27] du guide sur la France. D'ailleurs, si le *Michelin* figure en 16e place du top 50 des meilleures ventes de livres en 2002, ce n'est qu'avec 249 800 exemplaires ![28] Seulement, si l'on met bout à bout les différentes éditions en Français et en langues étrangères, on parvient à 500, 550 000 exemplaires pour toutes les éditions européennes du *Guide Rouge*. Le chiffre revendiqué par *Michelin* est lui de 1,2 million d'exemplaires[29]. La diffusion de la *Bible* plus que centenaire est donc largement gonflée par son éditeur à des fins de communication. En réalité, ses ventes sont, presque moitié moins importantes qu'annoncées dans l'Hexagone. On verra bien si le passage en distribution chez Dargaud à compter du 1er janvier 2004 change quelque chose ! Mais, au fond, peu importe pour la multinationale du pneu : à partir de la base de données du *Guide Rouge*, une multitude de guides, rouges, verts et autres, sont publiés, en réutilisant tout ou partie de la base de données du *Guide Rouge France* (les *Coups de Cœur*, les *Guides Gourmands*, les *Bibs Hôtel*...). Et le lancement du *Guide Rouge* sert de locomotive à tous les autres titres du groupe. Alors, quand Michel Piot assure : « Au fond, *Michelin* est bien étonné de tout ça et aimerait bien s'en débarrasser, s'exonérer de cette responsabilité », il n'est pas interdit de penser le contraire.

---

[27] Source distributeurs.

[28] Le marché du livre 2003, *Livres Hebdo*, 21 mars 2003.

[29] Le marché du livre 2003, *Livres Hebdo*, 21 mars 2003.

CHAPITRE 4

Gault & Millau, les chevaliers blancs

Le Baygon vert de la critique gastronomique

Le journaliste Henri Gault fut avec son compère Christian Millau l'un des plus brillants journalistes gastronomiques du siècle. Tous deux nés en 1929, ils commencent par travailler chacun dans leur coin, presque parallèlement. Henri Gault avait d'abord entamé une carrière de journaliste, notamment au *Parisien libéré*, puis à Europe 1. Il croise Christian Millau au début des années 60 à *Paris Presse*. Critique littéraire dans les années 50, Millau a fréquenté les hussards, la jeune garde de la littérature française dont il tirera plus tard un livre. Ami de Roger Nimier, il a longtemps fréquenté les cercles parisiens et collaboré à l'hebdomadaire *Le Nouveau Candide*. À *Paris Presse*, le poste de rédacteur en chef de Gault consiste seulement à légender chaque jour « la photo parlante », si bien qu'il s'ennuie. À son patron, qui lui demande ce qu'il veut faire, il répond « me promener » et c'est ce qu'il finit par faire. Tous les vendredis, il eut donc sa page, que Millau, rédacteur en chef adjoint de la partie magazine, regardait avec envie. Le succès fut immédiatement au rendez-vous. À tel point que Christian Bourgeois, des éditions Julliard, demande à publier *À voir et à manger*, un recueil des chroniques d'Henri Gault. Résultat, après 15 000 exemplaires vendus, l'éditeur demande à Gault un second livre. Ce dernier en parle à Christian Millau, qui avait eu l'idée d'un guide gastronomique de Paris. L'éditeur est enthousiaste, le premier guide réalisé par Gault & Millau allait voir le jour.

Ensemble, ils vont connaître une fulgurante ascension. Intelligents, madrés et intrigants, ils veulent changer les mœurs gastronomiques. Leurs intentions politiques ne sont toutefois pas évidentes. Tous deux bons vivants, battants, Gault & Millau ont des personnalités très différentes : autant Millau est chaleureux, humain et progressiste, autant Gault accentue son côté traditionaliste et parfois provocant. Il n'hésitera pas ainsi à adhérer en 1986 au comité de soutien du Rassemblement national vendéen, organe électoral du mouvement de Jean-Marie Le Pen dans ce département. « Si on les compare aux mousquetaires, je dirais que Millau, c'est Aramis, et Gault, Portos », témoigne un critique gastronomique.

Leur aventure commence donc dans les années 60 : par leurs écrits, les deux compères renouvellent le genre du journalisme gastronomique, qui avait bien souffert de l'image de leurs prédécesseurs. Curieux, inventifs, malins et rusés, ils imposent un style journalistique à l'aide d'un bon réseau de passionnés comme eux.

En 1962, Henri Gault et Christian Millau publient leur premier ouvrage collectif, le *Guide Julliard de Paris*, qui est un grand succès d'édition. À l'époque, le seul guide important est le *Michelin,* qui ne fait aucun commentaire sur les adresses et se contente d'attribuer des étoiles. Gault & Millau se distinguent par leurs qualités d'écriture, leur franchise, leur humour et leur acidité. L'année suivante, Henri Gault, réputé pour sa dureté légendaire et sa froideur parfois déplaisante, fait paraître *À voir et à manger,* qui porte en germe leur démarche de critiques d'un genre nouveau. Les Dupont et Dupond de la critique gastronomique font leur bonhomme de chemin, éditant chaque année le *Guide Julliard,* multipliant les collaborations dans des journaux qui servent de relais à la bonne parole. Ce n'est qu'en 1969 qu'ils fondent Le *Nouveau Guide,* ancêtre du magazine *Gault & Millau,* désireux d'avoir enfin leur propre publication. En 1970, les deux journalistes éditent un Guide gourmand de la France. Trois ans plus tard, c'est au tour du célèbre guide éponyme de voir le jour. Sous la bannière Gault & Millau, ils allaient régner sur la gastronomie française pendant près de trente ans.

Le guide est à l'image de l'humeur de ses fondateurs : à géométrie variable. Il est un livre d'humeurs. Parfois hâtif, parfois excessif, mais c'est comme ça, c'est la règle du jeu annoncée par Gault & Millau, qui entrent avec force bruits de casseroles dans les cuisines. Leur guide attribue des toques (de une à quatre) selon le niveau de confort, le luxe des restaurants, la note sur 20 portant, elle, directement sur la cuisine. Lorsqu'un établissement se distingue par sa créativité ou son originalité, les toques sont rouges. *Gault & Millau* est alors le seul guide à s'être jamais posé en rival du *Michelin.*

Mais il n'arrivera jamais à le détrôner. Tout repose donc

sur les épaules mais surtout le ton et le style des deux journalistes. À l'opposé de la démarche froide et conservatrice du *Guide Rouge*, ils se veulent aiguilleurs de tendances et distribuent des notes et des bonnets d'âne. Leurs textes sont incisifs, souvent longs mais jamais ennuyeux, raffinés mais jamais ampoulés. Sous leurs plumes alertes, une critique sonne d'ailleurs presque comme un compliment. Le succès de leur entreprise se confirme très vite. Exempt de publicité, le guide a trouvé sa place immédiatement, car la moralité des auteurs était au-dessus de tout soupçon. Avec un magazine mensuel donnant les bonnes adresses et un guide annuel, ils se montraient incontournables, arpentant jour après jour le terrain à la recherche du talent et de la nouveauté. Bêtes de somme de la gastronomie, ils se voulaient intègres, honnêtes et loyaux envers leurs lecteurs, qu'ils plaçaient plus haut que tout. On pouvait ne pas être d'accord avec eux, mais tout le monde respectait leurs choix.

La nouvelle cuisine

En 1973, Henri Gault et Christian Millau font passer la cuisine française de Neandertal à l'âge de pierre en faisant émerger le concept de Nouvelle Cuisine : cuissons courtes, suppression des sauces blanches ou farinées, intégration d'autres cultures, portions modérées, présentation des plats à la japonaise. Une véritable révolution concentrée dans les 10 commandements de la Nouvelle Cuisine écrits par Gault & Millau, qui pestaient souvent contre les sauces lourdes et les préparations flambées à la table entre autres choses. Opposés à la cuisine classique d'Escoffier ou de Curnonsky et aux recettes ampoulées des restaurants de palace désertés par les gourmets, les deux gastronomes font l'éloge du poisson rosé à l'arête, de la simplicité, de la légèreté et de l'épure. Le tout avec une ferveur quasi évangélique. « Ils ont contribué, explique Luc Dubanchet, ancien rédacteur en chef de *GaultMillau*, à faire émerger des chefs qui portaient en eux une volonté de régénération, d'allègement, de nouveauté. Il faut se rappeler que dans les années 60-70, tout était trop cuit et les plats étaient servis en sauce, avec de la crème et du beurre. Il y avait déjà à l'époque des combats d'arrière-garde, un conservatisme absolu. Gault & Millau ont clairement apporté la bonne parole et montré le chemin à un certain nombre de chefs. La Nouvelle Cuisine, c'était un espoir, un dépoussiérage pour une gastronomie qui était rétrograde et cependant leader dans le monde. » Cette Nouvelle Cuisine, elle est le fruit d'un dialogue avec des chefs, d'un va-et-vient à leur contact. Avec Michel Guérard, Alain Chapel, Georges Blanc et Alain Senderens, entre autres, Gault & Millau sont les défenseurs d'un credo contemporain qui apporte aussi le cru, les mélanges audacieux, le sucré-salé, les portions moins copieuses, de nouvelles textures comme les mousses, de nouveaux modes de préparation en cocotte ou timbale, une décoration moderne, mais aussi l'art du détournement et la réinterprétation de recettes ancestrales. Autre idée maîtresse de la Nouvelle Cuisine, le frais et le respect des saisons sont au centre de la démarche. Plus question de faire mariner ou de baigner les produits dans des sauces lourdes, la tendance est à l'authenticité, à l'exaltation du goût, à la mise en valeur des producteurs. Gault et Millau, en donnant un nom à ce phénomène qu'ils ont constaté, ont été précurseurs. Ils ont surtout accompagné un mouvement sans jamais prétendre l'avoir inventé. Non, ce qu'Henri Gault a toujours souligné, c'est qu'il lui avait en revanche donné un nom, une expression. Et la profession a reconnu leur rôle.

S'il y avait une réelle volonté de changer les choses chez les chefs, Gault & Millau en ont été les vecteurs. Ils se sont fait l'écho d'une volonté de renouvellement. Dès 1969, d'ailleurs, Gault & Millau découvrent, rue de l'Exposition à Paris, un certain Alain Senderens, dont ils disent le plus grand bien, tout en déclassant le célèbre *Lucas-Carton*, alors première table de Paris. C'est le début de la fin. On ne parle plus que de la Nouvelle Cuisine française. Tant et si bien que son retentissement a été colossal. Car, par-delà la cuisine, c'est une nouvelle pratique du restaurant, une nouvelle sociologie de la table et des manières de table qu'ils imposent. Gault & Millau ont fait évoluer le goût moderne.

Autant dire que les deux compères, qui s'intéressent à tout, ne se sont pas cantonnés au restaurant. Ils ont exploré les habitudes de notre culture alimentaire, les modes de vie et les comportements de consommation. Des chefs à leur entourage, de fil en aiguille, la Nouvelle Cuisine, portée par les médias, va tout faire exploser. De révolution, elle devient la norme. Cela a même été un bouleversement mondial bien plus important qu'une simple révolution culinaire autorisant à se passer du poisson et de la viande à chaque repas. Car la Nouvelle Cuisine participe d'un mouvement d'ouverture de la société et de la libéralisation des mœurs qui prolongent mai 68 jusque dans les assiettes.

Copains mais pas coquins

Gault & Millau, fervents propagateurs de la Nouvelle Cuisine, ont régné sans partage sur la critique gastronomique pendant les décennies 70-80, lançant les « grands » : Bocuse, Guérard, Manière ou Senderens. Certains sont devenus leurs amis, ils ne s'en sont jamais caché. Et même plus que cela, écrit Alberto Capatti[1] : « À juste titre, Gault & Millau sont considérés comme les égéries de cette cour des miracles. » Puisque la Nouvelle Cuisine a été un phénomène énorme qui a permis aux chefs d'aller plus loin, à se dérider, à oser, à s'affirmer, Gault & Millau en ont bien sûr profité en retour. « Ils avaient l'un et l'autre une haute idée d'eux-mêmes, note un critique, pas question pour eux de rester sur le bord du chemin les bras croisés. » Il faut dire que le temps des débuts de Gault & Millau était celui où l'on ne soupçonnait pas de mauvaise intention chez le restaurateur qui offrait un verre de vin ou chez le critique qui devenait un copain. La franche rigolade primait sur tout, l'argent n'avait pas encore envahi les fourneaux et les chefs, les plateaux de télévision. Tout était plus simple, les rapports moins intéressés. Invités à la table personnelle des chefs, Gault & Millau en sont rapidement devenus des habitués sans mauvaise pensée. On leur demandait leur avis, ils le donnaient. C'est de cet échange qu'est née la Nouvelle Cuisine française. Mais tout n'est pas aussi manichéen. Millau, notamment, a eu un côté mentor auprès de chefs qu'il a découverts.

Lorsqu'on parle à des cuisiniers et qu'on prononce le nom d'Henri Gault et de Christian Millau, ils évoquent ainsi souvent les invitations, les fêtes données en leur

[1] *L'Avenir archaïque de la gastronomie*, in Le Mangeur, Autrement, 1993.

honneur, les cadeaux envoyés ou donnés, les cartons que l'un ou l'autre enfournaient dans le coffre de leur voiture. Roger Vergé (*Le Moulin de Mougins*) en a témoigné : « Moi je ne renvoie plus le formulaire de renseignements au *GaultMillau* depuis quatre ans pour la simple raison qu'on était les meilleurs quand on les invitait et plus rien quand on ne les invitait plus. Il n'y a pas d'âme chez ces gens-là[2] ». Tous les « anciens » n'en ont pas été témoins mais beaucoup en ont entendu parler. Info ? Intox ? Difficile de faire le tri dans les sévères confessions recueillies, mais il en ressort une confuse impression. Certains témoins ont certainement des comptes à régler, d'autres n'hésitent pas à raconter ce qu'ils savent : « Millau, par exemple, avait une maison à Saint-Tropez, où il recevait de nombreux chefs. C'est d'ailleurs son nom qui revient le plus souvent dans les discussions, note un ancien du *GaultMillau*. Les deux, mais surtout lui, donnaient des fêtes avec de grandes toques. » Alain Ducasse confirme que les cuisiniers jouaient le jeu : « Tout le monde y allait à Saint-Tropez. Je dois bien être le seul qu'on n'a pas vu là-bas. » Étaient-ils pour autant des coquins ? Nous n'avons trouvé personne pour le dire. Et tous ceux qui les ont connus plaident plutôt pour l'inverse. Certes, Gault & Millau ont très vite tout confondu, leur argent personnel et celui de la société, le journalisme et la direction d'une entreprise, les amis et les chefs, mais il faut replacer cela dans le contexte de l'époque. Dans le milieu des chefs, dans les années 70, tout s'achetait : les fournisseurs achetaient les cuisiniers – pratique qui a perduré jusqu'à la fin des années 90, même dans les plus grands palaces[3] –, c'était donc naturel que les cuisiniers achètent

[2] *Un homme de la lignée des grands, in Nice Matin,* mercredi 26 février 2003.
[3] *Le Crillon, La Tour d'argent* NDLA, où de grands chefs ont été mis en cause.

les critiques. « C'était du donnant-donnant, explique un ancien de la maison. Il ne faut pas rêver : les cuisiniers mangent toujours chez eux au restaurant et c'est la brigade qui fait la bouffe. De même, la brigade est là pour préparer à manger à madame et aux enfants. Personne ne sait vraiment où est la frontière, donc tout le monde y touche. » À partir du moment où Gault & Millau font partie de la famille, cela paraît donc presque normal que, comme tout le monde, ils en profitent. Mais le contexte et la sympathie n'excusent pas tout. Déjà, en 1965, le lancement du *Guide Julliard* avait eu lieu chez Marc Soustelle, le chef de *Lucas-Carton*, qui servit un prodigieux dîner[4]. Et, pour le mariage des enfants, pour les repas de Noël, pour une fête, certains se rappellent que des grands chefs offraient de participer de telle ou telle manière. Paradoxalement, chez Gault & Millau, cela semblait tout naturel. Tout s'est fait de manière spontannée, pas systématique. Ils avaient choyé des chefs qui leur renvoyaient l'ascenseur, et le succès de la Nouvelle Cuisine n'a pas arrangé les choses. Mais si Henri Gault était intime avec Jacques Le Divellec, c'est tout simplement parce qu'il l'avait vu devenir un grand chef, après lui avoir remis la Clé d'or, puis une troisième toque rouge en 1979, et pas par intérêt. Jacques Le Divellec s'honorait de cet ami qui lui prodiguait tant de bons conseils.[5] « Ils ne se sont pas fait acheter, éructe un ancien de *GaultMillau*. Ils étaient trop indépendants pour cela. Il faut avoir une certaine rectitude morale pour refuser et une grande dose de désintéressement. En même temps, Gault & Millau étaient des bohèmes, ils se sont fait avoir. Non, franchement, ils n'ont jamais été des escrocs, ils n'ont jamais joué le jeu, c'était simplement de la connivence ! »

---

[4] *Les Fous du palais*, Christian Millau, 1994, Robert Laffont.

[5] *Ma vie*, Jacques Le Divellec, Grasset, 2003.

Au nom de l'amitié

Au quotidien, Gault & Millau ne déléguaient pas, ou peu, et gardaient le contrôle sur tout. Ils avaient juste besoin de petites mains qui viennent faire ce qu'ils ne pouvaient pas faire. Puis leur cercle relationnel s'est rapidement et confusément étendu. Se sont agglomérés autour tout un tas de gens, des correspondants régionaux, des chroniqueurs, des pigistes, dont certains ont subsisté au sein de l'entreprise plus de dix ans après le départ des fondateurs. Les enquêteurs, c'étaient des barons à la tête de régions. Il y en a eu jusqu'à 15 ou 20 et ils géraient leur région comme un protectorat. Ils faisaient des crises incroyables si un type de Paris allait en région et marchait sur leurs plates-bandes. Un ancien témoigne : « Cela a suscité pas mal de problèmes parce que, lors des prises de décision, chacun faisait peser son poids, son ancienneté dans la balance. C'était à qui aurait la région la plus fournie en grandes notes. Le problème est qu'étant donné le peu de renouvellement des restaurants, les enquêteurs tournent en rond, et se font vite des inimitiés ou alors des amitiés très fortes. La décentralisation du *GaultMillau* a été très dangereuse. Elle instaurait des petits systèmes partout. Et pour les grandes tables, chacun défendait son poulain. Sans l'accord des enquêteurs, véritables inquisiteurs dans leur région ou leur département, une table ne trouvait jamais sa place dans le guide, à moins d'être la protégée de l'un des barons du groupe. Ces pratiques, petit à petit, ont généré un système très pervers. D'ailleurs, si on parle d'inspecteurs pour le *Michelin*, c'est le terme enquêteurs qui prévaut chez *GaultMillau*. Ils n'ont jamais été salariés comme chez Michelin : ils étaient pigistes ou payés en droits d'auteur au lance-pierre. Les résultats sont révélés par un ancien patron de maison de champagne : « Il y a des négociants en vin dont les représentants, pour arrondir leurs fins de mois, travaillaient comme correspondants locaux. Ils se servaient de leur puissance de noteur pour dire au type : "Je te mets 12, mais ce serait bien que tu me reprennes du vin." Dans l'Ain, il y avait un représentant en vin d'une grande maison de champagne qui se targuait d'avoir une partie de ses ventes dans les bonnes maisons grâce à ses deux casquettes. » Le problème quand on est mal payé, c'est que la tentation de se servir est grande. Et chez Gault & Millau, il n'y a jamais vraiment eu de contrôle.

La preuve ? Gault & Millau ont eu maille à partir avec l'un de leurs principaux collaborateurs, André Gayot, qui était en fait le n° 3 de l'équipe, à la fois président du directoire et directeur de la publication. C'est lui qui faisait tourner la baraque et qui s'occupait de la partie « finances », jusqu'à ce qu'un beau jour, précipitamment, il s'installe aux États-Unis. « Derrière ça, explique un ancien de la direction de *Gault & Millau*, il y avait une histoire de détournement d'argent. Gayot piquait du blé à la société, mais plutôt que de dévoiler l'affaire, ils l'ont envoyé aux États-Unis avec le contrat de licence en anglais. Libre à lui d'éditer ce qu'il voulait sous la marque *GaultMillau* pour le marché anglo-saxon. » Il y a bien eu quelques tentatives, même un site Internet, mais rien de très concluant au départ. Et récemment, lors d'un procès gagné par GaultMillau SA, Gayot a perdu le droit d'utiliser la marque *GaultMillau*. Ce qui n'a pas empêché André Gayot de se créer sous son propre nom un véritable empire dans l'édition de guides gastronomiques aux États-Unis, en utilisant la notoriété de Gault & Millau.

À l'étranger, des restaurateurs ont ainsi pu se méprendre sur son entreprise. Jusqu'en 2001, la collection des 25 *Guides Gayot* portait en effet le label « *GaultMillau* series ». Encore aujourd'hui, voici ce qu'on peut lire sur son site Internet : « André Gayot, qui, avec ses amis Henri Gault et Christian Millau, a inventé le terme Nouvelle Cuisine au début des années 70, conseille les voyageurs sophistiqués à travers le monde depuis plus de quarante ans [...]. Depuis 1981, les *Guides Gayot* ont fourni les informations les plus sérieuses et les plus professionnelles à un lectorat international à la recherche de ce qu'il y a de mieux. »[6]

Cerise sur le gâteau, pour tous les conseils qu'on lui demandait, dans la restauration, dans l'industrie agroalimentaire ou l'hôtellerie, Henri Gault avait créé une structure parallèle baptisée « Gault&Millau bis », dans laquelle deux de ses amis jouaient un rôle important. Son objet social était simple : profiter de la notoriété et de l'entregent du fondateur pour développer une activité rémunérée de conseil en gastronomie, en communication, en stratégie, en « labellisation ». Tout ce qui concernait l'utilisation du nom Gault & Millau en dehors du guide et du magazine passait par-là. C'est ainsi que les produits Monoprix trouvèrent plus tard leur place sans que personne ne se pose vraiment la question de savoir pourquoi ni comment un tel magazine décernait des labels.

Gault & Millau se prennent le chou

Comme il se doit, la cohabitation entre deux hommes si dissemblables ne va pas sans une certaine rivalité, et dès

[6] www.gayot.com

1984, des rumeurs de « divorce » circulent. Dès le début des années 80, avec l'essor de leur petite entreprise, qui ne semble pas vraiment connaître la crise, les deux roitelets de la gastronomie se partagent les tâches dans un élan de taylorisme. À Christian Millau le mensuel, à Henri Gault les activités parallèles, à eux deux le guide. Mais ça ne marche pas très longtemps, et les confidences, les phrases assassines sapent le moral. Dans *Le Figaro*, Gault lâche un jour : « Christian n'est pas un créateur. » Peu de temps après, en 1986, leur séparation est consommée. Elle sera pénible pour les deux compères et surtout fatale à *Gault & Millau*. Toujours à la tête de la partie éditoriale, Millau se retire en 1987. Officiellement, alors, les deux fondateurs vendent leur groupe. La suite n'est qu'une succession de rachats plus catastrophiques les uns que les autres. Au fond, on s'y perd. Peu de gens sont capables de retracer l'histoire économique de Gault & Millau depuis 15 ans, tellement tout a changé, s'est transformé. Un nombre incroyable de propriétaires se sont repassé le bébé avec l'eau du bain. En fait, jusqu'en 1997, Millau conservera un œil sur les activités de *Gault & Millau*. Mais plusieurs directeurs vont se succéder, imposant leurs chouchous, chez lesquels ils ont table ouverte. De trop de favoritisme, de cette mauvaise gestion résulte une déconfiture qui a favorisé l'essor des petits guides, tout en laissant le *Michelin* sans concurrence. La chute annoncée de Gault & Millau est née de ces embrouilles. Depuis, le microcosme de la presse parisienne et de la gastronomie le dit et le répète : « *GaultMillau*, c'est fini. » Dépassé le guide ? Hors sujet la nouvelle équipe ?

Parmi les différents propriétaires de *Gault & Millau*, deux périodes sont particulièrement saillantes : l'époque

L'Express, et l'époque Ballande, contemporaine. Puisque *L'Express* ne faisait rien de *Gault & Millau*, intégré à son pôle loisirs et relégué dans un bureau, il a fini par le revendre au groupe de presse *Le Moniteur*. Assez curieusement, Marc-Noël Vigier, le P-DG du *Moniteur*, est persuadé que *Gault & Millau* peut-être un vecteur formidable pour son élection comme maire de Cannes. C'est le journaliste Olivier Barrot qui était alors directeur de la rédaction, soutenu par Christian Millau. Dans son équipe, on trouve Patrice de Nussac. « Ils n'y connaissaient pas grand-chose », note un de leurs annonceurs publicitaires d'alors qui se souvient d'avoir passé le premier repas annuel organisé par *Gault & Millau* pour ses clients en leur compagnie. Henri Gault, qui avait pris ses distances, reviendra alors plus tard avec les nouveaux actionnaires. Un jeu de chaises musicales qui rend tout impossible. À travers le guide et le magazine, Vigier fait en effet la pluie et le beau temps sur la côte, mais uniquement dans les restaurants ! Toutes ces années de jachère ont porté préjudice au titre *Gault & Millau* et à sa notoriété, parce que ses dirigeants, qui n'étaient pas légitimés par la profession, se comportaient de façon curieuse, promettant des choses qu'ils ne tenaient pas, mettant la pression sur les restaurateurs, demandant de menus services et, surtout, confondant tout.

Mais *Gault & Millau* n'est pas encore au bout de ses peines. En 1988, Marc-Noël Vigier revend le groupe pour environ 12,5 millions de francs (1,9 million d'euros) à Philippe Faure et à Pierre Dauzier, ancien P-DG d'Havas, qui vient d'être viré par un certain Jean-Marie Messier. Avec ses indemnités, Dauzier avait envie de faire des choses. *Gault & Millau* correspondait assez bien à la carte de visite qu'il voulait avoir, même s'il reste en retrait, en tant que simple actionnaire. Le nouveau P-DG Philippe Faure, vient de revendre sa compagnie d'assurance à un groupe américain et de faire fortune. Haut fonctionnaire, né le 13 juin 1950 à Toulouse, il est le fils de Maurice Faure, ancien ministre et frère du président. Diplômé de l'ENA, Philippe intègre le Quai d'Orsay avant de rejoindre le cabinet de Jean-François Poncet de 1977 à 1981. Les neuf années suivantes, il est en poste à l'ambassade de France à Washington puis à Madrid. En 1990, Philippe Faure est en poste à la compagnie européenne de courtage d'assurance et de réassurances dont il deviendra président. Faure fréquente le très fermé club du Siècle. C'est là qu'il a connu Dauzier et qu'il lui a présenté Christian Ménanteau. Ancien correspondant de RTL aux États-Unis, Ménanteau a rencontré Faure à Washington lorsque celui-ci était chef du service de presse et d'information de l'ambassade de France. Dauzier, Faure et Ménanteau s'offrent de luxueux bureaux dans le 16ᵉ arrondissement de Paris, un sublime hôtel particulier, square Pétrarque. Coût annuel de ces locaux : 1 million de francs par an pour un chiffre d'affaires de 35 millions, selon un ancien de la maison. Le guide, qui ne se vend plus alors qu'à 55 000 exemplaires réels, perd alors de l'argent mais pas énormément. Le dernier *Guide Paris* est sorti en 1998 et le *Guide du Vin* en 1996, ce sont deux produits qui fonctionnent bien. Il y a donc de l'espoir. Mais ce sont les coûts de fonctionnement et les frais de structure qui sont exorbitants. Le magazine, devenu trimestriel, coûte ces années-là environ 1,2 million de francs par numéro et mobilise 5 ou 6 personnes à temps plein, sans compter les pigistes. Le guide 1999 est « une édition de transition [...]. Les nouveaux actionnaires entendent imposer leurs propres valeurs », peut-on alors lire dans *Le Monde*[7], qui précise : « La principale innovation du *GaultMillau*[8] 1999 réside dans l'abandon des toques comme éléments de référence. » C'est l'année où Luc Dubanchet arrive comme rédacteur en chef. Il est chargé de remettre de l'ordre dans la rédaction et la ligne éditoriale. Ancien de RTL et de Radio France, il était précédemment reporter à Europe 1. Tout cela avec la bénédiction d'Henri Gault revenu pour préparer le guide du renouveau de l'an 2000. Des aller-retours qui sèment une jolie confusion. Une tentative de sursaut qui fait penser à la carpe juste pêchée qui tente d'échapper à son destin. À la retraite, Henri Gault avait été contacté pour rédiger un guide Europe, en supplément du guide France, et participait comme conseiller à l'édition du *GaultMillau.* Gault a joué le jeu assez facilement, adoubant la nouvelle équipe. Autour de lui, il la présente un peu comme ses successeurs[9], ce qu'il n'avait jamais fait auparavant.

Mais petit à petit, l'équipe s'aperçoit que *GaultMillau* est bien difficile à gérer. Philippe Faure ne cache pas son fort tempérament. Ménanteau, qui n'est pas vraiment à sa place, a du mal à se dépêtrer des contradictions de ses actionnaires et patrons. « Le fond du problème, note un ancien de chez *GaultMillau*, c'est que Faure et Dauzier étaient clients des grandes tables mais que ce n'est pas pour autant qu'ils étaient patrons de presse, qu'ils pouvaient parler de gastronomie et de cuisine en connaissance de cause. Proche de Dominique de Villepin, qu'il connaît bien, Philippe Faure le voyait régulièrement, comme s'il préparait sa

[7] *Le Monde*, 11 novembre 1998.
[8] *Gault & Millau* est devenu *GaultMillau* après le départ des fondateurs.
[9] Remerciements, *GaultMillau*, guide Europe 2000.

reconversion en cas d'échec prévisible. » Davantage passionné par la diplomatie à la florentine que par la gastronomie, Faure va même jusqu'à proposer à l'IFRI (Institut français de relations internationales), un organisme indépendant réputé pour ses recherches en géopolitique, mais qui travaille également pour le gouvernement, de s'associer à la sortie du *Guide GaultMillau* 2000. Par sa pompe et son luxe, cette soirée chez Ledoyen a marqué les esprits : plusieurs centaines d'invités, des diplomates, des dignitaires et même un chef d'État africain avaient été conviés. Mais en tant qu'hôte, Philippe Faure, futur ambassadeur à Mexico, a sans doute pu faire valoir ses qualités et ses mérites. La soirée de gala avait été précédée d'une importante campagne de relations publiques et de déjeuners sur les Champs-Élysées pour expliquer « aux amis des médias » que *GaultMillau* était reparti sur les chapeaux de roue. Le tout en présence d'Henri Gault, censé légitimer l'opération. Dans les textes et dans l'esprit, le *Guide GaultMillau* 2000 marque un retour des classiques par rapport aux modernes, ce qui sera également reproché à Faure. Le magazine a de son côté entamé sa mue et encore changé de périodicité. Devenu bimestriel, il doit regagner la confiance des lecteurs. Mais la modernisation de la bête fait grincer des dents à la direction générale. Christian Ménanteau finit par être forcé de quitter le navire. Faure reprend alors seul les rênes mais la situation empire. Il va alors chercher Bernard Da Costa, qui était consultant chez Deloitte & Touche et avait travaillé un peu dans la presse, pour lui proposer amicalement d'entrer dans le capital de *GaultMillau.* Intrigué, intéressé par cette belle marque, Bernard Da Costa accepte d'en devenir P-DG à la place de

Faure et y investit ses économies. Officiellement en retrait, Philippe Faure prépare son départ en rencontrat de futurs actionnaires potentiels. Parmi eux, Dominique Bernard, patron du groupe de presse propriétaire de la *Revue des vins de France*, qui est particulièrement intéressé. Mais les négociations s'enlisent et échouent peu après car Da Costa tout juste arrivé refuse le démantèlement du groupe proposé par l'acquéreur potentiel. Et ce qui devait arriver arriva : Philippe Faure quitte le navire, de concert avec Dauzier, toujours actionnaire, et Da Costa se retrouve tout seul. Il se tourne alors vers un repreneur de dernière minute, faute de mieux.

Dernier épisode d'une histoire qui est bien loin d'être un long fleuve tranquille, la prise de contrôle de Ballande est symptomatique de ce qu'a toujours été *GaultMillau* depuis quinze ans, une danseuse pour ses actionnaires. En 2001, la société est donc rachetée à Pierre Dauzier et Philippe Faure par le groupe Ballande. Calédonienne, la famille Ballande est originaire de Nouméa. Elle possède en Nouvelle-Calédonie des mines, du nickel, des affaires dans la distribution. Pourquoi alors racheter *GaultMillau* ? Tout simplement parce que Louis Ballande, milliardaire, P-DG du groupe familial qui porte son nom, a des ambitions dans la gastronomie. L'exploitation des mines n'a pas bonne presse, Ballande s'est donc diversifié dans la distribution de vin. Et pas n'importe comment : en rachetant l'une des plus grosses sociétés de négoce en vins de Bordeaux. À la tête de cette entreprise, la Sovex, qu'il a créée en 1982, Justin Onclin, qui en est encore aujourd'hui P-DG et actionnaire. Par ce biais, la famille Ballande possède également des vignobles et des propriétés dans le

Bordelais, dont la plus connue est Château Prieuré Lichine, rachetée à la célèbre famille Lichine. Là encore, une question : pourquoi un propriétaire de châteaux bordelais achète-t-il un magazine aux centres d'intérêt aussi proches de ses affaires ? « Ils se disaient que ça ne pouvait pas faire de mal à leur commerce, explique un ancien de chez *GaultMillau.* Ils s'installaient dans le Bordelais et pensaient que la marque pouvait leur donner une certaine respectabilité et leur servir ». Sauf que ça a plutôt réagi à l'inverse. Très vite, Ballande va se heurter à la petite équipe en place. Le bimestriel est alors plutôt sur une bonne pente. Produit pour 700 000 francs par numéro, soit la moitié de la précédente formule, il atteint quasiment l'équilibre. Mais il ne plaît pas à Ballande, qui veut quelque chose de plus glamour, de plus grand public. Il accuse alors la rédaction d'avoir fait drastiquement baisser la diffusion du magazine. Avec 20 000 lecteurs dont 9 000 abonnés et 10 à 11 000 ventes en kiosque, le magazine remontait pourtant la pente. Mais les chiffres, comme chez nombre d'éditeurs, sont incontrôlables. Officiellement *GaultMillau* assurait vendre 22 000 numéros en kiosque, ce qui était relativement disproportionné par rapport à la réalité. Le hic, c'est que Damefa SA, la société éditrice, imputait à la comptabilité du magazine les frais de structure de *GaultMillau.* Exutoire très pratique pour expliquer que ça marchait mal.

À la suite d'une série de désaccords sur la politique éditoriale, Luc Dubanchet finit par démissionner en juillet 2001. Justin Onclin et Louis Ballande veulent un titre plus grand public et ne comprennent pas son positionnement sur le créneau de la cuisine qui se creuse le ciboulot. Ils ne tardent pas à remplacer Dubanchet par

Léon Mazzella, bon vivant notoire, qui met en place une gestion pour le moins généreuse. À tel point qu'en décembre 2002, le magazine fait perdre au groupe Ballande plus de 80 000 euros par mois. Mazzella a multiplié le coût du magazine par deux, creusant un déficit de 120 à 130 000 euros par numéro, en raison notamment du fort tirage et du taux de retour impressionnant. Rien que le loyer de *GaultMillau*, l'hôtel particulier dans le 16ᵉ, coûte toujours près de 13 000 euros par mois. Cumulées, les pertes deviennent abyssales. Chaque fois, Ballande doit remettre au pot pour renflouer les caisses. Sans compter que sur le fond, le magazine est de piètre qualité, avec des papiers sur la maison Troisgros montrant le père en photo alors qu'il n'est plus en cuisine, entre autres aberrations. Chez les cuisiniers et les chroniqueurs gastronomiques, tout le monde est persuadé que c'est fini, que c'est la queue d'une comète qui n'a que trop duré, et personne ne s'occupe plus de *GaultMillau*. Fin 2002, nouveau retournement : Mazzella est viré, et avec lui toute l'équipe.

Le nouveau *GaultMillau*

Retour chez *GaultMillau* début 2003 où a cessé de briller l'étoile filante Mazzella. Il ne reste plus dans la *holding* GaultMillau que quatre salariés et quelques pigistes. C'est alors qu'arrive un nouveau directeur général nommé par Justin Onclin, Patrick Mayenobe. Fils d'un concessionnaire automobile de Saint-Ambroix, dans le Gard, il a tenu lui aussi un commerce du même genre à Alès et ensuite à Montpellier. Au début des années 80, au moment de l'éclosion des radios libres, on retrouve Patrick Mayenobe embarqué dans l'aventure de 5 sur 5, une radio libre d'Alès qui deviendra plus tard radio Nostalgie. Depuis, il a toujours évolué dans le milieu des médias et de la communication. Languedocien pur sucre, il s'est reconverti dans la production télévisuelle avec une société, France des terroirs, qui produit notamment des modules de télé-achat sur la gastronomie et les produits pour M6. Son premier objectif est de relancer le guide, qui doit sortir en février 2003. Pour cela, il conforte le pouvoir de son directeur, Marc Esquerré, ancien correspondant pour la Normandie.

Au fil des départs, Esquerré, professeur de mathématiques dans le civil, est devenu le plus ancien de la maison, sa mémoire, en quelque sorte. Esquerré, devenu petit à petit directeur délégué de *GaultMillau*, possède aussi une société, La Onzième Heure, qui fournit des articles à *GaultMillau* magazine et rédige des pans entiers du *Guide GaultMillau*. Il dispose d'un contrat à l'année avec la société éditrice du guide, qui prévoit un nombre donné de tables à visiter, une enveloppe de frais et une rémunération annuelle pour l'actualisation du guide. En tout, 70 000 euros pour fournir le guide prêt à imprimer. Un montant qui, à l'évidence, ne suffit pas à entretenir un réseau d'enquêteurs, leurs frais et tout le reste, contrairement à ce que *GaultMillau* affirme : « Notre équipe de 44 inspecteurs et notre réseau de 200 correspondants ont été renforcés et renouvelés. » Un montant qui est aussi bien éloigné de ce que le *GaultMillau* promettait dans son numéro d'octobre 1999 : « 141 514, c'est le nombre de kilomètres parcourus cette année à travers toute la France pour aller à la découverte des meilleures adresses [...]. Si l'on additionne tous les postes budgétaires, la campagne d'enquête 1999 aura coûté 4 millions de francs à Gault & Millau. À cela, il faut évidemment ajouter le prix de la fabrication du guide (impression, coût du papier), les salaires des collaborateurs et des pigistes, les frais généraux : bref, une somme conséquente qui n'est jamais que le prix à payer pour offrir aux lecteurs un produit de qualité. »[10] Cinq ans après, ils sont loin du compte, puisque aujourd'hui, c'est Marc Esquerré et ses collaborateurs qui font l'essentiel des enquêtes : en tout, un peu moins de 1 500 par an, sur les quelques milliers que compte le guide. Les critiques des restaurateurs sont donc bien fondées : toutes les tables du guide ne sont pas visitées. Néanmoins, toutes les adresses sont mises à jour chaque année. Ce qui permet, bien sûr, d'éviter les remarques des cuisiniers ou des lecteurs. Pour l'aider dans son travail, Esquerré dispose, comme l'ensemble des guides, du *Routard* au *Michelin*, d'un atout majeur : les questionnaires, envoyés chaque année par *GaultMillau* aux établissements figurant dans le guide, et remplis par eux. Sans ces questionnaires, la rédaction du guide ne peut actualiser les prix, les plats et les informations des maisons. Pourtant, en février 2003, *GaultMillau* jugeait bon de se justifier : « Nous avons réorganisé nos équipes, nous reprenons tout de zéro. On se donne comme objectif de visiter toutes les tables dans les deux ans. »[11] Mais, comme chez *Michelin*, certaines tables n'ont pas été officiellement visitées depuis trois ans. Le courrier des lecteurs, toujours assez important, permet aussi quelques péréquations. Que les restaurateurs demandent non pas les fac-similés des rapports d'enquêtes, falsifiables *a posteriori*, mais les notes acquittées par les guides et le menu à la date

[10] *GaultMillau magazine*, octobre 1999.
[11] *Midi libre*, 22 février 2003.

supposée et il est très probable qu'on ne leur réponde pas. Néanmoins, le guide, qui est en progression, vend les bonnes années 70 000 exemplaires[12]. Selon *La Provence*, le guide aurait même coûté cette année 1 400 000 euros, ce qui éloigne encore davantage toute perspective de rentabilité. Mais tout cela n'est qu'un secret de polichinelle pour les professionnels puisqu'on a pu lire, il y a quelques mois sur le site Internet d'un journal américain, que la préparation du guide est externalisée à une petite société. La structure GaultMillau, vidée de ses salariés au gré des reprises et des nouvelles formules, ainsi que des changements incessants de directeurs généraux et de rédacteurs en chef, n'est plus qu'une coquille vide. Mais elle demeure trop coûteuse : plus de 10 000 euros rien qu'en loyer. Mayenobe déménage et donc réorganise la société en deux pôles : un pour l'édition du guide et du magazine, dans lequel il n'est que donneur d'ordres puisque tout est sous-traité, un autre chargé de l'exploitation de la marque, de l'organisation d'événements et du développement, dont il a la charge. Le magazine tire désormais à 40-45 000 exemplaires. Il lui reste environ 8 000 abonnés et à peu près autant de ventes en kiosque, ce qui fait une diffusion totale payée qui ne dépasse pas 16 000 exemplaires. Mais, à sa décharge, sa qualité et son contenu ont été nettement améliorés. Les chefs se sont même remis à le lire et à l'acheter. Et ses ventes ont d'ailleurs progressé en kiosque depuis quelques numéros.

Il existe également une version belge du *GaultMillau*, une édition annuelle qui paraît en même temps que le guide français, et où l'on trouve les meilleures adresses de Belgique et du Luxembourg. Ce guide est édité par

---

[12] Source distributeurs.

GaultMillau SA et la société belge Rossel & Cie. Selon l'éditeur, la version d'outre-Quiévrain a connu une forte progression ces dernières années et devrait même élargir sa sélection à la Flandre et à la Hollande. Il devrait donc y avoir cette année une édition en néerlandais du *GaultMillau*, grâce au concours de Marc Declerck, le petit-fils de l'ancien gouverneur Richard Declerck. L'équipe rédactionnelle, managée en Belgique par Jo Gryn, a été étoffée cette année et a obtenu quelques pages dans le magazine bimestriel *GaultMillau*. Cela afin d'élargir la zone de diffusion du titre, à destination de la Belgique, du Luxembourg et de la Suisse. *GaultMillau* est également présent en Allemagne, mais c'est encore une autre histoire. 2004 verra également une réedition du *Guide Paris* dont la dernière mouture date de 2000, le 3e guide de l'automne ainsi que des suppléments thématique du magazine.

Un peu du « pipeau »

Si *GaultMillau* a connu tant de vicissitudes depuis 1987, c'est bien parce que ses propriétaires successifs l'ont surtout acheté pour se faire plaisir. Parce que c'était un nom, une marque prestigieuse, parce que même pour des gens multimillionnaires, être reconnu comme patron de presse, ce n'est jamais inintéressant. Il y a derrière tout ça des questions de personnes et d'amour propre, et Gault & Millau correspond finalement bien à tout ça. Paradoxalement, tous les actionnaires successifs de *GaultMillau* ont flashé à un moment ou à un autre sur le nom, mais en même temps aucun n'a jamais vraiment mesuré la portée de cet héritage et de sa symbolique, qui dépasse les frontières. Aux États-Unis, au Japon, *GaultMillau* est connu et très réputé, jusqu'en Australie, où le nom veut dire beaucoup, bref, partout où la Nouvelle Cuisine a essaimé, *GaultMillau* est une marque mythique. En méconnaissant le secteur de la presse pour les uns, de la gastronomie pour les autres, des deux pour certains, les divers propriétaires de *GaultMillau* se sont coupés de cette histoire qui fut longue à former. Car l'impact n'est pas égal à la masse. Il n'est pas nécessaire de vendre des dizaines de milliers d'exemplaires pour avoir un imprimatur fort. La puissance de Gault et de Millau, ça a justement été d'entraîner un mouvement culturel et pas seulement une vague de consommation. Pour eux, les chiffres n'étaient pas aussi importants que le rayonnement pour affirmer la puissance de la marque. Au fond, ce sont moins les péripéties d'entreprise qui ont coulé *GaultMillau* que toutes les actions qui ont contribué à décrédibiliser, à délégitimer la maison. Quand il y a des passages de gens un peu plus crédibles que d'autres, ça fonctionne. Mais dès l'instant où c'est désincarné, c'est un écueil majeur pour l'entreprise et le sens qu'elle peut produire.

GaultMillau, c'est aussi l'histoire de deux fondateurs qui n'ont pas pu, pas su, pas voulu se retirer non plus. L'entreprise a aussi beaucoup souffert de cela, car Henri Gault et Christian Millau sont restés totalement investis dans l'affaire. La légitimité de la société a donc été portée pendant des années par les deux fondateurs à l'exclusion des autres. Par goût mais aussi par besoin d'argent. « Ils ne sont pas partis parce qu'ils savaient trop ce qu'ils avaient apporté et construit, note un ancien de l'équipe. En même temps, ils ont voulu mettre une certaine distance. Ils ont été des as et en même temps les as de la débandade pour des raisons qui tenaient aussi à leur personnalité commune. » Il était aussi difficile pour une marque et des équipes de reprendre à leur compte des noms signifiants, lourds de sens, de parvenir à légitimer leur action. « Henri Gault était là pour le lancement du guide 2000, se souvient un ancien. Il faisait tout cela avec facétie. » Dans les années 90, les deux compères ont beaucoup joué de tout ça, orchestrant leurs retours et leurs retraites, maîtrisant plus ou moins le jeu. Leurs allers-retours ont été un frein au ripolinage du groupe. Henri Gault, surtout, était très, excentrique. Il lui est même arrivé de dire à un collaborateur de *GaultMillau* : « Venez, je vais vous apprendre comment créer une entreprise et tout liquider au bout de 10 ans », preuve qu'il était parfaitement conscient de ce qui se passait. Gault était totalement joueur. Il a toujours été un esprit assez adolescent, très jeune de caractère. « À 70 ans, il était encore totalement moderne, avec un côté vieille France, pour ne pas dire plus, note un proche. D'ailleurs, la dernière chose qu'il ait acheté quelques mois avant sa mort, c'est un coupé 406 Peugeot jaune canari. Il était fier de rouler dans cette voiture d'ado, ça le faisait rire. » Mais le tableau ne serait pas complet sans cette triste anecdote : à la mort d'Henri Gault en juillet 2000, seuls deux chefs, Bruno Oger et Jacques Le Divellec, étaient présents. Il n'y avait ni Bocuse, ni Troisgros, ni Guérard, ni tous les autres qui pourtant n'auraient pas été ce qu'ils sont sans Gault & Millau. Le surlendemain, sur France Inter, Jean-Pierre Coffe, qui était présent aux obsèques, s'indignait de constater autant d'absents parmi les grands chefs. Cette absence totale de reconnaissance du ventre montre aussi que les chefs ne se sentaient pas redevables, ni même soucieux de rendre hommage à quelqu'un de central dans la cuisine française. Ils ne se sont jamais vraiment souciés que de leur classement dans le guide, et portent une responsabilité certaine dans la chute d'un empire qu'ils avaient adulé comme le veau d'or.

Il semblerait ainsi que l'opprobre aujourd'hui contre *Gault & Millau* soit aussi forte que la personnalité de ses fondateurs. Les lecteurs, les professionnels n'acceptent plus les erreurs de la marque. *Gault & Millau*, après avoir pendant près de trente ans donné du sens à la cuisine, s'est vidé. Le groupe monté par *Gault & Millau* n'est plus qu'une coquille vide maintenue en vie artificiellement. Le quotidien *L'Est républicain*, comme de nombreux journaux, a évoqué ainsi le renouvellement incessant des équipes du guide, mettant sur le gril sa crédibilité. Tout cela fait qu'on peut aujourd'hui lire partout dans la presse nationale et régionale que *Gault & Millau* « est en perte de vitesse ». Certains l'ont fait, écrivant des contre-vérités jamais vérifiées, comme *L'Indépendant* : « L'an dernier, en un an, *Gault & Millau* a changé quatre fois de mains. » Qu'en est-il réellement ? Aucun journaliste, aucun titre de presse ne semble vraiment le savoir ou vouloir comprendre. Hormis peut-être *Les Échos* : « Propriété d'un industriel bordelais, le groupe est en grande difficulté. Quant au guide des restaurants, il ne fait plus autorité, surclassé par le *Guide Rouge* des éditions Michelin ». Une information étonnante quand on sait qu'en termes de ventes, le *Guide Jaune* a toujours été en dessous du *Michelin*, qui, par ailleurs, existait depuis déjà 72 ans lors de la création de son premier concurrent ! En tout cas, la plupart des chefs assurent que « la présence dans le

Michelin est beaucoup plus importante », à l'instar de Jacques Pourcel en février 2003 : « Les guides existent et il faut faire avec, mais seul le *Michelin* est sérieux. »

Un acharnement d'autant plus facile qu'autour se délectent les *snipers* de la presse nationale ou quotidienne. Pourtant, nombreux sont ceux qui ont collaboré à un moment ou à un autre à *GaultMillau.* Ils sont encore plus prompts que les autres à vouloir tuer le père. L'image négative du guide est alimentée et augmentée par leurs commentaires, comme ceux de Vincent Noce à *Libération,* qui parle de « notations erratiques » et de perte de « beaucoup de crédibilité ». Jean-Pierre Coffe, lui, explique : « *GaultMillau* est en dégringolade car il s'est déshonoré. » Récemment, c'est Gilles Pudlowski qui écrivait ici que *GaultMillau* « n'est plus rien », c'était « un tissu d'âneries ». Sont-ils fondés à critiquer *GaultMillau* ? On peut raisonnablement le croire car ils aspirent tous à prendre sa place sans y arriver jamais. Aucun des jeunes arrivés n'est parvenu à dépasser le guide annuel de *Gault Millau* et aucun n'a encore réussi à lancer un magazine culinaire grand public. Ils ont tous des raisons de vouloir prendre la place laissée vacante par *GaultMillau.* On se rappelle ainsi qu'à la sortie du guide 2000, Jean-Claude Ribaut, chroniqueur du *Monde,* avait lapidé *GaultMillau.* Pourtant, ledit chroniqueur était alors le conseiller du *Bottin gourmand,* un guide concurrent. Il ne se trouve que François Simon pour écrire : « On le pensait enfermé dans un placard, oublié dans un sucrier, mais en fait le *GaultMillau* pionçait profondément, cabossé par le passage successif de directions. On s'était habitués à voir le *Guide Jaune* se racornir lentement, [...] le voici qui nous revient tout requinqué, tout vaillant, bosseur [...]. Avec un nouveau directeur, le guide a repris le chemin des enquêtes. Le voici singulièrement retoilетté. »[13] Quant à ceux qui parlent avec regret du *GaultMillau* d'autrefois, c'est en référence à une autre époque, pour éviter d'avoir à évoquer les doutes habituels sur l'existence et l'épaisseur de la cloison entre la publicité et le contenu *purement* rédactionnel. Ce qu'il y a aussi, c'est que le public n'accepte pas du *GaultMillau* ce qu'il accepte du Michelin. Les deux ont un fonctionnement assez discret et derrière se cachent des gens qu'on ne connaît pas. Les points qu'on soulève pour le *GaultMillau* se posent également pour le Michelin. Mais il semblerait que l'attente des cuisiniers et de la presse soit encore plus grande pour le *GaultMillau.* Malgré tout, l'aura de *Gault & Millau* perdure donc. Économiquement, le guide reste un poids dans la cuisine et demeure un modèle pour les chefs trentenaires qui n'ont pas connu la grande époque du *Guide Jaune.*

Rien sur rien

Baisser Bernard Loiseau de deux points, passer Veyrat à 20/20, meilleure note attribuée depuis trente ans, voilà un réajustement imaginé par la nouvelle équipe du *GaultMillau* pour vendre du papier. C'est en tout cas ce qu'affirme José-Marie Espiessac présenté comme un critique gastronomique du *Figaro* : « Tous les guides gastronomiques sont obligés de faire un petit coup publicitaire dès leur sortie. C'est pour cela qu'il y a eu la note assez controversée d'un 20/20. Car un guide gastronomique est d'abord fait pour se vendre. Le *GaultMillau* a besoin de retrouver une crédibilité perdue. »[14] Le spécialiste de la question,

[13] *GaultMillau, le nettoyage à sec, in Le Figaro,* samedi 22 – dimanche 23 février 2003.
[14] *Le Poids de la critique, Le Républicain,* vendredi 28 février 2003.

François Simon, notait, lui, quelques jours avant la sortie du guide 2003 : « On l'a dit mourant, exsangue, pourtant, la prochaine édition risque d'en faire sursauter quelques-uns. »[15] Dans le même quotidien, François Simon a également écrit : « *GaultMillau* 2003 ramène un peu de raison dans une galaxie boursouflée aux *ego* démesurés et aux choux portés au gonflement. » Alors, qui a raison ? En perte de crédibilité depuis près de dix ans, *GaultMillau* avait-il besoin de frapper un grand coup pour tenter de se redresser ? Faute de quoi le titre aurait disparu ? Pour se faire un coup de publicité, se relancer, *GaultMillau* jouerait donc au faiseur de rois et au coupeur de têtes ?

Comme tous les guides, *GaultMillau* s'est lancé depuis dix ans dans la course à l'échalote. Pour compenser le fléchissement de ses ventes, le guide a cherché le sensationnel. Avec lui, les autres ont recherché à avoir plus d'adresses que le voisin, sélectionnant 4 000, 5 000, 6 000 établissements. Pendant ce temps, les équipes se succèdent à la vitesse de l'éclair. Dans ces conditions, difficile d'harmoniser et d'expliquer les choix. Ces dernières années, personne n'a compris la politique de *GaultMillau*, qui baisse, remonte, sans autre envie que celle de vendre des guides, de créer de la nouveauté, de la surprise et surtout de la frustration. D'erreurs de casting en problèmes de communication, c'est du pain bénit pour des gens qui n'aiment pas le *GaultM*illau.

---

[15] *Le Figaro*, 15 février 2003.

CHAPITRE 5

Splendeurs et misères des guides gastronomiques

« Les animaux se repaissent, l'homme mange, l'homme d'esprit seul sait manger. »
Anthelme Brillat-Savarin, *Physiologie du goût*

Je t'aime, moi non plus

Il est entendu que les cuisiniers qui disent du mal des guides sont ceux qui sont mal notés, alors que les autres se considèrent comme bien servis et donc satisfaits. On peut d'ailleurs lire dans la préface du *Guide Julliard* 1965 sous la plume de Gault & Millau[1] : « Demandez par exemple aux propriétaires de *Lapérouse* ou de la *Rôtisserie périgourdine* ce qu'ils pensent de la publicité que nous leur avons faite. » Dans les années 60, Gault & Millau écrivaient aussi en réponse à des questions de lecteurs : « Il y a quelques restaurants qui ne nous en veulent pas trop de leur avoir envoyé nos lecteurs.

[1] *Guide Julliard de Paris*, Henri Gault et Christian Millau, Julliard, 1965.

Il leur arrive même parfois de nous remercier (moins souvent que vous ne l'imaginez) et plusieurs sont devenus de véritables amis. » Lorsqu'ils sont au firmament dans les guides jaune, rouge et partout ailleurs, les chefs ont un regard très distancié sur les récompenses, ils commentent les palmarès des voisins et des amis en expliquant qu'il faut rester la tête sur les épaules, que ce ne sont que des points, des étoiles, que tout est relatif. C'est d'ailleurs ce qu'affirmait Loiseau en 1992 dans une émission de télévision : « Il faut accepter la sanction. Si je perds la troisième étoile, c'est que c'était moins bien, c'est tout. » En théorie, les chefs sont tous d'accord pour accepter une dégradation, puisqu'ils acceptent les honneurs, comme l'explique Alain Llorca (*Negresco*, Nice) : « Les cuisiniers jouent le jeu, ils sont contents lorsqu'ils obtiennent des bonnes notes ou des étoiles. Ils savent accepter la sanction. » En réalité, « tous ces guides, tous ces articles qui voient le jour influencent les cuisiniers eux-mêmes quand ceux-ci s'aperçoivent de leurs vertus (surtout commerciales : la capacité de remplir ou de vider un restaurant) ».[2] Oui, les guides flattent l'*ego* car ils font des réputations, mais le problème, c'est qu'ils peuvent également les défaire et que, dans ce sens-là, c'est souvent plus violent.

Généralement, dans la pratique, c'est souvent différent. Être le meilleur, puis le lendemain ne plus l'être, est, pour les chefs, insupportable. Cela alors que chacun sait que la cuisine est l'art de l'éphémère, que ça peut arriver de rater un plat ou un dîner et qu'il serait tellement plus aisé de le reconnaître. À chaque service, chaque couvert, même, le chef doit considérer qu'il remet son titre en jeu. Soumis cependant à une pression forte et quotidienne, ils préfèrent accuser ces « pseudo-spécialistes », et même les plus

[2] *Aventures de la cuisine française,* Bénédict Beaugé, Nil, 1999.

réputés, de les exécuter pour une façade mal refaite, une réflexion d'un client exigeant. Guy Martin, par exemple, qui s'est déjà plaint du traitement que lui a réservé un célébre chroniqueur, connaît pourtant bien l'envers du décor, puisqu'il est très lié avec Pascale Venot, attachée de presse incontournable à Paris, chargée entre autres du budget Lenôtre. Maison, d'ailleurs, toujours aussi prompte à contester les papiers écrits sur elle. À l'inverse, les cuisiniers remercient rarement. Il ne faut point s'en inquiéter, juste le remarquer. Ainsi, Gault & Millau disaient avoir connu « le calvaire de l'ingratitude », tant les chefs disparaissaient sans même dire au revoir et merci lorsqu'ils vendaient leur affaire un bon prix grâce aux critiques obtenues.

Une chose est sûre, la race des gens qui ne supportent pas les critiques est en pleine expansion. Un ancien chef du *Crillon* en sait quelque chose, puisqu'il multiplie lettres recommandées et assignations dès que quelque chose ne lui plaît pas dans un article. Principal argument dans le courrier de chefs que reçoit la presse : « Pourquoi je baisse, ma cuisine n'a pas changé ? » Mais la raison véritable est qu'une critique pourrait enrayer le succès et les affaires d'un chef. Marc Veyrat nuance : « Le problème des guides, c'est que la gastronomie a été confectionnée de cette manière [...]. On a des juges au-dessus de nos têtes. »[3] Comme si seul Dieu pouvait juger de la cuisine de ces messieurs, démiurges habitués aux concerts de louanges. Les chefs sont tout simplement, pour beaucoup, incapables de se remettre en cause, comme lorsque un chef, malmené par le *GaultMillau* et le *Bottin gourmand*, explique : « Je suis prêt à admettre un fléchissement. Cependant, ces deux guides ont jugé une défaillance de ma cuisine sur des plats

[3] France Info, 25 février 2003.

qui ne figurent pas à ma carte ! C'est difficile d'accepter une critique négative fondée sur une erreur ! » Décrédibiliser les critiques pour leur retirer toute autorité, on n'a encore rien trouvé de mieux.

Pendant des années, en tout cas, un bon article sur un restaurant, une note favorable dans un guide, et le lendemain, il affichait complet. Aujourd'hui, ce n'est plus vrai. L'influence des guides et des critiques est en baisse, et, avec Pierre Gagnaire, nombreux sont ceux qui relativisent : « J'avais des critiques dithyrambiques et cela ne m'a pas empêché de couler à Saint-Étienne. À l'inverse, je suis reconnaissant aux guides d'avoir *boosté* ma renaissance à Paris. Je crois qu'il faut relativiser l'influence des classements. » Maintenant, avec les journalistes, les chefs jouent à « je t'aime, moi non plus » quand ça les arrange. Il est désormais de bon ton, chez les cuisiniers, de dénoncer les critiques. « Ces gens ont droit de vie ou de mort sur une entreprise », stigmatise Alain Dutournier, pourtant bien content que le *Figaroscope* ou le *GaultMillau*, parmi d'autres, relatent en termes élogieux l'ouverture de *Pinxo*, son annexe. Conscients des faiblesses et des lacunes des critiques, ils ont tu pendant des années le passé collaborationniste de certains, les nombreuses invitations données à d'autres, les cocktails offerts pour les lancements des guides, les amitiés qui tiennent tout le monde. Pour les chefs, le moment était bien choisi pour porter l'estocade.

Il faut être deux pour danser la valse

Les chefs refusent de reconnaître qu'ils jouent le jeu des

critiques et des guides en les courtisant et en y accordant de l'importance. Mais il s'agit surtout d'une arme à double tranchant dont les cuisiniers ne sont pas les otages mais les acteurs. « On ne peut à la fois se plaindre des pressions que l'on subit de toutes parts, dans un système de concurrence effrénée, et puis s'en prendre à ceux-là mêmes qui, en tâchant de faire honnêtement leur métier dans l'information culinaire comparée, sont aussi des "faiseurs de gloire". Que ne dirait-on s'ils ne trouvaient que des merveilles de génie dans leur assiette ? », a écrit Jules Clauwaert[4]. Car les cuisiniers sont souvent les premiers à solliciter les représentants des guides ou de la presse. William Pariaut (*Le Sauvage*, Chalon-sur-Saône) le confirme : « Ce n'est pas pour ça que je vais cracher dans la soupe, les guides sont indispensables à notre métier». « Nous devons les accepter », disent en chœur d'autres chefs, qu'ils favorisent ou qu'ils défavorisent. Il est sûr que c'est difficile pour un restaurateur d'avoir un mauvais article, de perdre des points, une étoile, que parfois, ils en ont gros sur la patate et doivent se battre pour remonter, mais il faut savoir relativiser : si la salle désemplit, c'est qu'il y a d'autres raisons. Ce que ne semble pas vouloir reconnaître Denis Lethuillier (*La Marée*, Fécamp) dans la presse locale : «Le restaurateur ne compte pas parmi les partisans des guides. Ne supportant plus cet assujettissement aux appréciations de quelque dégustateur-critique, il a même demandé pendant un temps à ce que son établissement ne soit plus coté au *GaultMillau*[5] ». Vérification faite, dans ce guide, il dispose pourtant d'une note de 12/20 et d'un très bon commentaire, ce qui prouve qu'il a renvoyé son questionnaire et donc donné tacitement son accord à son inscription. Inspecteurs ou enquê-

[4] Éditorialiste à *Nord Éclair*, 26 février 2003.
[5] *Le Havre Presse*, 26 février 2003.

teurs, chroniqueurs ou journalistes, ils sont souvent courtisés par les mêmes qui les conspuent.

Trop souvent, on semble oublier qu'il y a une règle du jeu et qu'à partir du moment où un cuisinier recherche l'attention des clients et des guides, il fait le choix d'une existence sous leur surveillance. Atteindre les sommets de l'art, tutoyer la gloire, ne va jamais sans un certain nombre de contreparties. Marc Veyrat l'a parfaitement compris : « Les guides font partie du système. Or, ce système, nous l'avons tous accepté. » Pour François Simon, le monde de la gastronomie « n'a jamais vraiment brillé par sa perspicacité, ce qui vaut la fortune et la bizarre importance de quelques coquins. Aussi, nul n'est besoin de beaucoup de stratagèmes ». Il faut savoir, par exemple, qu'afficher les panneaux émaillés des guides a aussi une influence sur le prix de revente d'un fonds de commerce. Le chiffre communément admis est une hausse de 15 % pour un établissement référencé dans les principaux guides. Car même après la cession, les lecteurs des guides viennent encore pendant un ou deux ans dans un établissement. Nombreux sont donc les chefs qui assurent n'avoir aucun problème à offrir un ou plusieurs repas à des gens qui remplissent leurs salles et qui les enrichissent parfois énormément. Alors, oui, les chefs sont coupables car ils jouent un double jeu. C'est ce que confirmait Veyrat après le décès de Loiseau : c'est un jeu qu'ils acceptent. Les cuisiniers connus ou anonymes sont contents d'avoir la critique à leur table. Ils considèrent eux-mêmes que « c'est le prix à payer ». Les critiques n'ont bien souvent d'autre choix que de faire avec et d'essayer d'en tirer le maximum. Comment ne pas vexer un grand chef étoilé ou un restaurateur voisin de sa maison de campagne qui a appelé plusieurs fois pour inviter le journaliste à dîner avec sa femme ? Inviter de temps à autre tel ou tel critique ne peut pas faire de mal.

Par essence, les chefs acceptent toujours de marcher dans la combine car ce sont de grands anxieux. Ils ont peur que quelque chose leur passe à côté, et ils savent que si eux ne le font pas, inviter un critique ou participer à son guide, le voisin le fera. « On ne doit rien attendre des chefs eux-mêmes, sauf de la jeune génération, note un critique en vue. Les chefs continuent d'être toujours de tous les coups. C'est le dernier qui a parlé qui a raison. » La preuve que les grands chefs en tout cas n'ont pas peur des journalistes ? Ils ont des intérêts mutuels bien compris. Pas question de les dénoncer, de critiquer leurs méthodes, mais de les caresser dans le sens du poil. De les acheter, par exemple. Même ceux qui en ont le moins besoin, qui sont les plus talentueux, les plus connus, utilisent ces leviers faciles à actionner. « Quand on est invité, il y a corruption, tonne un critique, qui reconnaît ne pas être un incorruptible. Et ce sont, bien sûr, les plus riches qui invitent. » De nombreux chefs de renommée internationale se complaisent à faire écrire tout ou partie de leurs livres par des journalistes gastronomiques qu'ils connaissent. François Simon écrit pourtant : « Finies les saucissonnades, les mains dans le dos et les bécots échangistes. Car à un moment, on ne savait plus si c'était le chef qui faisait l'article ou le critique qui tournait la louche. » Tout le monde connaît ce système de copains et de coquins. Il est le prix à payer : c'est le prolongement des tables gratuites, des invitations à des critiques qui n'en sont pas et des cadeaux onéreux à des gens modestes. Personne n'est dupe, personne ne force les chefs. Ils le font parce qu'ils le veulent bien. Les critiques sont d'ailleurs toujours de bon conseil lorsqu'il s'agit d'expliquer à un restaurateur ce qu'il doit faire pour satisfaire leurs lecteurs. C'est ce qui permet à Périco Légasse d'affirmer : « Quant à ce besoin obsessionnel de plaire aux guides, de séduire la critique [...], il ne peut qu'aggraver la crise structurelle où s'enlise la cuisine française. » Car certains cuisiniers n'hésitent pas non plus à oublier la cuisine qu'ils aiment faire pour tenter de réaliser celle qui, pensent-ils, plaira au plus grand nombre. Quitte à décevoir.

Déjeuner de presse

Le succès des chefs et de leurs entreprises a aussi multiplié le nombre de collaborateurs chargés du marketing, de la communication, de la presse. Depuis longtemps, tout cela s'est structuré, professionnalisé. Cette communication rampante autour des chefs a contribué à instaurer des pratiques qui biaisent les rapports entre cuisiniers et critiques. De grandes agences de conseil comme Euro RSCG ou Publicis travaillent pour des grands chefs, des restaurants et leur image, comme s'il s'agissait d'entreprises du CAC 40, ou de produits marketing. Des attachées de presse sont chargées d'inviter des journalistes dans des établissements qui les paient pour cela 1 500 à 10 000 euros par mois. Elles ont table ouverte et réservent à la demande des tables pour leurs « amis » journalistes, organisent de grands raouts baptisés déjeuners de presse, où toute la profession se retrouve, se congratule, chacun se vantant d'avoir découvert le premier tel ou tel établissement. Les restaurants qui se lancent disposent d'un budget « invitation » ou communication. Souvent, la tentation des journalistes est grande, faute d'envie ou de moyens, le plus souvent les deux, de se limiter à ces déjeuners de presse pour se faire un avis sur une maison. Il faut dire aussi qu'ils sont tellement nombreux qu'un journaliste peut économiser tous ses déjeuners s'il se débrouille bien. Avec les cocktails, les démonstrations de produits, les week-ends en Relais & Châteaux ou les séjours aux frais des collectives de vins et de produits alimentaires, certains vivent au crochet du système toute l'année. Depuis que la pratique s'est généralisée, des professionnels du système, qui semblent avoir appris par cœur le « guide du squatteur mondain », parviennent même à tourner dans le monde entier toute l'année, sans bourse délier. Les invitations parviennent au rythme de 2 à 5 par jour, c'est-à-dire environ une cinquantaine par mois et plus de 600 sur un an. Nourriciers, les déjeuners de presse sont très courus des journalistes gastronomiques, qui y voient une occasion de copiner en famille pour, après, recopier tranquillement des dossiers de presse de mieux en mieux ficelés, souvent par un collègue peu scrupuleux. Or, il s'agit bien de cela. Souvent, c'est plus la mauvaise foi qui fait que plusieurs critiques n'ont pas le même jugement sur une table : ils ont juste la volonté de se distinguer. Derrière, il n'y a souvent pas beaucoup de travail. À l'inverse, certaines tables intouchables pour plein de raisons entraînent le même type de commentaires chez tous les critiques, en jouant sur leur orgueil. Pour étouffer la critique, on joue aussi sur la corde économique. Pour le lancement d'un restaurant, certains patrons utilisent une débauche de moyens, de publicité, de promotion, de parrainages proche de celles des superproductions américaines ou des lancements de produits de grande consommation. Au moment où la table ouvre, elle est déjà prévendue dans la presse par des avant-papiers sur le décor, le chef, le designer. Les photos circulent, on fait tout pour faire parler du restaurant avant qu'il ouvre et couper l'herbe sous le pied des critiques.

Beaucoup par peur de fâcher préfèrent travestir la réalité d'un mauvais repas pour des prétextes divers : est-ce au journaliste de se préoccuper de l'état des finances d'un restaurant, du moral du patron ou de la santé de ses enfants ? Le client aura-t-il une réduction si c'est moins bon ? Rarement. Pourtant, Michel Piot considère que « démolir un jeune qui se démène pour lancer son affaire, c'est monstrueux ! ». Pour lui, il faut même s'effacer derrière les intérêts du restaurateur ! Or, le métier de critique, c'est de disséquer une assiette, comprendre le référent culturel, savoir pourquoi un restaurant ou un plat marche ou pas. C'est aussi chercher la petite bête, analyser une mise en scène, le contexte, ce que ça raconte, les acteurs, c'est les ingrédients, les textures, la présentation, le décor. C'est cette contextualisation qui est importante. Être critique, ce n'est pas manger comme tout le monde. Il faut avoir une mémoire du goût et savoir comment tout ça interagit. Ce n'est pas parce qu'on mange 300 fois au restaurant qu'on sait manger. C'est un métier.

Certains journalistes gastronomiques travaillent seuls. D'autres chassent en bande, avec leurs chroniqueurs, leurs rabatteurs, comme Gilles Pudlowski. Car il y a toujours un nouvel hôtel ou un nouveau restaurant à essayer. Les bonnes pages et rubriques des magazines sont donc souvent consacrées aux mêmes chefs et aux mêmes adresses. Il n'y avait qu'à lire le nombre incroyable d'articles consacrés à *Be*, l'épicerie lancée en 2002 par Alain Ducasse : plusieurs centaines. Ils occultaient d'ailleurs presque tous le retard du projet initialement annoncé début 2002 et finalement livré avec plus de six mois de retard. Pourquoi ? Aucun journaliste n'a vraiment posé la question. Sur le plan des « événements incontournables », la gastronomie n'a rien à envier à la propagande. Plusieurs mois avant leur installation parisienne, certains grands chefs ou décorateurs réussissent, grâce à la presse conciliante, à mettre l'eau à la bouche des Parisiens et de la France entière. Longtemps avant l'ouverture de leur établissement, ils créent l'événement, « l'annonce », comme on dit, soit à l'occasion d'une conférence de presse, soit, mieux encore, en réservant « l'exclusivité » de leurs projets au titre le plus offrant (photos, nombre de pages, option de couverture, traitement...). De quoi vampiriser la scène médiatico-gastronomique pendant plusieurs semaines, voire plusieurs mois. Il faut alors écrire qu'il s'agit de l'événement de l'année, sinon gare aux représailles. De nombreux supports ne vivent-ils pas en partie de la publicité ? Ensuite, les enjeux financiers et commerciaux sont tellement énormes pour le chef, le propriétaire des murs, sorte de producteur de spectacle vivant, que tout est verrouillé : chaque support reçoit de multiples dossiers de presse et des *teasings* ou des infos privilégiées bien ciblées sont distillées, le tout jusqu'au lancement. Alors, c'est le bouquet : invitations personnelles, en couple ou avec toute la presse pour un entretien privilégié avec « le chef des cuisines », le designer ou le maître des lieux. Pas un journal n'est épargné, pas une chronique, une colonne, même celle d'un gratuit, qui ne vante pas les mérites du restaurant ou de « l'apprenti-restaurant », comme c'est souvent le cas. Le jour de l'ouverture, la plupart des « avant-papiers » sont sortis ou s'apprêtent à le faire, alors que personne n'a encore mangé dans ledit établissement comme un client normal. Mais, globalement, la plupart des médias et de leurs représentants s'en foutent, car le système « glougloute » très bien tout seul. Le tout sans se préoccuper de donner du sens à la cuisine.

Les 7 familles

Fils d'immigrés d'Europe centrale installés à Metz, Gilles Pudlowski est le thuriféraire alsacien. Très bien implanté dans la région, il est l'homme qui s'est construit un petit empire. Pudlowski, c'est le laudateur de la cuisine éternelle. D'ailleurs, *Les Chemins de la douce France*, son premier livre, est « digne de la littérature gastro-patriotique du début du siècle » selon un critique contemporain. Gilles Pudlowski est très implanté au *Point* pour des raisons qui touchent à ses rapports avec Claude Imbert, le patron historique de l'hebdomadaire. En tant que Monsieur Voyages du *Point*, il passe son temps dans les grands hôtels, sans manquer d'annoncer son arrivée. « Le port altier, l'air aristo, le ton souvent hautain, Pudlowski fait le tour du monde, aime la soie et les palaces. Il est en réalité un critique littéraire qui se prend pour un critique gastronomique, remarque un journaliste qui le connaît depuis longtemps. « Il incarne la bonne société de la critique et se sent bien partout chez lui. » Ce que confirme *Le Monde* : « C'est le miroir parfait de la bourgeoisie gourmande [...]. Le risque serait de tomber dans une rhétorique du bien-dire et du gastronomiquement correct. » « Il n'a rien inventé, il ne fait que sanctionner ce qui existe déjà, note un autre journaliste. « Esprit libre », « enfant terrible de l'intelligentsia », soixante-huitard reconverti, Pudlowski a son petit groupe de fidèles, ses petits chefs à lui, il tourne avec ça et ses voyages. Il est l'archétype du journaliste cumulard : *Les Dernières Nouvelles d'Alsace, Le Point, Saveurs, Bon Voyage, Gourmet TV.* Sans oublier ses guides, nombreux et variés, qui changent régulièrement d'éditeur. Publié avec l'aide précieuse de sa femme Muriel chez Michel Lafon, après avoir été édité chez Ramsay, son guide national, qui en est à sa treizième édition, est fortement orienté à l'Est. Officiellement, il en sort 32 000 exemplaires de l'imprimerie, mais en termes de ventes réelles, on parle plutôt de 10 à 15 000 exemplaires[6]. Ce qui est sûr, c'est que la grande cuisine dont Pudlowski se fait l'écho est en berne. Celle qui arrive, la nouvelle, il ne la voit pas venir.

Jean-Luc Petitrenaud non plus. Autre cumulard, avec ses chroniques gourmandes sur Europe 1, sa double page hebdomadaire dans *L'Express*, son émission hebdomadaire sur la Cinquième, Carte postale gourmande, rediffusée en boucle sur Gourmet TV, livres, guides... Il est passé chez *GaultMillau* pendant quelques années et y collaborait encore en 1995. Petitrenaud, c'est le faux gentil devenu quelqu'un. Au départ, il parle sincèrement d'un sujet qu'il connaît assez bien, la France bistrotière, avant d'en faire un ' philosophie récupérée par l'industrie. Car la journée du goût dans les écoles, c'est lui. Cette manifestation créée en 1991 en cheville avec les industriels du sucre est devenue depuis

[6] Source distributeurs.

la semaine du goût. Et Petitrenaud a fait de cet événement marketing un écran de fumée à l'industrie, l'arbre qui cache la forêt. Il incarne en réalité le terroir manipulé dans les années 90. Il utilise le concept de terroir comme paravent à une acculturation française, sur le thème « plus on en parle, moins on en fait ». « Il est aujourd'hui mis en scène dans sa propre histoire, sa propre scène, note un ancien d'Europe 1. « Comment ? Il ose exercer un jugement, son libre arbitre de critique ? Mais qui est-il pour juger ? » Petitrenaud passe son temps à juger en imposant sa façon de penser dans tous les médias où il exerce.

À l'opposé, on trouve Jean-Pierre Coffe, qui, lui, ne parle pas de restaurants. Il faut dire qu'il a déjà donné. Ancien restaurateur (*La Ciboulette*) à Paris, puis aux Antilles, « ses affaires ont connu des échecs retentissants », selon un de ses amis. À l'époque de la Nouvelle Cuisine française, Coffe s'est lié d'amitié avec Gault & Millau. Par la suite, il a longtemps officié sur Canal+, dans *La Grande Famille*, ce qui a sensiblement dopé sa notoriété. Ce provocateur-né s'est rendu célèbre par son bagout, son allure bonhomme et ses colères non feintes contre les produits industriels. Un véritable combat pour les bons produits de nos campagnes, relayé par ses marchés cathodiques du vendredi, des livres, des chroniques dans *Elle*, des guides et une émission de radio hebdomadaire sur RTL, puis sur France Inter. Contrairement à Petitrenaud, Jean-Pierre Coffe invite des chefs non pour parler cuisine, mais produits, et pour débattre des grands enjeux de l'agroalimentaire. Il a toujours été plus intéressant : il s'est battu d'une manière ou d'une autre pour la qualité en dénonçant les choses, en montrant du doigt l'industrie, le nivellement de la qualité, des produits : « Envahis par le sous-vide, les produits allégés sous film plastique, il ne nous reste plus qu'à crier "Au secours !" avant qu'il ne soit trop tard », écrivait-il en 1992 dans *Au secours le goût*[7]. Pendant ce temps, Petitrenaud, lui, continue sa mascarade et assure : « Tout va bien, dormez bonnes gens, ayez confiance. » Il est difficile de trouver personnages plus antinomiques que lors d'un débat qui les oppose : Coffe est dans l'agressif, le combat, Petitrenaud, lui, fait saliver, est laudateur. Il est le successeur de Coffe sur son segment du marché, en plus anecdotique, en plus fédérateur. Mais on ne peut pas enlever à Coffe son intérêt pour le retour et la vigueur des marchés et des petits producteurs. Lui, contrairement à Petitrenaud, ne s'est jamais senti obligé de sortir un guide de restaurants. Son discours est plus intéressant, car il concerne l'alimentation au sens large et pas seulement le restaurant. Petitrenaud est dans l'arrière-fond de la cuisine, Coffe a une vision plus ample, plus vaste de ce qu'est la gastronomie. Certaines de ses prises de position sont insupportables, mais, au moins, il y a prise de position. En ce sens, il est très proche d'Henri Gault, qui était l'un de ses meilleurs amis. La rhétorique de Jean-Pierre Coffe est plus subtile que celle de Petitrenaud. Sur le plateau de *La Grande Famille*, il montrait les produits, les courgettes, les viandes. Visuellement, c'était argumenté, étayé. Petitrenaud a remplacé ces démonstrations-là par des bruits de bouche, il a totalement évacué le côté « information journalistique » que revendique au contraire Coffe. Sans doute est-ce la même verve qui lui vaut aujourd'hui de devoir faire la réclame pour Yoplait ou Weight Watchers. Quel gaspillage !

Quant à Périco Légasse, le journaliste gastronomique de *Marianne*, vieil ami de Bernard Loiseau, c'est l'hymne à la

[7] *Au secours le goût*, Jean-Pierre Coffe, Le Pré aux Clercs, 1992.

terre, aux bons produits, mais davantage sur un plan national. Lui, c'est la bouffe comme une grande église, l'exception culturelle et… mourir pour le ris de veau ou le cassoulet. Il faut reconnaître que son positionnement a des côtés attachants et sincères. Au moins, Périco Légasse a le mérite de ne pas varier d'un iota dans ses propos et ses amitiés. Il suit Jean-François Kahn, le fondateur et directeur de *Marianne* depuis l'aventure de l'*Événement du Jeudi*. Périco Légasse est lui aussi passé chez Gault & Millau où il entretenait une forte admiration pour Christian Millau. À bien des égards sympathique, on pourrait cependant lui reprocher aujourd'hui quelques mises en scène et faux scoops pour *Marianne*, comme la création par *Michelin* de la quatrième étoile. Un certain 12 février, juste avant le traditionnel palmarès du *Guide Rouge*, Périco Légasse avait publié un large article dans lequel il se félicite de la création de cette distinction suprême, attribuée au restaurant parisien *Le Vivarois*.

Dans le genre maniaque, il faut aussi compter sur Philippe Couderc, l'inamovible critique du *Nouvel Observateur*, de *Challenges* et de l'empire Claude Perdriel, dont il est à la fois le protégé et l'ami. On peut également le retrouver sur Gourmet TV et sur France Culture. Dans la tradition des critiques gastronomiques, Couderc, lui, est passé sans nuance de *Minute* au *Nouvel Observateur*. Insaisissable, il est un critique isolé et ne représente rien que lui-même. Son attitude et son comportement sont difficiles à saisir tant il est versatile. Philippe Couderc est un fou de détails et notamment de l'éclairage. Il a un bon principe, quoique parfois dévoyé : il considère qu'il y a deux catégories de gens : ceux qui cassent leur tirelire dans les grandes tables et ceux qui paient avec leurs notes de frais, et, selon lui, il ne faut s'occuper que de la première catégorie. Il est de ces critiques à l'ancienne, à la fois respectés et craints par les restaurateurs.

Au *Monde*, où il officie, Jean-Claude Ribaut, architecte de métier, est le type même d'un homme cultivé qui utilise parfois mal sa culture. Qui se souvient, par exemple, qu'il a collaboré au guide *Art de vivre* édité par Paul-Loup Sulitzer et Marc de Champérard, en 1995 ? Malgré tout, Ribaut est sans doute le dernier critique à avoir une plume, comme l'on dit de quelqu'un qui écrit bien. Les livres qu'il a publiés, *Le Vin, une histoire de goût* avec Anthony Rowley, et *Volutes d'amour* ou *Les Jardins de l'huître*, n'ont pas laissé un souvenir impérissable et ne manifestent qu'un goût évident pour les produits de luxe. Mais quoi de plus normal pour un partisan de la cuisine immuable ? « Il sent le vent qui tourne, note un journaliste qui le connaît bien. Il est en retard et il ne sait pas où aller. Ses papiers sont bien minces. Où est la prospective ? Il y a une sanction générale dans la critique, et pas d'envie d'aller devant et de tirer tout ça, et de tracer des pistes, de donner des clés, ce qui, je crois, est malgré tout le métier du critique. » Ribaut dit souvent que la cuisine française périt de son manque de curiosité et d'imagination, mais la critique française aussi. Lui ne va pas où d'autres ne vont pas, où d'autres ne sont pas. Jean-Claude Ribaut parle également beaucoup de restaurants et pas de cuisiniers : ce qui l'intéresse c'est une pratique sociale de la cuisine. Or, s'interroger sur la cuisine, ce que ça veut dire, ce qu'elle engendre, c'est être un spectateur engagé et non plus un simple passager.

Engagé, mais pas forcément dans le bon sens, Claude

Lebey est en quelque sorte « le parrain » de la profession. À la fois journaliste, éditeur, apporteur d'affaires, directeur de collection, intermédiaire, il a tout fait, tout mangé, tout vu. Il est devenu célèbre dans les années 70, parce qu'il a fait signer chez Albin Michel tous les plus grands chefs, de Guérard (1 million d'exemplaires) à Maximin, en passant par Loiseau, Robuchon et bien d'autres. En tant qu'éditeur, il a aussi fait signer Gault & Millau, Gilles Pudlowski, ou encore François Simon. Autant dire qu'il a senti les coups littéraires et culinaires venir. En réalité, Claude Jolly de son vrai nom s'est trouvé des fonds de commerce et les exploite depuis plus de trente ans. Il a fait la pluie et le beau temps dans plusieurs domaines, écrivant et éditant un guide, puis, entorse au système, il est devenu agent de cuisiniers, ce qu'il est toujours. Comme un marchand de joueurs au football, il gère des transferts, se fait l'intermédiaire entre les maisons, entre les chefs. Comme un chasseur de têtes, il les connaît, sait avec quel propriétaire, quel gestionnaire, ils vont s'entendre. Il sait par quelles maisons les uns et les autres sont passés, où ils vont. C'est encore Claude Lebey, ami d'enfance de Valéry Giscard d'Estaing, qui écrivit à celui-ci pour lui demander de bien vouloir remettre à Paul Bocuse la Légion d'honneur qu'il devait bientôt recevoir. C'est toujours lui qui a fait se rencontrer son ami et auteur Bernard Loiseau dont il chroniquait par ailleurs les restaurants, et le fabricant des soupes minutes Royco. Lui aussi qui a fait en sorte que Bernard Loiseau se porte caution pour la confrérie de la truffe à Carpentras, qui cherchait un « parrain » pour son édition 2002. Lebey a fait l'intermédiation entre industriels et chefs, mais son statut de journaliste ou d'éditeur le permettait-il ? Claude Lebey a créé un système à sa mesure, une sorte de multinationale de la confusion des genres et de la critique et s'en est servi. Mais, en même temps, il est de loin celui dont le guide, le *Lebey de Paris* et sa déclinaison, *Restaurants & Bistrots de Paris*, est le mieux fait. La précision des informations, la justesse des commentaires, le classement, tout ou presque y est respectable. Son guide, publié chez Albin Michel, est une référence. Mais là encore, notamment pour son *Bistrots de Paris*, le chiffre de 12 000 ventes annoncées par l'éditeur est considéré comme « logique » par un distributeur qui assure que « les chiffres donnés par Albin Michel sont corrects », alors qu'un autre évoque plutôt 8 000 ventes. La vérité est sans doute entre les deux. « Il a une belle acuité, note un confrère. Il a été un grand éditeur, un grand directeur de collection. Il a publié les fondamentaux de la cuisine française des années 70 et 80. » Le problème, c'est qu'à plus de 80 ans, il veut continuer à jouer le jeu. Invité tous les jours aux plus grandes tables, il est pour lui bien difficile de s'en détacher.

À l'opposé, Marc de Champérard, hédoniste, directeur d'un guide qui porte aussi son nom, ne glorifie que les bonnes tables du terroir. En tout, près de 9 700 adresses y figurent. Rouge comme le *Michelin*, Champérard se veut le chantre du « manger vrai ». Une formule fumeuse qui ne veut pas dire grand-chose, mais qui a le mérite, pour son auteur, de chasser sur les terres très convoitées des Jean-Pierre Coffe, Jean-Luc Petitrenaud et autre Maïté, chantres du terroir qui fleure bon. Le *Guide Champérard*, en dehors de quelques articles dans les journaux régionaux, n'a pas bonne presse. Aucun quotidien ou hebdomadaire national ne mentionne jamais sa sortie ni n'interroge Champérard lors de sujets sur les guides ou les critiques qui comptent, sauf si c'est un ami. Ce qui n'était pas le cas avant, puisqu'en 1987, l'émission *Duel sur la Cinq* présentée par Jean-Paul Bourret avait permis à Jean Delaveyne d'affronter Marc de Champérard. Peu de gens se souviennent aussi qu'en 1995, Champérard publiait avec Paul-Loup Sulitzer, aux éditions Sulitzer, c'est-à-dire à compte d'auteur, le guide *Art de vivre Champérard Sulitzer* dont le sous-titre était : « Allez-y de notre part... » Sous-entendu : « Ce sont des gens que nous connaissons, ils vous recevront bien. » D'ailleurs, l'une des premières pages était une photo de Marc de Champérard et d'Alain-Dominique Perrin, ex-P-DG de Cartier, l'un des premiers groupes mondiaux du luxe, par ailleurs annonceur du guide posant autour de magnums de château-lagrezette, domaine de Cahors racheté par Perrin avec cette légende : « Rencontre entre deux défenseurs des valeurs de l'art de vivre, de la grande cuisine et des vins de terroir. » Officiellement, il se vendrait rien de moins que 200 000 *Champérard*[8] chaque année ! Ce qui paraît bien fantaisiste tant au regard de sa notoriété qu'au regard des retours des libraires et des commentaires des professionnels de l'édition. Pour eux, il ne s'écoule guère plus de 6 à 7 000 *Guides Champérard* en librairie[9] ! Comme la plupart des guides, le Champérard se remarque surtout par son absence dans le classement des *best-sellers* de l'édition publié chaque année par l'hebdomadaire *Livres-Hebdo*[10]. Néanmoins, plus de 80 manifestations sont organisées chaque année dans le réseau Peugeot autour du guide dont la marque est partenaire, avec des chefs et des artisans. De quoi faire rugir Champérard de plaisir !

---

[8] Article déjà cité.

[9] Source distributeurs.

[10] Chiffres issus du nombre de livres qui passent réellement à la caisse des libraires et fournis par IPSOS.

Cette galerie de portraits ne serait pas complète sans l'inénarrable François Simon, diamétralement opposé à Champérard et aujourd'hui journaliste au *Figaro*, grand reporter même. À ses débuts à *Presse Océan*, Simon est journaliste de nuit avant de se frotter au terrain dans la locale des Sables-d'Olonne. Puis il rejoint la prestigieuse équipe du *Matin de Paris*, autour de Philippe Tesson. Ses premières critiques seront publiées dans *GaultMillau* entre 1981 et 1984. Devenu par la suite rédacteur en chef de *Cuisine* et *Vins de France*, Simon est remarqué par Philippe Villin, qui le nomme rédacteur en chef du *Figaroscope* en 1987. Intransigeant, impertinent, craint et respecté, Simon s'y forge un nom. Chroniques ciselées, phrases justes et formules parfois assassines, grâce à lui la critique redevient littérature. Par-dessus tout, la mise en scène du critique anonyme est sa grande spécialité. Il a fait du pseudo anonymat des critiques une religion. Critique masqué à la télévision, il ne réserve que sous des noms d'emprunt, met un point d'honneur à passer inaperçu et à payer ses additions. Son budget de frais s'élève tous les mois à 4 500 euros, il est sans égal dans la presse. Périco Légasse, lui, avoue un budget de 2 500 euros. Simon fait des émules, des élèves, même, de jeunes confrères comme Emmanuel Rubin ou Alexandre Cammas, dont on reparlera. D'où son importance dans le paysage de la critique actuelle. Après avoir longtemps eu ses propres guides, *Paris Fines Gueules*, entre autres, dans les années 90, il a collaboré au *Guide Zagat* lors de son implantation en France. Rien d'étonnant donc de retrouver sous sa plume un article vantant les mérites de Tim Zagat dans *Le Figaro*. Le vrai problème, c'est que le *Guide Zagat*, « fruit des votes et des commentaires » de clients de restaurants, n'est pas forcément le plus fiable. Son concept importé des États-Unis est simple : on adresse un questionnaire à un fichier qualifié d'hommes d'affaires, de cadres, de patrons et de professions libérales qui vont souvent au restaurant et on leur demande leur avis sur une liste de restaurants. La note finale est le mélange de tous les commentaires. Le hic, c'est que l'objectivité de Zagat est toute relative : qui sont les « amateurs de bonne chère » qui ont le droit de remplir le questionnaire ? Zagat est-il en mesure de faire le tri entre les questionnaires fiables et les autres ? N'est-il pas possible pour un restaurateur qui désire avoir une bonne note de faire envoyer par des amis plusieurs questionnaires positifs ? De surcroît, le *Zagat* nie donc le rôle du critique, mais paradoxalement Simon est leur conseiller. Mais, à l'époque, peu de gens en dehors des professionnels connaissaient déjà François Simon. Cela fait peu de temps qu'il est sorti du bois. Sa notoriété a surtout grimpé grâce à ses apparitions chez Thierry Ardisson sur la chaîne câblée Paris Première, où il venait visage « flouté ». Et, comme par excès inverse, la mort de Bernard Loiseau lui a donné une place folle. François Simon est également auteur, entre autres livres, de *Comment se faire passer pour un critique gastronomique sans rien y connaître*[11], dans lequel il pousse l'exercice de la mise en abîme jusqu'au bout, donnant toutes les astuces pour bien se faire recevoir au restaurant. Cette facette du personnage est d'ailleurs un peu la limite de François Simon. Il cherche à trouver, à provoquer un événement par une mise en scène permanente de lui-même. C'est ce qui peut arriver de pire à un critique. Non que la critique objective soit un but en soi, mais à un moment ou à un autre, ce

[11] Albin Michel, 2001.

miroir devient dangereux. Il renvoie une image de soi-même au lieu de renvoyer une image de la cuisine, du restaurant. Sur le fond, Simon a du brio, de l'écriture. Il fait son métier honnêtement, c'est un vrai empêcheur de manger en rond, un vrai chroniqueur au sens du chroniqueur des débuts de la presse. François Simon est le reflet d'un air du temps, avec sa vivacité et sa temporalité, même si, parfois, son haché menu du mercredi dans le *Figaroscope* est bien vite expédié. Ce qui fait dire parfois que, malgré son talent, il n'aime pas manger. À qui, sinon à ses lecteurs, ou à lui-même, François Simon fait-il croire qu'on ne le reconnaît pas dans un restaurant ? Comment imaginer que ce critique, qui interviewe les grands chefs pour le *Figaro*, Senderens, Roellinger, Adria et signe des portraits intitulés « Qui se cache sous la toque ? », ne sache pas qu'on a percé depuis longtemps son identité ? La plupart des grands chefs savent très bien qui il est, et lorsqu'il a été fait chevalier de l'ordre des Arts et des Lettres le 3 mars 1999 par Catherine Trautman, c'était en compagnie des cuisiniers Alain Senderens et Pierre Hermé et entouré également de nombreuses autres toques !

Bides gastronomiques

Pour le reste, il y a bien quelques guides et critiques secondaires. Le premier d'entre eux est le *Bottin gourmand.* Son ancêtre est le *Guide Kléber-Colombes,* fondé en 1952 par Simon Arbellot, célèbre chroniqueur gastronomique et par son ami Jean Didier. Lorsque la marque de pneus Kléber lance son propre guide devant le succès de celui de son concurrent Michelin, c'est à ce journaliste talentueux et amateur de cuisine qu'elle le confie. Périgourdin, Arbellot fut en 1934 rédacteur en chef de la page *Paris 100 %* à *Paris-Midi* et travailla également au *Temps.* Auteur d'une biographie de Maurras parue aux éditions Action française, Simon Arbellot était surtout connu pour ses sympathies nationalistes. Il fut d'ailleurs directeur de la presse à Vichy avant d'occuper les mêmes fonctions auprès du consul de France à Malaga. C'est Arbellot qui fit signer à François Mitterrand sa candidature à la Francisque ainsi que le texte suivant : « Je fais don de ma personne au maréchal Pétain comme il a fait don de la sienne à la France. Je m'engage à servir ses disciplines et à rester fidèle à sa personne et à son œuvre. » Lorsqu'il s'éteindra en 1965 à l'âge de 69 ans, ses confrères écriront : « La France a perdu l'un de ses plus grands gastronomes », sans rappeler, bien sûr, tous ses faits de guerre. La même année, les pneus Kléber sont rachetés par Michelin. Le *Bottin gourmand* ne paraît, lui, sous ce nom qu'en 1984, édité par la société Dido-Bottin, spécialisée dans les annuaires et l'édition professionnelle. Puis, en 1996, la marque Bottin gourmand, en pleine déshérence et en perte de vitesse, est reprise par Thibault Leclerc et Jean Brousse, par ailleurs actionnaire du Cherche Midi, éditeur et à la tête d'une petite fortune. Sa ligne éditoriale est claire : la cuisine classique est portée au pinacle, son art de vivre est celui de la chasse et de la grande bourgeoisie. Officiellement, *Bottin Gourmand* annonce 70 000 exemplaires[12] et se présente comme « l'un des principaux guides français », voire le second devant *GaultMillau.* On y trouve pourtant 3 800 restaurants, dont plus de 1 000 étoilés à la sauce *Bottin gourmand,* contre

[12] Article déjà cité.

6 000 adresses, il y a cinq ans. Le principe est simple. À partir du courrier des lecteurs et des infos recueillies çà et là dans la presse ou au cours de déplacements, un comité éditorial restreint établit une première liste : suppressions, rajouts, nouveautés. D'ailleurs, la direction du *Bottin* prétend recevoir plus de 12 000 lettres par an[13]. Quelques centaines de tables sont ensuite réellement testées, celles qui posent problème, celles qui viennent d'ouvrir et pour lesquelles il n'y a pas de courrier, celles qui sont visitées sans frais par des collaborateurs qui habitent à proximité et s'y rendent pour leurs loisirs. Le *Bottin gourmand*, lui, revendique 30 inspecteurs, c'est-à-dire presque autant que les chiffres avancés par *GaultMillau*, et plus de 2 000 enquêtes par an, pour un budget de 275 000 euros. « Ils ne font pas ça à plein temps. Ce sont des gens qui, par leur métier, leur activité ou par passion, vont régulièrement au restaurant », justifie Thibault Leclerc Autant dire des amis ou des relations dont ce n'est pas du tout la fonction d'être journalistes. D'ailleurs, ça se sent dans les choix éditoriaux qui ne sont ni cohérents ni sérieusement motivés. Le *Bottin gourmand* ne découvre jamais personne. Il est même dangereusement suiviste. Par exemple, parmi les récompensés de quatre étoiles cette année, Philippe Legendre (*George V*, Paris) a été couronné par trois étoiles Michelin l'an dernier, Olivier Brulard (*Résidence de la Pinède*, Saint-Tropez) est déjà 16/20 et deux toques chez *GaultMillau* et, dans les trois étoiles, Éric Briffard (*Les Élysées-Vernet*, Paris) a déjà été distingué par *GaultMillau* et Pudlowski. Quant à la rétrogradation de Thierry Voisin (*Les Crayères*, Reims) de quatre à trois étoiles, « en raison du changement de chef », elle témoigne d'une méconnaissance totale de l'établissement,

[13] *Hôtel Restau Hebdo* n° 113, mardi 4 mars 2003.

puisque l'ancien chef avait annoncé, il y a trois ans déjà, avoir confié les fourneaux à son second. Difficile par ailleurs de connaître les tables effectivement et régulièrement testées, d'autant que, favorisant la décision collégiale, ce guide ne facilite pas l'expression du choix personnel des enquêteurs, à la suite de leurs visites. Pourtant, le *Bottin gourmand* donne régulièrement des leçons à ses confrères et néanmoins concurrents. « Un guide, c'est un mode d'emploi, expliquait en février 2003 Thibault Leclerc, le directeur du Bottin. C'est une information pour aider le voyageur. C'est la vocation du *Bottin gourmand*, qui ne communique jamais de classements. » Sous entendu, contrairement aux autres. Dans un entretien à *L'Est républicain*, Leclerc a d'ailleurs assuré avoir constaté « une dérive » depuis quelques années quant à la déontologie des guides : « Les guides ont droit à la critique, mais il faut que leur système de notation soit plus transparent » Comme si cela ne devait pas s'appliquer à lui. À ce titre, il est intéressant que le mercredi 22 octobre 2003, le *Bottin gourmand* ait fêté le lancement de son édition 2004 lors d'un dîner de 160 VIP au *George V*. De nombreux cuisiniers étaient présents, et il n'est pas difficile de savoir que Philippe Legendre et Éric Beaumard, le chef et le sommelier, n'ont pas lésiné sur le gibier et les grands vins de Bourgogne qui ont été servis ce soir-là.

Dans le registre des guides régionaux, il y a aussi Jacques Gantié, qui est, en moins important, le Pudlowski du sud de la France. Comme lui et Gault & Millau, il est à l'origine critique littéraire. Chaque semaine, Gantié signe une chronique « Saveurs » dans *Nice Matin*. Par ailleurs, il pige comme bon nombre de ses confrères pour plusieurs publications plus ou moins connues et dispose d'un guide qui porte son nom où figurent 800 tables du pourtour méditerranéen, son royaume à lui. La portée de son guide et de ses écrits est très largement locale. Consumériste, sa démarche ne s'inscrit pas dans un mouvment ou un courant de pensée spécifique. « Gantié, il ne représente rien », résume d'ailleurs un critique parisien. En décembre 1997, à Angoulême, ses pairs lui ont pourtant remis le prix national de la meilleure critique gastronomique pour la presse écrite, prix surtout du copinage, qui est décerné chaque année à l'un ou à l'autre sans raison, par roulement. C'est dire ! Formé à l'école de James de Coquet, ce qui l'intéresse, c'est la notion de goût, mais encore plus celle de plaisir, c'est la tauromachie, les femmes, les cigares, les bons vivants. La convivialité est l'un de ses maîtres mots, avec l'idée pas vraiment nouvelle qu'il se fait du terroir, lui, qui parle « de défendre aussi tout ce qui fait un patrimoine au sens le plus ouvert ». L'épine dorsale de son guide n'est pas non plus évidente à appréhender : « Notre souci n'est pas de faire des “coups” ou de prétendre arbitrer les modes, mais de juger l'évolution des tables d'ici – cuisine et atmosphère – et de composer le paysage méditerranéen le plus cohérent, des restaurateurs aux producteurs, » écrit-il. Comme la plupart des guides, Gantié et son équipe « de 5 ou 6 personnes » ne vivent pas des ventes, qui n'atteignent pas 10 000 exemplaires[14], mais de sa petite notoriété locale, et il le reconnaît : « Je ne suis pas sûr que diriger un guide gastronomique soit une affaire rentable. Il s'agit plus d'une affaire de passion que d'argent. » Le guide aurait aussi gagné à ne pas organiser le lancement dans un établissement qui se trouve par ailleurs être l'un de ses premiers

[14] Article déjà cité.

annonceurs. Un communiqué du *Guide Gantié* précise curieusement que cette cérémonie a eu lieu « à l'initiative de la société des Bains de mer », qui a reçu « salle Empire, les invités autour d'un cocktail préparé par ses chefs ». Les éditeurs du guide cherchent-ils par avance à s'en dédouaner, prétextant qu'ils n'y sont pour rien, alors que ce n'est sans doute pas le cas ? De surcroît, l'éditeur de Gantié, Rom éditions, basé à Nice, est une société de communication qui réalise des sites Internet, des CD-Rom et du marketing opérationnel notamment dans la gastronomie et les loisirs. Rom se présente comme « société de communication leader dans le pôle de compétence multimédia de la Riviera française ». Parmi ses clients figurent la société des Bains de mer ou encore les cafés Malongo, par ailleurs annonceurs dans les *Guides Gantié* ou Campari.

Autre chantre de la Méditerranée, qui est décidément bien encombrée : Roland Escaig. Il a son propre journal, *Tentation nationale 7*, dont personne ne sait comment il est distribué depuis qu'AOM, qui l'offrait à ses passagers, a disparu. Le magazine papier glacé qu'on pouvait trouver dans les salles d'attente de l'aéroport de Nice a la réputation d'être « une *private joke* pour encarté Amex Gold, sélect et élitiste » selon un journaliste gastronomique. Normal : elle est une succession de publicités pour des voitures de luxe et des compagnies privées de locations, et d'articles sur le *Negresco* ou des palaces à un SMIC la nuit pour deux. Escaig dispose d'une émission hebdomadaire sponsorisée sur BFM et d'un guide, *La Bible*, édité cette année chez Michel Lafon, et qui n'attribue ni étoile, ni toque, ni fourchette. Certaines maisons écopent parfois d'un coup de cœur, mais dans l'ensemble, Escaig veille à ne froisser personne. Là encore, le lancement de la dernière édition a eu lieu à Cannes, à *La Palme d'or*, le restaurant du *Martinez*, en présence des cuisiniers et des instances touristiques et politiques qui cautionnent l'ouvrage. « Le cocktail dînatoire qui devait suivre fut digne de tous les éloges », nous apprend la presse locale[15].

Grandeur et décadence

On comprend mieux pourquoi les cuisiniers continuent à affirmer que les guides exercent une dictature sur eux. On l'a vu, cette accusation n'est pas que démagogique et simpliste. Il n'existe toujours aucune charte de déontologie dans les guides. S'ils prêtent le flanc à la critique, c'est parce qu'ils ne sont pas irréprochables. Comme la presse gastronomique en France, les guides vont mal. La publicité est en baisse depuis 1999, elle a chuté de plus de 30 %. Et, on le voit, le marché est saturé, tant la guerre fait rage. *Michelin* et *GaultMillau* surnagent, mais derrière, c'est la foire d'empoigne. Et les réactualisations sont onéreuses. Les vraies, faites sur place, sont très fastidieuses et coûtent cher. Faute de moyens, la plupart des guides n'ont plus la possibilité de s'offrir un réseau de correspondants fiables et bien intentionnés. Sous la pression inflationniste des budgets d'enquête, les guides jugent souvent un restaurant avec des articles parus dans la presse locale ou les élucubrations plus ou moins fantasques de « correspondants » qui copinent. Dotés d'un nombre insuffisant d'inspecteurs, ils ne peuvent accomplir un travail vraiment fouillé. Les guides sont aussi moins exigeants qu'avant avec leurs collaborateurs et leur éthique. Pourtant, comme le fait remarquer un directeur de

[15] *Le Cannois*, N° 224, jeudi 19 juin 2003.

comité départemental du tourisme : « Les guides touristiques constituent l'une des principales sources de renseignements des clients qui les utilisent beaucoup pour préparer leur séjour. Ils permettent de développer un réseau et de se faire connaître à travers toute la France. » Voilà pourquoi les comités départementaux et régionaux de tourisme aident et soutiennent même financièrement ces publications, en fournissant une voiture, des billets de train, des nuits d'hôtel, des avances par fois en nature ou en argent sonnant et trébuchant parfois substantielles, jusqu'à 75 000 euros pour un guide consacré à une région. Ce qui ne va pas, bien sûr, sans contrepartie. « Je me souviens, explique Philippe, un restaurateur, d'un critique qui était venu lors d'un voyage concocté pour lui par l'office du tourisme. Il était invité partout et nous devions même envoyer nos recettes à l'avance pour qu'il ne mange pas plusieurs fois la même chose ! Moi, on m'a demandé de changer un ingrédient qu'il allait déguster la veille au soir. » Évidemment, le critique en question n'a rien réglé. Tout était offert par l'office du tourisme organisateur du périple. Suivistes, pas toujours très inspirés, les guides ne sont donc pas des parangons de vertu. Pourquoi ? Parce qu'ils se posent peu de questions. Leur portée et leur sens sont limités : ils se contentent généralement d'énumérer une liste d'adresses sans fil conducteur, sans intention ni recul. Chacun a ses propres critères d'évaluation et se garde bien de justifier ses choix, ce qui rend leur lecture très complexe et leurs jugements parfois difficiles à comprendre même pour les professionnels. Pour créer l'événement, les guides ont multiplié les découvertes de jeunes chefs, disciples ou élèves de tel ou tel grand, ce qui est monté à la tête de beaucoup. Parallèlement, il y a eu une véritable inflation du nombre d'établissements cités dans les guides dans les années 90 pour en offrir plus que les autres (jusqu'à 6 000 dans le *Bottin gourmand*, plus de 5 000 dans le *GaultMillau*), ce qui ne s'est pas fait sans un certain relâchement évident des critères de sélection. Chaque année, par le biais de promotions (chef de l'année, chef du siècle, chef régional...) et de sanctions (perte d'une toque, d'une étoile, de plusieurs points, cœur cassé...), les guides assurent la fraîcheur de leur nouvelle édition et font tourner les récompenses. D'où l'impression souvent que ces changements ne correspondent à rien et surtout le fait que les guides n'arrivent jamais la même année avec les mêmes classements, ce qui est pour le moins curieux. Voilà pourquoi ils se montrent bien incapables de faire, le jour venu, leur *mea culpa*. Il est fréquent que des enquêteurs de guides sortent de la réserve qui doit être la leur, offrent leurs services comme intermédiaire dans l'achat d'un établissement, dans la recherche d'un financement ou d'un cuisinier. Si certains guides que les journalistes et les cuisiniers connaissent bien sont dénaturés par le fait que les auteurs conseillent des restaurants, et sont en même temps attachés de presse des restaurants qu'ils critiquent, d'autres sont dépendants de la publicité. « J'en connais un, auteur de guides et critique dans un grand hebdomadaire, qui se fait inviter partout, explique une attachée de presse sous le sceau du secret par crainte de représailles. Son guide, les critiques qui le font, c'est pour l'un d'entre eux un attaché de presse. Ancien restaurateur, il s'est reconverti en conseil en carte, attaché de presse et spécialiste en restauration. Il représente des restaurants auprès des médias et des institutions. Et il en a pas mal, puisqu'il truste entre 20 et 30 % du marché. » Vérification faite, il figure bien dans l'ours dudit guide dans la liste des rédacteurs !

Hormis *Michelin*, *GaultMillau* et, dans une moindre mesure, le *Bottin gourmand*, les chiffres de diffusion l'attestent : les autres guides n'ont pas vraiment trouvé leur rythme de croisière. Certains sont même confidentiels et la plupart ne dépassent pas 6 à 8 000 ventes réelles. Ils sont d'ailleurs souvent rédigés par une seule personne et quelques amis ou proches collaborateurs et fonctionnent davantage à l'affectif qu'à l'efficacité. Vincent Noce écrit à cet égard : « Le *Michelin* repose sur un système aussi opaque que tortueux. La plupart de ses concurrents ne montrent pas un sérieux à la hauteur de leur ambition. Les auteurs qui vivent aux crochets des restaurateurs sont connus. Ceux qui utilisent leur pouvoir à des fins commerciales aussi. » Les auteurs, loin de montrer un regain d'intérêt des Français pour la cuisine depuis dix ans, manifestent plutôt un opportunisme de la part des fils spirituels de Gault & Millau. Car c'est surtout depuis que le *Guide Jaune* décline que les chroniqueurs gastronomiques ont multiplié les publications concurrentes, pour tenter de s'imposer en héritiers possibles. Héritiers potentiels, oui, mais improbables, car leur influence n'est souvent pas égale à la notoriété médiatique des deux fondateurs. Une attachée de presse indépendante se souvient : « un critique avait mis dans son guide mon numéro de téléphone perso à la place du numéro du restaurant dont je m'occupais. En un an, je n'ai pas eu beaucoup de coups de fil, c'est dire que son guide est utile ! »

Dans ce véritable business aux ramifications multiples, copain veut souvent dire coquin. Des relations se nouent avec les restaurateurs qui connaissent les auteurs des guides d'autant plus facilement qu'ils ne se cachent pas. Bien au contraire, ils les régalent gratuitement et font ensuite mine de s'en plaindre. On est bien loin du temps où Gault & Millau pouvaient écrire de leurs amis cuisiniers : « Ils y ont d'ailleurs bien du mérite, précisément parce que ce sont des amis, nous mettons un point d'honneur à ne pas les rater. » Les plus grands restaurants étoilés marchent aussi dans la combine, comme en témoigne Dominique Loiseau : « Vous savez, moi, je travaille pour les clients, pas pour les guides, et croyez-moi, je ne perds rien au change. C'est Bernard qui s'en occupait. À la sortie des guides, beaucoup vous font venir. Avec lui, ça se passait toujours bien. » Rien d'étonnant à cela, Bernard Loiseau était en effet à tu et à toi avec les critiques les plus connus : Pudlowski, Petitrenaud, Champérard. Pour lui, pas besoin d'attaché de presse. Il faisait lui-même ses relations publiques, invitant chaque journaliste qui se présentait à *La Côte d'or.* Pour Loiseau, comme pour d'autres, le faire savoir était au moins aussi important que le savoir-faire, quel qu'en soit le prix. Et puis un abus est si vite arrivé : comment un journaliste venu dîner seul ou avec sa femme, accompagné par le chef, servi plus vite et mieux que les autres, et ne payant pas son addition, peut-il raisonnablement mal noter la table ? Ce serait bien mesquin et mal vu par ses hôtes. De surcroît, les conditions de sa visite sont biaisées dès le départ.

Dans le même esprit, chaque année, les cocktails de lancement des guides sont toujours offerts. De nombreux grands restaurants font cadeau du buffet et de la salle, et les boissons sont généralement données par une grande maison de champagne qui en profite pour communiquer auprès des prescripteurs et des médias. Ça coûte de 75 à 80 euros par invité et généralement, il y a plusieurs centaines de personnes à régaler. Les guides sollicitent généralement les propriétaires ou les chefs avec lesquels ils entretiennent les meilleures relations. Il est si facile d'appeler une grande maison et de dire : « Vous avez gagné le premier prix, est-ce qu'on peut faire le cocktail chez vous ? », quand on sait qu'ils ne vont pas refuser. C'est l'occasion pour les cuisiniers et les critiques de se retrouver, de faire bombance autour du champagne qui coule à flots et des petits fours. Ils se détestent et pourtant s'embrassent comme du bon pain, se demandent des nouvelles du petit dernier avant de repartir pleins d'arrière-pensées. En octobre 2003, pour le lancement de son guide 2004, Gilles Pudlowski a ainsi appelé de nombreux chefs pour leur signifier qu'ils étaient les lauréats de l'année. Quelques jours plus tard, il en a rappelé certains pour leur demander de venir cuisiner pour ses 400 invités. « Ce serait bien de venir à la cérémonie de remise des prix, il faudrait faire un plat pour 400 personnes. » Jacques Decoret a refusé, et il est bien l'un des rares. La plupart acceptent ou n'osent dire non, ce qui est la même chose. Dans le microcosme, les grands chefs reconnaissent eux-mêmes qu'ils font cela pour « faire plaisir ».

Il est assez courant que les grands hôtels parisiens, dotés de sublimes salons de réception, se voient décerner des prix par tel ou tel éditeur, tel ou tel guide. C'est tellement plus pratique pour organiser un cocktail de lancement ! Mais ces habitudes ne concernent pas que les grandes maisons. Elles se sont généralisées au fil du temps à l'ensemble de la profession, et ce, toute l'année. « C'est normal pour un petit restaurant ou un petit hôtel d'inviter, reconnaît une attachée de presse de restaurants parisiens. Sinon, le chef sait que personne ne va parler de lui. Moi, ça ne me choque pas. Un ou deux repas, ce n'est rien par rapport au chiffre d'un restaurant. Et les chefs nous laissent généralement table ouverte. » En offrant un ou plusieurs repas, un cuisinier s'assure d'être bien traité dans les articles suscités. Pas question pour celui qui a été invité de ne pas renvoyer l'ascenseur. Il sait trop ce qu'il risque : que son nom soit livré en pâture aux confrères. La plupart des critiques ne pourraient, comme Gault & Millau en leur temps, affirmer sans crainte d'être contredits : « C'est faire preuve d'une singulière naïveté de croire qu'on peut acheter des journalistes avec un déjeuner, raté de surcroît. Ce ne sont ni un, ni dix, ni même cent repas qui pourraient jamais égaler un bon papier, dont l'effet immédiat est, sauf rares exceptions, de remplir une salle ou de faire d'un inconnu une petite vedette. »[16] Il faut croire alors que le coût de la vie a augmenté ou que l'influence des critiques est moindre sur la fréquentation. Les deux, sans doute. Rares sont ceux qui, comme les Costes, par exemple, refusent le diktat des journalistes. Les deux frères font en effet l'impasse sur la presse, refusent de jouer le jeu des critiques gastronomiques et n'ont pas d'attaché de presse, mais leurs nombreuses tables sont pleines à craquer.

Us et coutumes des journalistes gastronomiques

Il fut un temps où un journaliste gastronomique pouvait écrire sans risque d'être déjugé : « Ce n'est pas parce que nous vendons bien que l'on peut nous acheter. » Est-ce

[16] Ouvrage déjà cité.

encore le cas aujourd'hui ? On peut sérieusement en douter. Car, à la décharge des chefs, nombre de critiques se comportent comme leurs caricatures dans *L'Aile ou la Cuisse ?*, ce film de Claude Zidi où Louis de Funès incarnait Charles Duchemin, un influent critique. « L'attitude type du critique, note une attachée de presse parisienne bien connue dans le domaine de la restauration, consiste à mettre à distance le personnel et le chef si ce n'est pas une star. » Conscients de ce qu'ils représentent, les critiques marquent le pas, s'attablant avec des grands vins et les mets les plus onéreux. Et il faut être réaliste, lorsqu'un journaliste un peu connu réserve une table à son nom, c'est le branle-bas de combat en salle et aux fourneaux pour le contenter. Les critiques ne terrorisent pas seulement les grands restaurants : le moindre petit bistrot est content d'en avoir un à sa table et ils le savent. Les cuisiniers anonymes aussi sont terrorisés en leur présence. Car le pouvoir des critiques, c'est la terreur qu'ils sèment en cuisine. La conduite type du critique gastro, c'est : « Je réserve sur un ton dédaigneux sans parler au chef mais en prévenant l'attachée de presse pour pouvoir venir à plusieurs. » « Ils sont très exigeants à table, explique notre attachée de presse. Par exemple, tel critique d'un grand hebdomadaire vient en couple, mais réserve toujours pour trois car il aime avoir de la place. Il est infernal avec le personnel. Et avec les chefs, il passe son temps à donner des conseils. De temps en temps, il paie, mais la plupart du temps, il est invité. » Journaliste gastronomique est un métier plein de petits vices. « Tel autre, ce n'est pas que des repas, confirme une attachée de presse. Souvent, il demande à être accompagné pour dîner : souvent, il vient avec des figures parisiennes et des amies. Il le fait dans les restos mode qui ont besoin de visibilité et qui ne diront rien, pas chez les grands chefs. C'est simple, il fait sa table : ça va jusqu'au cigare en passant par les alcools, avec un dédain effroyable pour le personnel. Son truc à lui, c'est le tourisme. C'est la porte ouverte à tous les abus. Il se fait convier partout, c'est des semaines entières en Relais & Châteaux, les grandes bouteilles de la cave, tout. » Selon les attachés de presse, nombreux sont les journalistes qui font à 5, 6 ou 7 des grandes tablées dans les restaurants où ils sont toujours invités. Mais qui va refuser étant donné le prestige du support pour lequel ils travaillent ? Et ce n'est pas pour ça qu'ils vont faire paraître un papier. « Au *Figaro Magazine*, ils aiment bien faire des voyages de presse et ensuite vous dire : "je vous préviens, on ne se fait pas acheter, le papier n'est pas automatique", rapporte une attachée de presse.

Jeunes ou anciens, les journalistes gastronomiques mangent à tous les râteliers. Ce n'est pas tant une question d'âge, en réalité, que de mœurs. Mal payés pour beaucoup, ils ne peuvent bien souvent régler leurs notes, et comme les journaux ou les éditeurs ont peu d'argent, ils leur disent de se débrouiller. Mais ce n'est pas le seul problème. Les plus argentés ont également table ouverte dans les restaurants en contrepartie du talent de plume qu'ils mettent au profit de ceux qui les accueillent. Une reconnaissance réciproque qui ne permet ni la transparence ni l'éthique. Les pique-assiette sont une catégorie particulièrement nombreuse chez les journalistes gastronomiques : ils sont invités partout alors qu'ils n'écrivent plus nulle part. Certains sont même de sacrés gourmands que les chefs accueillent à bras ouverts avec le sourire. Ce qui ne les empêchera pas, dès que les pique-assiette auront disparu, de les moquer copieusement et de raconter aux confrères qu'untel est venu en famille, qu'il a goûté à tout et rien payé. Généralement, ces fins gourmets assurent qu'ils sont correspondants pour un guide anglo-saxon inconnu, pour un magazine gastronomique à tirage confidentiel ou un guide dont le tirage est limité à un petit cercle de gens du microcosme. « C'est comme cet autre journaliste, note une attachée de presse, l'année dernière, il a fait un tour de France des hôtels pour un soi-disant guide qu'on ne connaît pas et qui ne verra peut-être jamais le jour. Il a été invité partout. Dans les soirées mondaines, on le croise toujours. »

Il y a bien pire : la confusion des genres qu'entretiennent les journalistes et les ménages qu'ils font pour des entreprises, afin de boucler des fins de mois parfois difficiles. Des cuisiniers font appel à eux pour travailler une carte, goûter des plats, donner un avis. Une activité bien plus rémunératrice qu'une chronique de quelques dizaines de mots et qui laisse à penser qu'un restaurateur généreux n'aura pas d'article défavorable. Il y a bien de quoi brouiller le message : « Quand on est journaliste, on est journaliste », tonne une attachée de presse qui profite pourtant bien du système. Comment ? C'est très simple, en faisant appel aux nombreux chroniqueurs ou journalistes gastronomiques qu'elle connaît pour leur faire écrire dossiers de presse, cartes de restaurant et recommandations stratégiques. « Ce qui n'est pas supportable, s'insurge une autre, c'est le principe d'intégrité derrière lequel la plupart des journalistes se retranchent à tire-larigot, alors qu'ils se font le plus souvent inviter et sacrément payer. » Réaliser une prestation pour une entreprise peut rapporter de 1 000 à 10 000 euros, alors que le prix d'un article payé par une rédaction à un journaliste varie entre 300 et

1 500 euros. Les rencontres se font soit directement entre amis, soit par l'intermédiaire de l'attaché de presse. Pour rester bien avec les journalistes, nombreux sont ceux qui leur font rencontrer le chef. Le jour où celui-ci a besoin d'un coup de main, il sait vers qui se tourner. L'échappatoire des chefs, en termes de communication, c'est de migrer vers d'autres rubriques dans les gazettes, de jouer sur d'autres registres, comme l'économie, le cadre, la mode, la musique...

Les critiques n'aiment pas les critiques

Par peur de cracher dans la soupe, rares sont les critiques ou les journalistes qui évoquent ces bizarreries du métier. Les guides anonymes continuent à agacer les chefs qui n'acceptent plus les sanctions tombées du ciel, et les chroniqueurs cumulards se retranchent derrière leur pseudonyme pour éviter des conflits avec la hiérarchie de leur journal : ainsi de Léo Fourneau, dans *Elle*, pseudonyme de Thierry Wolton, d'Alex Corton au *Figaro Madame*, ou de *Elle et Lui dans Valeurs Actuelles*. Sorte de troisième pouvoir, la critique gastronomique, censée à l'origine aiguiller les consommateurs, tyrannise depuis le XVIIIe siècle les restaurateurs et les producteurs. Le temps où la littérature gastronomique a gagné ses lettres de noblesse et où les critiques cultivaient l'éloquence est aujourd'hui bien loin. Ils sont en effet nombreux ceux qui, dans ce métier, à l'instar de leurs aînés, ressemblent davantage à des gourmets truffés, à des dandys, qu'à des journalistes d'investigation. Ils se plaisent à se faire péter la sous-ventrière comme au bon vieux temps du roi Louis ou des banquets de sous-préfecture. Les journalistes gastronomiques feignent en tout cas de ne pas entendre les voix qui s'élèvent pour contester leur légitimité, se refusant à toute autocritique, et font semblant de croire que les reproches adressés aux critiques pourris ou malhonnêtes concernent seulement ceux qu'ils détestent. En se drapant comme d'une toge dans leur dignité journalistique, en se dressant sur la place comme des parangons de vertu, ils ressemblent à des autruches qui se cachent la tête dans le sable pour échapper à l'inéluctable.

L'une des instances où se réunissent les critiques et les journalistes gastronomiques est l'APCIG[17], une association qui regroupe jeunes et surtout vieux, actifs et plus généralement retraités... Sans oublier Michel Piot, ancien chroniqueur gastronomique au *Figaro* à la retraite, dont *Marianne* écrit qu'il est « très attaché à ses titres, prébendes et prérogatives »[18]. N'a-t-il pas été président de l'APCIG pendant 23 ans ? Pour le magazine professionnel de l'hôtellerie, l'APCIG, ce sont « quelques journalistes, ni plus ni moins véreux que d'autres, mais qui ont trouvé, à travers cette association, une occasion de plus de faire quelques bonnes bouffes... Au bout de quelques années, certains deviennent complètement intoxiqués ». D'ailleurs, nombre des membres de l'APCIG ont plus de 65 ans. En réalité, c'est un joyeux système de copinage entre amis où l'on se refile des bons tuyaux et où l'on compare ses agapes au nombre de plats avalés. Le pire, c'est que son image continue à entretenir le climat de doute sur les mœurs des critiques, à la fois complices et partiaux. « Pour ce qui est de payer, affirme par exemple Michel Piot, le président de l'association, il n'y a pas de règles strictes. Certaines rédactions payent les notes de frais, d'autres laissent les journalistes se débrouiller. Beaucoup

[17] Association professionnelle des chroniqueurs et informateurs de la gastronomie.
[18] *Le mutisme honteux de l'APCIG, Et le coq au vin chanta pour la troisième fois,* Périco Légasse, *Marianne,* 10-16 mars 2003.

de restaurants invitent les chroniqueurs. D'autres refusent d'apporter la note quand vous la demandez, même avec insistance. Alors, vous laissez un gros pourboire. » En réalité, la principale utilité de cette association n'est pas de moraliser la profession, elle est d'organiser de grands banquets. Il faut en effet bien continuer à nourrir grassement certains plumitifs pompeux, qui, n'ayant plus aucune fonction éditoriale, se piquent de vouloir continuer à peser dans la balance. Le rapport annuel 2003 de l'association, qui le confirme, prête d'ailleurs à sourire : « Notre activité reste en ligne avec ce que nous avions prévu. Ainsi, nous avons organisé deux dîners en 2002, un cocktail pour la sortie de notre annuaire, ainsi qu'un déjeuner en province. » Ce qui fait réagir Périco Légasse, pour qui l'utilité et l'objet de l'APCIG « valent bien ceux du comité moldave de défense des œufs mimosa ». L'association en elle-même n'est pas à proprement parler corrompue, mais elle ne sert à rien. Elle aurait dû faire entendre sa voix dans le débat qui oppose chefs et critiques, mais, sans doute, elle ne peut pas balayer devant sa porte. L'APCIG a en effet considéré que la polémique entre critiques et cuisiniers concerne « un journaliste en particulier et un guide » et qu'elle n'a pas à « s'immiscer dans des conflits individuels ». Courage, fuyons !

Mais, après tout, la critique n'est-elle pas qu'un rouage dans un immense mécanisme, un vaste business qui dépasse l'entendement ?

CHAPITRE 6

L'argent des grands chefs

« Ma petite entreprise ne connaît pas la crise. »
Alain Bashung

« On est vraiment en permanence sur le fil du rasoir, coincés entre le marteau et l'enclume, entre bien faire notre métier et la rentabilité [...]. Ce qui nous met la pression, c'est la qualité qu'on s'est mise dans la tête, la combinaison du commerce et de l'art. »
Pierre Gagnaire

Touche pas au grisbi

Dans les années 70, lorsque Bocuse, Guérard, Troisgros, Senderens ou Chapel inspirent à Gault & Millau l'expression « Nouvelle Cuisine », les héritiers d'Escoffier sont encore aux fourneaux. Pour le grand public, ces gens en tablier blanc ne sont pas encore des chefs mais de braves marmitons. Ils apparaissent peu en salle, jamais dans la presse et interviennent encore moins dans le débat public. La Nouvelle Cuisine va les propulser sur le devant de la scène, montrer que les cuisiniers ne sont pas que des marmitons bons à réaliser des fonds de sauce et que certains savent faire mieux que de tenir correctement leur maison. Le principal apport de la période qui suit est incontestablement d'avoir imposé le chef comme un créateur et non plus comme un simple exécutant. Il devient personnalité à part entière, inspirée, dont l'originalité des idées est recherchée. Les clients, au lieu de chercher la cuisine d'un endroit, d'une région, viennent alors chercher celle d'Olivier Roellinger, de Michel Bras ou de Paul Bocuse. Après plusieurs siècles d'évolution, les trente dernières années ont ainsi consacré le statut de cuisinier-créateur, devenu une figure de la société contemporaine.

En sortant enfin de leurs cuisines, les chefs se sont métamorphosés en personnages publics et médiatiques. Symboles d'une France moderne et conquérante, débarrassée des oripeaux de la tradition, ils sont vite devenus des icônes médiatiques importantes et respectées. Du journal télévisé aux photos glamour des magazines *people*, les cuisiniers se sont mis à frayer avec les capitaines d'industrie, les politiques, les stars et le show-biz. De la rubrique « cuisine » des magazines, ils sont passés sans transition aux pages consacrées aux célébrités, accroissant leur notoriété de façon phénoménale. Mais ça ne s'arrête pas là. À la suite de Raymond Oliver, le propriétaire du *Grand Véfour*, qui fut conseiller culinaire de la Compagnie des wagons-lits et chef de la restauration des jeux Olympiques de 1964, Robuchon, Senderens, Loiseau et les autres découvrent également que l'argent peut être facile et le reste aussi. Le succès aidant, encouragés par des investisseurs privés et publics, ils ont commencé à développer lourdement leurs restaurants, rénovant luxueusement, employant un personnel pléthorique, achetant les produits les plus nobles et les plus coûteux. « C'est la modernité qui a changé la donne, explique Guy Savoy. Les cuisiniers ne sont pas plus couillons que les autres. Ils ont eu aussi des velléités de se développer. » Assez vite, certains se sont davantage préoccupés de construire un héliport pour faire venir les vedettes et les patrons du CAC 40 que de leur cuisine. Devenue un spectacle à part entière, la gastronomie est alors entrée dans le show-biz par la grande porte. Managers, gestionnaires et plus seulement artisans, les chefs ont tous voulu les plus beaux restaurants, comme les maires leur médiathèque. Ce fut une fuite en avant. Christian Millau a d'ailleurs eu l'occasion de le rappeler, pointant du doigt la démesure des grands chefs dans les années 80 et la course effrénée dans laquelle ils s'étaient lancés[1] : « La starisation des chefs n'a pas été une bonne chose : ça préparait une nouvelle forme de tromperie. Dans les années 80, on est passé de la Nouvelle Cuisine au grand n'importe quoi sous prétexte de renouvellement avec une envolée des prix… des choses qui ont été très néfastes à la cuisine. » Ce furent les excès de la Nouvelle Cuisine, mais il faut bien ça après une révolution. Assurément, ceux-ci firent moins de morts qu'en 1789. Et puis la contestation et le renouvellement étaient indispensables à la survie de la cuisine française.

Les « gros bonnets » des fourneaux

Malheureusement, on n'est pas tellement revenu à plus

[1] *C'est arrivé cette semaine*, Europe 1, 1er mars 2003.

de modération depuis. « Les médias ont fait croire aux chefs qu'ils étaient des intouchables et cela a été néfaste, explique un journaliste. Car la Nouvelle Cuisine a conforté la cuisine française comme leader, et les chefs étaient accueillis comme des chefs d'État. Ils ont été mis sur un piédestal, mais on peut se demander si cela a été réellement une bonne chose. En retour, cela a eu des effets pervers qui durent encore. » Ce qui fait dire à Roger Vergé, qui a eu cinq étoiles *Michelin* et a été l'un des premiers à vendre le savoir-faire culinaire français à l'étranger : « Mais aujourd'hui, l'aura dont ils bénéficient est quelque peu abusive ». Vergé, qui reconnaît avoir bien profité de la médiatisation qui a propulsé les chefs sur le devant de la scène, continue après son récent départ en retraite, à avoir des contrats aux États-Unis et au Japon.

Roger Vergé reste aussi, pour beaucoup, le chef qui, voici vingt ans, avec Paul Bocuse et Gaston Lenôtre, a été le premier à exporter le savoir-faire culinaire français à l'étranger[2]. Profitant de leur notoriété et de leur prestige, tant en France qu'à l'étranger, une poignée de chefs sont devenus de véritables multinationales, parmi lesquels Paul Bocuse, Joël Robuchon, Georges Blanc, Bernard Loiseau ou encore Alain Ducasse, Marc Veyrat et les frères Pourcel. En se basant sur la réussite de leur restaurant trois étoiles, appelé « produit premium » dans le jargon des affaires, ils ont bâti des empires aux ramifications mondiales, de New York à l'île Maurice, en passant par Tokyo. La plupart disposent de secondes adresses où ils ne sont pas physiquement mais « juste en esprit », font du commerce dérivé pour financer leur restaurant ou leurs danseuses, travaillent sur l'image de marque ou des produits industriels moyen-

[2] AFP, dimanche 30 novembre 2003, 13 h 49.

nant espèces sonnantes et trébuchantes, font du conseil, développent des licences, des concepts déclinables dans le monde entier, publient des livres. « Ma haute couture, c'est Saulieu, avait coutume de dire Bernard Loiseau, et je vends mon savoir-faire dans des produits de grande consommation. » De cerise sur le gâteau, l'argent est devenu indispensable : jusqu'à 700 000 euros pour certains contrats. Selon les produits et leur environnement concurrentiel, la signature d'une grande toque peut faire monter le chiffre d'affaires de 30 %. Pas étonnant que les marques leur concèdent des contrats mirobolants et bien assaisonnés de sauce à l'oseille. On crée aussi des annexes, c'est-à-dire des restaurants dans lesquels on n'est jamais mais où l'on fait croire qu'on a tout conçu et qu'on surveille tout, et des produits surgelés pour ceux qui ne peuvent pas s'offrir le grand restaurant, on gère des sociétés civiles immobilières. Les cuisiniers ont mué : ils ont troqué leurs oripeaux maculés et leurs toques remisées en cuisine pour le costume rayé et la cravate des hommes d'affaires. Ils vont donc chercher l'argent où il est, c'est-à-dire ailleurs que dans les assiettes des grandes tables qui ne sont plus rentables. En contrepartie, il faut investir avant de rentabiliser le business. Une mécanique entrepreneuriale qui connaît comme les cours de la Bourse des hauts et des bas et qui a transformé les artistes en *businessmen*, pour le meilleur, mais parfois, hélas, pour le pire. Souvent très endettés, les cuisiniers ont voulu trouver d'autres sources de revenus en créant de véritables complexes pour les gourmands, avec hôtel, boutique et distractions. « Les étoiles n'ont leur raison d'être que grâce aux chambres, au thermalisme, à l'histoire des lieux, explique Michel Guérard. Mais aujourd'hui, aucun financier digne de ce nom n'investirait dans une telle aventure. » Pourtant dans le monde très feutré et policé de la haute gastronomie, parler d'argent est presque vulgaire : « Je n'aime pas parler d'argent », avoue Guy Martin. « Monsieur Robuchon ne répond jamais aux questions concernant l'argent ou les affaires », répond-on à son secrétariat invariablement depuis des années. Pourtant, c'est lui-même qui disait de Jean Delaveyne, célèbre propriétaire du *Camélia* à Bougival de 1956 à 1986 : « Le Van Gogh de la cuisine s'est éteint. Non sans avoir vendu ses conseils culinaires très chers, pour ne pas passer pour un imbécile. »[3] Tous en ont visiblement pris de la graine. Il y a trois ans, lorsqu'un magazine se penche sur « l'argent de la cuisine française », même Alain Ducasse commence par refuser de répondre avant de se laisser convaincre : la rédaction menaçait de laisser un grand blanc en face des questions restées sans réponse. Question de modestie, peur de la concurrence, de la réaction du personnel ou de ses employeurs ? Non, surtout un manque de transparence caractérisé qui rend difficile la compréhension de l'économie de la grande cuisine. Sur ces sujets-là, les chefs veulent empêcher les médias d'enquêter. L'un d'entre eux s'exclame même : « Que l'on arrête de montrer du doigt les chefs qui se diversifient, qui innovent, qui ont des entreprises saines. Ils créent de la richesse, des emplois, ils sont des chefs d'entreprise utiles pour le pays. » Une véritable *omerta* règne en cuisine dès qu'on parle gros sous. Demandez « Combien gagnez-vous ? », la plupart des chefs vous répondent « L'art n'a pas de prix. » Oui, mais l'agroalimentaire ? Les honoraires des cuisiniers y dépassent souvent les 150 000 euros, avec une partie en fixe et une partie en variable sur les

[3] *Portraits toqués,* Olivier Nanteau, L'Archipel, 1999.

ventes, qui vont bien, merci. Très peu de chiffres circulent, les contrats sont tabous. Jalousies, rivalités, autant d'excuses qui poussent en tout cas au silence les grandes toques qui gagnent de 10 000 à 150 000 euros selon les contrats et les contraintes que cela leur impose. Mais aujourd'hui, beaucoup le cachent, sans vraiment le dissimuler. Pendant plusieurs années, Pierre et Michel Troisgros ont collaboré avec Casino, mais ne voulaient pas que ça se sache, craignant pour leur prestige, avant de faire leur *coming out* en 1996. Depuis, cette collaboration les occupe une semaine par mois, ce n'est pas rien ! De même, Guy Martin qui élabore les plats de la gamme Monoprix gourmet a tenu à rester discret et les plats ne sont pas signés. Il ne souhaite pas non plus divulguer le montant de ses *royalties*.

Les rivalités entre les chefs étoilés ont depuis longtemps délaissé le cadre de leurs cuisines pour s'étaler dans les pages des magazines et les rayons des supermarchés. Ils n'ont qu'une obsession : faire parler d'eux. En s'offrant les services d'une attachée de presse, ils se font la guerre par nombre de parutions interposées. Selon l'institut Ipsos, la notoriété assistée des grands chefs était encore récemment de 9 sur 10 pour Bernard Loiseau, suivi de 7 pour Bocuse, juste devant Robuchon. Derrière, Michel Troisgros, Alain Ducasse, Michel Guérard, puis Marc Veyrat à 2 sur 10. Ce qui explique sans aucun doute la propension de chacun à afficher son nom partout et sur tout. À leur insu peut-être, les cuisiniers sont devenus des *showmen*. La plupart, en sus de leur vaisseau amiral, disposent d'affaires très lucratives qui se déroulent loin de leurs fourneaux. Et ils passent plus de temps dans l'avion entre New York et Tokyo que devant leurs casseroles. D'ailleurs, Jacques Le Divellec conseille Servair, la compagnie qui sert 55 000 plateaux-repas chaque jour dans les avions. « Je fais des tests, des voyages et des rapports pour contrôler la qualité, dit-il un brin amusé. Je me bats parfois pour des détails, j'y glisse un maximum de poisson ! On a besoin de ça pour tenir le coup, il nous faut un strapontin pour vivre. » Nombre de chefs ne s'en sortent financièrement que grâce à du conseil et des activités extérieures. Troublant : en donnant un ou deux dîners à l'étranger, ils peuvent gagner autant à titre personnel qu'en assurant deux mois de présence quotidienne dans leur restaurant. Ce succès de la Nouvelle Cuisine a aussi fait rêver la relève. Yannick Alléno, deux étoiles aux *Muses* à Paris, récemment passé à l'hôtel *Meurice*, a été élevé dans le bar-tabac que possédaient ses parents. Ses motivations ont toujours été claires : « Dans un magazine, je me souviens d'être tombé sur la photo d'un chef qui faisait ses courses en voiture de sport. Ce jour-là, je me suis dit que je voulais être cuisinier. » Et de la même manière que la haute couture déteint sur le prêt-à-porter, les grandes tables ont imposé leur gastronomie et leurs pratiques partout. Résultat : certains perdent la main. « Il y a quelques années, un magazine avait organisé une séance photo chez un grand chef, confie un photographe. Il lui avait fallu appeler à la rescousse le second, parce que le chef ne se souvenait plus comment réaliser le plat. » C'est le risque encouru par ceux qui se préoccupent plus de développer leurs activités que de cuisine. Alain Ducasse confirme l'anecdote : « La plupart de ces cuisiniers n'ont pas réalisé un plat depuis 20 ans. » Pour se justifier, Ducasse assure qu'il passe lui « un tiers de son temps à faire (la cuisine), un tiers à faire faire (déléguer et expliquer) et le dernier tiers à faire savoir » (communication et médias). De quoi devenir légèrement schizophrène.

Dérives des dérivés ?

Au fond, rares sont les chefs que la vague marketing de la cuisine n'a pas emportés : Antoine Westermann et Alain Dutournier travaillent pour Sofitel et même les « poètes », Marc Veyrat, Pierre Gagnaire et Michel Bras, ont eux aussi cédé aux sirènes du business. Le chef de Laguiole, qui conseille également la Sodexho, et touche des *royalties* du restaurant qui porte son nom au Japon, émarge surtout chez Boncolac : après un échec en 1998, faute de notoriété, la commercialisation des desserts de Michel Bras a redémarré en France en 2003 avec 4 références vendues chez Picard. L'Espagne et l'Angleterre sont déjà conquises. Gagnaire, bien remis de son échec stéphanois en 1996, financièrement parlant, a ouvert en décembre 2002 le *Sketch* à Londres, avec Mourad Mazouz. Deux ans de travaux, 160 employés et le restaurant le plus couru de la capitale britannique. Bernard Pacaud, le chef trois étoiles de l'*Ambroisie* à Paris est une exception. Dernier des Mohicans, il est aussi le plus secret des grands chefs : il donne très peu d'interviews, n'a pas vendu son nom à un géant des surgelés, ne court pas le monde pour tel ou tel, et, lui, conserve ses trois étoiles depuis plus de 15 ans. À cet égard, il assure « vivre comme un grand notable », selon l'expression de Pierre Troisgros. Pacaud, qui gagne « le salaire d'un cadre supérieur » et dégage « une marge de 8 % », aime goûter le plaisir des grands vins dans son restaurant. Ce qu'il oublie toutefois de dire, c'est que son restaurant l'*Ambroisie*, qui réalise plus de 3 millions d'euros de chiffre d'affaires, se place au 18e rang des sociétés françaises du secteur qui ont réalisé les meilleurs bénéfices avant impôt. Pour les réservations, compter 7 à 9 semaines à l'avance, rien de moins. Même punition chez Gérard Boyer, aux *Crayères* (Reims) : à 62 ans, le moins connu des très grands chefs français (trois étoiles, 19/20 chez *GaultMillau*, qui l'a consacré deux fois chef de l'année, un record, Relais & Châteaux) a passé son tablier à son second, Thierry Voisin, qu'il a mis en selle pendant trois ans, sans tambour ni trompette. Discret, élégant, Boyer n'a pas jugé bon de jouer les prolongations et quand il a monté des affaires à Reims ou à Épernay, c'était pour lancer ses cuisiniers et éviter qu'ils s'en aillent ailleurs. Boyer restera consultant mais très en retrait, lui qui n'a jamais vraiment eu besoin de se « vendre » pour vivre et exister. « J'aime trop mes fourneaux pour ouvrir plus d'un restaurant », a déclaré un jour Bernard Pacaud. Avec lui, Jacques Thorel ou Passard, malgré quelques contrats de *consulting* au Japon, sont quelques-uns des rares à ne pas avoir succombé à l'affairisme des chefs étoilés.

Après les crises et les remises en cause alimentaires des années 80, les entreprises de restauration collective et les groupes industriels ont entrepris de se refaire une virginité sur le plan alimentaire. Ils ont acheté une tranquillité relative en s'associant les services, mais surtout le nom, de grands noms de la gastronomie. Alliance contre nature de la carpe et du lapin, des princes de la haute couture et des « roturiers de la standardisation alimentaire », qui mène des artisans soucieux de qualité à cautionner des selfs, où ils n'ont souvent jamais mis leur nez, ce phénomène contribue fortement à perdre les consommateurs dans un dédale de promesses jamais tenues. Dans la presse professionnelle, on trouve régulièrement des publicités pour des produits industriels de substitution, comme les crèmes, les jus et les fonds de sauce, par exemple ceux de Nestlé, vantés par des chefs présentés comme traditionnels. Ils conseillent donc à leurs pairs de remplacer les bonnes vieilles recettes artisanales par des seaux en plastique de provenance non identifiée. Heureusement, tout le monde n'en est pas là. Marc Veyrat justifie avec un argument massue son travail dans l'industrie : « Nous cherchons à faire progresser la cuisine de tous les jours, mais nous avons surtout l'ambition de mener un programme de rééducation du goût, en valorisant la cuisine légère, les parfums, les plantes, pour une clientèle qui n'en a pas l'habitude. » Une ligne de défense partagée par l'ensemble de la profession. « Heureusement qu'il y en a certains comme Savoy, Rostang ou Dutournier qui font des bistrots, au moins on est à peu près sûr de bien manger », note Guy Martin. Ces petits restaurants demandent moins d'investissements qu'une grande table sur le plan économique et du temps passé par le chef, qui délègue à l'un de ses élèves. Avec 4 à 5 fois moins de personnel qu'un « gastro », ces établissements sont beaucoup plus rentables avec des capacités beaucoup plus importantes. Sur le nom du chef, ils attirent des clients et facturent aussi plus que les concurrents. Savoy a ainsi créé pas moins de trois bistrots autour de la place de l'Étoile à Paris, dans les années 90. Puis il a racheté *Les Bookinistes*, le *Cap Vernet*, 400 couverts quotidiens, et *Le Sud*, revendu depuis. Ce qui permet à ses petites affaires de tourner à 15 millions d'euros de chiffre d'affaires, dont seulement le tiers est représenté par son restaurant trois étoiles. Les bistrots sont bien plus rentables que la rue Troyon. Savoy a en effet repris des tables qui végétaient et a multiplié par 10 le chiffre d'affaires. Chacun des bistrots tourne entre 1,5 et 3 millions d'euros de chiffre d'affaires. En octobre dernier, c'est *L'Atelier Maître Albert* qui est tombé dans son escarcelle. On y trouve les plats et les lieutenants de Savoy. Sa démarche de rendre accessible sa cuisine et son savoir-faire à toutes les bourses est sans nul doute l'une des plus authentiques. Elle est saluée par de nombreux confrères. Avec sa boutique sur le Web et ses nombreux livres à succès, comme *La Cuisine de mes bistrots* paru chez Hachette, Savoy, qui conseille Martinet, leader des salades, n'a pas besoin de courir les contrats : « Prendre 30 000 euros pour 3 recettes, ça ne m'intéresse pas. » Guy Savoy n'aime pas parler d'argent. La raison ? Il a mis 30 ans pour en arriver là et ne veut pas donner une fausse image du métier. La preuve, il estime depuis ses débuts avoir en moyenne gagné 3 000 euros par mois comme salarié pour son activité principale de cuisinier.

Pour sa part, Guy Martin, au *Grand Véfour* se dit fier de participer aux plats cuisinés du groupe Monoprix, même si pour l'instant ils ne portent pas son nom. « Le résultat est vachement bien. C'est une histoire d'hommes. J'ai rencontré les gens, on a travaillé ensemble, même si pour le moment mes recettes ne sont pas signées, tant que ce n'est pas cadré. » Pour lui qui travaille également pour Francine et cuisine pour Thierry Ardison dans son émission « 33, Faubourg Saint Honoré » accepter des collaborations extérieures n'est pas une question d'argent : « Moi, je fonctionne pas au fric, j'ai refusé un contrat extraordinaire genre très, très, très bon, vraiment, car avec les gens qui étaient en face, je ne sentais pas le projet, le produit. Et puis la question, c'est pas "Combien vous rapporte un contrat ?" C'est "Combien rapportez-vous à une société ?" Notamment pour l'image. » La preuve, il aurait fait le menu de la ligne Paris-Tokyo d'Air France gratuitement, juste pour s'amuser.

Améliorer la qualité, mettre des conditions, impose des produits, l'expression revient dans la bouche de tous les chefs qui collaborent avec des industriels. Les plats surgelés des grands chefs sont-ils meilleurs que les autres ? Pas vraiment. Apporter des idées nouvelles, participer à une avancée du goût et des techniques n'est pas l'objet social des multinationales partenaires qui cherchent avant tout le profit. De plus, les contreparties exigées par les industriels sont de plus en plus fortes : engagement personnel lors du lancement, comme avec Bocuse, Robuchon ou Loiseau utilisés physiquement en pub TV, organisation de déjeuners de presse, représentation à l'étranger. On a même vu des trois étoiles visiter les usines... Vivement les grandes toques qui pointent à l'horodateur ! Pour les cuisiniers moins connus, la séance de photos est payée 2 000 euros la journée, comme pour la dernière campagne Sauter. Les produits dérivés des grands chefs font rêver les consommateurs qui ne peuvent s'offrir leurs restaurants. En allant dans un bistrot de chef, ils pensent qu'ils vont chez Savoy ou chez Loiseau. En s'offrant un petit plat Fleury-Michon, nombreux sont ceux qui ont l'impression de manger du Robuchon. Certains chefs imposent une charte de qualité, une garantie de bonne fin pour ne pas se faire piéger, d'autres signent juste des emballages. Mais bien souvent, le consommateur ne s'y retrouve pas.

Lutte à couteaux tirés

L'édition est un bon exemple du combat des chefs. Le nombre de livres de cuisine publiés a littéralement explosé depuis 5 ans. La demande du public est très forte et les tirages peuvent parfois atteindre des proportions astronomiques. Jamais les chefs n'ont autant intéressé. En 2002, les ventes de livres de cuisine ont ainsi progressé de façon spectaculaire (+58,9 %). L'offre de nouveautés a littéralement explosé, avec plus de 56 % de progression par rapport à 2001. L'an dernier, plus de 300 nouveaux titres sont apparus sur le marché, totalisant plus de 6 millions d'exemplaires. Les stars des fourneaux les plus prolifiques pondent ainsi presque un livre par an, voire plus, comme Guy Martin. Son dernier livre, *Toute la cuisine,* sorti au printemps 2003, marche très bien. À la FNAC, il était n° 2 des ventes du secteur au niveau national et a déjà été réédité. Pour lui comme pour les autres, un livre, c'est une façon de faire parler d'eux, de gérer leur image, de prendre la parole et de se poser comme donneurs de sens, à une époque où la cuisine est vraiment soumise à la question. Une façon aussi d'arrondir les fins de mois, avec de confortables droits d'auteur et avances sur droits, comme l'avouait Bernard Loiseau : « Je ne publie pas un livre à moins de 40 000 exemplaires. Heureusement, les droits d'auteur me sont directement versés. » C'est-à-dire environ 10 % des ventes. Guy Martin, lui, dément tout intérêt financier : « Une assiette, c'est environ 200 €. Il faut en moyenne un bon mois de réservation à l'avance pour avoir une table, et on est plein tout le temps. Moi, ce que je gagne, c'est surtout avec le restaurant. Le reste, les livres, c'est ma passion. J'en ai toujours un en cours. Je bosse dessus l'après-midi et les week-ends. Moi, je suis président de mon établissement, je le dirige. Je ne dis pas ce que je gagne. On ne peut pas toujours calculer dans la vie, il n'y a pas que l'argent. » Les éditeurs sont très demandeurs et, pour eux, les livres de cuisine sont stratégiques, efficaces et leurs rendements peuvent être impressionnants. Tout le développement du livre, la conception des recettes et leur réalisation, n'est pas payé par l'éditeur : il se déroule généralement dans les cuisines où officie le chef. Des livres de grands chefs, il y en a de toutes sortes : encyclopédiques et sublimes comme le *Grand Livre de cuisine d'Alain Ducasse* (AD édition) – plus de 12 livres en 8 ans –, vendu sur souscription à plus de 12 000 exemplaires, des mal ficelés, comme celui de Michel Troisgros (Cherche Midi éditeur), mais ce qui est certain, c'est qu'ils sont de plus en plus nombreux. Soit ils émanent de cuisiniers eux-mêmes, soit ils viennent de journalistes gastronomiques : parmi les spécialistes, Jean-François Mesplède et Daniel Gilbert, pour leurs livres avec Veyrat, Loiseau et d'autres. *L'Envolée des saveurs*, l'un de ses premiers livres, a d'ailleurs été un véritable phénomène d'édition. En 2002, *La Bonne Cuisine* d'Alain Ducasse et Françoise Bernard est passé en poche. A 6,90 €, il s'en est vendu plus de 15 000 exemplaires, soit l'un des best-sellers de l'année[4]. Quant au livre de Michel Bras, *Bras*, un des plus beaux jamais réalisés, il a épuisé très vite un premier tirage de 15 000 exemplaires en France, avant d'en écouler encore 9 000, puis 6 000 en Espagne et 9 000 aux États-Unis.[5] Le livre a également été traduit en allemand et en japonais. Ces derniers mois auront vu passer *Toute la cuisine* de Guy Martin, *La Cuisine acidulée* de Michel Troisgros, pas moins

[4] *Livres hebdo* n° 489, 8 novembre 2002.
[5] Article déjà cité.

de trois livres d'Alain Ducasse, autant mais pas de la même qualité, de Jacques Le Divellec, dont une autobiographie parue chez Grasset, et un *Larousse des poissons, Mes petits plats faciles et pas chers* de Bernard Loiseau, *Ma cuisine à fleur d'épices*, de Philippe Delacourcelle, plusieurs ouvrages de Pierre Hermé (20 000 exemplaires pour son dernier livre sur les desserts[6]) et de sa femme Frédérick Grasser, sans compter les rééditions permanentes, les préfaces et les collaborations sur les ouvrages de tiers ou de commande. « J'écris toujours deux ou trois livres à la fois, explique Jacques Le Divellec. J'ai besoin de faire des choses à l'extérieur. Dans ma maison, j'ai trop de frais. On me demande, je fais. En 2004, j'aurai publié plus de 15 livres depuis mes débuts. » Et ça marche, « on assiste à un grand retour des livres de chefs avec leurs stars et leurs grands formats »[7] : *La France des chefs, Patate, Cuisine brute, le meilleur du simple* avec Nicolas le Bec chez Flammarion, ou encore *Destinations cuisines* des Frères Pourcel paru chez Hachette. Les raisons sont multiples : la présence de plus en plus forte des chefs en dehors de leurs cuisines ou la critique de la malbouffe et de la mondialisation qui ramène au terroir et aux produits bio, entre autres. Dans les années 80, les chefs étaient des stars, dans les années 90, ils sont devenus des modèles, des *people* qui posent dans les pages des magazines. Ils représentent la France et son exception culturelle, qui rassurent et qui gagnent contre le grand méchant loup américain. Les 35 heures et la société des loisirs promise renvoient aux recettes sur papier glacé des grands chefs, souvent simplifiées pour l'occasion afin de ne pas décourager les cuisiniers en herbe. Et le livre demeure, en France, pays marqué par la culture de l'édition, un outil

[6] Chiffres éditeur.
[7] Article déjà cité.

essentiel pour « se faire un nom » : tout cuisinier ou restaurateur digne de ce nom se doit de publier un livre, quel qu'il soit, pour gagner ou accroître sa notoriété. Sans compter sur les grands chefs, dont l'*ego* peut être parfois surdimensionné, et qui se posent en successeurs d'Escoffier ou de Carême, en pensant qu'ils ont vocation à marquer la cuisine de leur siècle. D'où des ouvrages tels que *Le Grand Livre de cuisine* d'Alain Ducasse et ses déclinaisons, l'*Encyclopédie culinaire du XXI*e *siècle* de Marc Veyrat en trois volumes (295 euros pour 992 pages et 1 000 illustrations, qui a reçu le prix du livre 2003 aux Gastronomades d'Angoulême, et, dans un autre registre, les livres d'art de Michel Bras et de Pierre Gagnaire. Mais attention, des euros sonnants et trébuchants sont aussi en jeu, les cuisiniers ne travaillent pas que par philanthropie ou amour du bel ouvrage : envoyé aux journalistes, aux clients, le livre accroît la légitimité de son auteur, lui donne dans les médias une part de voix que son seul restaurant ne lui aurait pas permis et fait baver les confrères. Vendu 215 euros, le Grand Livre de cuisine d'Alain Ducasse est l'un des succès de l'histoire de l'édition culinaire, note Livres de France, la revue des professionnels.[8] Depuis, *Desserts et pâtisseries,* sorti en 2002 et *Bistrots, brasseries et restaurants* de tradition, publié en octobre 2003 ont également trouvé leur public. Le tout sous la bannière AD Éditions puisque Alain Ducasse est devenu son propre éditeur. Marc Veyrat a fait de même en publiant à compte d'auteur son encylopédie.

Hormis ces quelques ouvrages prestigieux, beaux livres soignés et très personnels, la plupart du temps, les bouquins de recettes des chefs sont presque entièrement exécutés, sinon conçus par d'autres. Paru au printemps 2003 chez

---

[8] *Livres de France,* n°268, décembre 2003.

Solar, *Plats du jour* est signé Georges Blanc. Le titre est présenté comme le sien, mais en réalité, ce sont une styliste culinaire et un photographe qui ont beaucoup œuvré. La plupart demeurent d'une qualité éditoriale pauvre, parce qu'ils sont bâclés et que les recettes ne sont pas toujours testées avant publication. On est loin des traités sur le poissons dus à *Archestrate*, seul rescapé des traités de cuisine de la Grèce antique. « Il faudrait faire ça sérieusement, explique le directeur de collection d'un grand éditeur parisien, prendre du temps pour concevoir les ouvrages, avoir quelque chose à dire et ne pas sortir un livre pour sortir un livre. » « De toute façon, renchérit Ghislaine Bavoillot, éditeur chez Flammarion, si le sujet du livre n'a pas déjà été traité, c'est que ça n'intéresse personne. » Résultats selon les saisons : une floraison de titres sur les soupes, les glaces, la cuisine aphrodisiaque, , une tripotée de livres sur la cuisine du soleil, l'huile d'olive ou la tomate, mais plein de sujets laissés de côté. En fait de livres de recettes ou de livres témoignages, le livre de chef ou de grand chef est devenu un produit dérivé pur et simple, et plus un produit sur mesure travaillé pendant trois ans. On est souvent uniquement et simplement dans une logique de business, pas même un choix d'éditeur. En fait, ça ne coûte pas cher et ça peut rapporter gros. En cosignant le livre de Bernard Loiseau ou de Marc Veyrat, un journaliste gastronomique va aussi non seulement accroître sa notoriété, mais aussi gagner de bons droits d'auteur. Servir de nègre ou de styliste est également rémunérateur mais dans des proportions moindres. Les tarifs varient de 1 à 10 selon la qualité du rédacteur, c'est-à-dire selon ses états de service, le nom du journal dans lequel il écrit et la nature du travail demandé : Gilles Pudlowski, Patricia Wells, Nicolas de Rabaudy, Claude Lebey, François Simon ou autres. Souvent, ce sont plutôt des journalistes vedettes du secteur, ou sinon, des jeunes rédacteurs qui connaissent des fins de mois difficiles. Dans les deux cas, ce sont des gens qui ont à la fois besoin d'exister et de gagner de l'argent car ils sont sous-payés. Contrairement aux grands patrons qui n'empochent pas souvent leurs à-valoir, les chefs, eux, les encaissent systématiquement. Il est rare qu'ils acceptent de partager la tête d'affiche et les *royalties* qui en découlent. Généralement, ils rétribuent eux-mêmes les collaborateurs ayant travaillé sur un livre ou font passer ça en frais auprès de l'éditeur. À l'arrivée, le chef qui s'est mis d'accord avec son éditeur fait acheter plusieurs centaines ou milliers d'ouvrages par son restaurant et met en vente son livre à la caisse. Ainsi, Michel Troisgros a-t-il sauvé de la Bérézina son premier livre en en vendant 800 exemplaires à ses clients en plus des 2 000 ventes réalisées en librairie. On est bien loin du plus ancien livre de cuisine connu, un pot-pourri de recettes d'Apicius, qui date de l'époque romaine. Ce livre, comme *Le Viandier de Taillevent*, *Le Cuisinier de Charles V* ou *Le Grand Cuisinier*, a été constamment réédité depuis et étudié par les historiens de la gastronomie.

Bocuse, l'empereur de Collonges

Dans l'édition comme partout ailleurs, « le grand Paul », comme le surnomment ses confrères étoilés, est la première grande toque à avoir véritablement utilisé son image comme une marque. Cuisinier bercé par ses origines rurales, il a démarré sa carrière de patron dans l'auberge familiale en 1956, à l'âge de 29 ans. Toqué de cuisine, il l'est aussi de business. Dans la mouvance de Raymond Oliver, Bocuse a compris très tôt l'importance de la communication et de la télévision pour développer ses affaires. Émissions, livres, tout est bon. Dès le début des années 60, Bocuse avait déjà une gamme de plats à son nom aux États-Unis. Ce n'était qu'un début : il faut aussi compter sur le restaurant ouvert au Japon en 1970 avec la complicité du brasseur nippon Suntory. Et sur le Disneyland d'Orlando, où Bocuse est associé à Roger Vergé (*Le Moulin de Mougins*, Mougins) et Gaston Lenôtre dans son « pavillon de France », où plus d'un million et demi de repas sont servis par an. Paul Bocuse a certes forgé un style de cuisine française traditionnelle contemporaine, mais il a toujours su parfaitement user de son nom. Comme un épicier de luxe, il est partout, aux fourneaux et à la caisse. Un jour, il a même raconté qu'il avait monté une société dans laquelle Gault & Millau sont entrés et qui a obtenu de gros contrats, notament avec Air France. Dans les années 80, Bocuse a déjà un air de *businessman*. Rien d'étonnant à cela, Paul Bocuse dispose de contrats publicitaires avec d'innombrables grandes marques. Et surtout la chaîne Daïmaru, pour laquelle il est consultant depuis 25 ans pour des boulangeries et des boutiques de produits à son effigie dans le Pacifique. Et à partir de 1994, ce sera au tour des bistrots lyonnais, *Le Nord*, plus de 350 couverts quotidiens, vite dupliqué au *Sud*, à *L'Est* et à *L'Ouest*. Aujourd'hui, l'empereur de Collonges, propriétaire d'une auberge à son nom (10 millions d'euros de chiffre d'affaires) et de *L'Abbaye* (200 banquets annuels, 2 millions d'euros investis), possède également 52 % de ses quatre adresses lyonnaises, *Le Nord* (2,3 millions d'euros de chiffre d'affaires), *Le Sud* (2,6 millions d'euros), *L'Est* (3,2 millions) et *L'Ouest* (3,5 millions de chiffre d'affaires pour 4,6 millions d'euros investis). En 2002, les brasseries ont encore fait un tabac : +15 % pour *Le Nord*, +4,25 % pour *Le Sud* et +3,99 % sur *L'Est.*[9] Sans oublier *L'Argenson*, néo-brasserie ouverte récemment avec le club de football de l'Olympique lyonnais à deux pas du stade Gerland. À 78 ans, Bocuse reste propriétaire des murs *via* deux SCI qui les louent aux sociétés exploitantes dont il est lui-même actionnaire. Ce qui lui permet de dire : « Aujourd'hui, la cuisine appartient aux cuisiniers, ce n'est peut-être pas plus mal. » Il a passé des contrats avec Badoit, Rosières, le Savour Club, Staub ou encore William Saurin et Marie. Sur le dossier de presse de ses plats cuisinés, on peut lire sous le slogan : « Bocuse, la passion de transmettre. » Paul Bocuse assure en effet avoir même travaillé à l'élaboration et à la mise au point de tous les plats. Le chef publie également des livres aux États-Unis et au Japon. « Je n'ai plus beaucoup d'années à gagner de l'argent. J'ai de nombreuses propositions tous les jours, mais je trie. Je suis très cher et très gourmand. » Bocuse est un véritable mastodonte de la gastronomie qui génère chaque année plus de 20 millions d'euros. Dans cet océan de *royalties* et de contrats, ses deux restaurants gastronomiques à Lyon et ses quatre bistrots ne représentent qu'une goutte d'eau. Pour d'autres chiffres, « le grand Paul » recommande d'aller voir sur Minitel ou Internet, mais en fait, il a constitué une *holding* où remontent tous ses revenus et qui est impénétrable. C'est que le business du chef se porte bien. Infatigable, Bocuse est devenu officieusement le grand mamamouchi, le grand ambassadeur de la cuisine fran-

9 Sources *L'Hôtellerie* et *Néo-restauration*, automne 2003

çaise. Plus qu'un simple chef, il est aujourd'hui le grand manitou de la cuisine mondiale, grâce à son École des arts culinaires d'Écully, récemment rebaptisée « Institut Paul-Bocuse », et largement soutenue par la fondation William Saurin (par un chèque de plus d'un million d'euros). Cette école, qui forme des professionnels « sur les racines de la tradition française », a déjà diplômé 700 étudiants de 40 pays différents. Mais le plus important pour l'influence du chef lyonnais, c'est sans nul doute le « Bocuse d'or », le concours culinaire international le plus prestigieux, dont il est à la fois le créateur et le propriétaire. Tous les deux ans, il élit « le meilleur cuisinier du monde », ce qui lui crée des amitiés sur toute la planète et lui permet de garder la haute main sur toute une partie de la jeune garde. Celle-ci considère qu'elle doit à Bocuse d'avoir été remarquée ou distinguée dans son concours. Voilà pourquoi de nombreux chefs l'ont pris pour modèle. Une notoriété que le chef de Collonges a fortement contribué à entretenir depuis trente ans. Doyen vénéré de la cuisine française, il fut en effet le premier à adhérer à son propre mythe et à l'entretenir.

Loiseau, roi du marketing

Un restaurant gastronomique, un Relais & Châteaux, des boutiques de produits dérivés (CD-Rom, textiles, arts de la table, parfums, vins, épicerie), trois bistrots à Paris, des plats sous vide et des contrats en or, le tout couronné par une introduction en Bourse en 1998... Il y a bien un système Loiseau, un royaume, même. Et il était bien rôdé. Seul problème, il a toujours reposé sur les épaules d'un seul homme. « Je suis le seul cuisinier au monde à être coté en Bourse », disait Bernard Loiseau. « Tout est pensé, calculé. Je suis comme Yves Saint Laurent. » Pour lui, il fallait que tout aille vite, et surtout plus haut que Bocuse, son modèle. En 1982, Bernard Loiseau rachète le fonds de commerce de l'hôtel-restaurant *La Côte d'or*, dont il est directeur depuis 1975. En 1985, il annexe l'établissement mitoyen, rénove et refait tout, s'agrandit, construit 30 chambres et suites luxueuses. Plus tard, ce sera la piscine extérieure et le Spa. En tout, plus de 11 millions d'euros ont été investis pour en faire l'un des huit Relais & Châteaux les mieux classés de France. Pourquoi ? « Le guide *Relais & Châteaux*, c'est deux tiers d'étrangers en plus », fait remarquer Dominique Loiseau. C'est bien pour ça que le but de son mari était de faire de cet ancien relais de poste « un petit bijou » très luxueux et très rentable. Et ça a marché. Le groupe Loiseau réalise aujourd'hui 8,7 millions d'euros de marge brute, soit 77 % du chiffre d'affaires, des performances rarement égalées dans ce secteur d'activité. Cela alors que le restaurant gastronomique réalisait 3 millions d'euros de chiffre d'affaires pour 25 000 couverts par an à un prix moyen de 130 euros.[10] La clé de cette réussite ? Une audacieuse stratégie de diversification, sur les pas de Bocuse, un business aux nombreuses ramifications. Mais Dominique Loiseau refuse de parler de son mari en ces termes : « Le rôle d'aubergiste lui convenait bien. Ce n'était pas un *businessman*. Il ne préparait jamais rien, jamais une note pour une réunion, un speech pour le conseil d'administration. C'était quelqu'un de simple et un aubergiste dans l'âme. Il était dans la vérité. » Mais dans les chiffres aussi… Puisque le groupe Loiseau a réalisé en 2002 plus de 11,2 millions

---

[10] Source site Internet groupe Loiseau et *Figaro entreprises*

d'euros de chiffre d'affaires. Cela notamment grâce à des contrats qui reposaient entièrement sur le chef et la notoriété due à ses trois étoiles : du conseil pour Unilever, géant mondial de l'agroalimentaire et pour la carte des vins du Savour Club (15 000 euros par an, comme pour de nombreux étoilés), de la vente par correspondance avec les Trois Suisses, ou encore de la publicité pour Royco (Unilever), qui lui a rapporté 450 000 euros, et pour la mayonnaise Bénédicta. Sans oublier la formation pour le compte du groupe hôtelier Suisse Manotel, qui, avec « un ambitieux partenariat basé sur le conseil en restauration » représente près de 10 % du chiffre d'affaires total de la machine à *cash* mise en place par Loiseau. Cerise sur le gâteau, un contrat en or avec Agis, pour des plats cuisinés sous vide au nom du chef de Saulieu. Le contrat, de la conception des recettes au tournage des publicités, lui aurait rapporté plus de 3 millions d'euros. Pas étonnant, le nombre d'unités vendues n'a cessé de croître pour dépasser les 4 millions en 2003[11]. Une affaire initiée au printemps 1998. Alors invité du journal télévisé de France 2, Bernard Loiseau avait profité de la tribune qui lui était offerte pour lancer un véritable appel d'offres en direct aux fabricants de plats cuisinés, comme s'il s'agissait d'un télé-achat. Résultats : les candidats se sont bousculés au portillon. Agis, qui a été choisi par Loiseau, a bien fait : dans un marché de plus de 150 millions d'euros, en croissance de 20 % par an, la part de marché des produits Loiseau est de 35 %. En 2001, le groupe Loiseau a ainsi vendu plus de 3,5 millions de plats de 4 à 5,2 euros, soit plus de 17,5 millions d'euros de recettes. De quoi assurer des revenus confortables au maître de Saulieu : « J'ai touché 450 000 euros sur les 750 000 euros

[11] Source sites Internet *L'hôtellerie* et *Néo-restauration*.

de résultat, disait-il en 2001. Je perçois également un salaire de 2 000 euros par mois comme chef de La *Côte d'or.* »[12] Il n'y a pas de quoi cracher dans la soupe, fut-elle en sachet ! Loiseau avait aussi signé avec sa femme Dominique une chronique dominicale dans *Le Journal du dimanche* et une émission hebdomadaire sur RTL ou encore vendu sa licence pour l'ouverture d'une *Côte d'or* au Japon, à Kobé. Ce qui ne l'empêchait pas d'affirmer en octobre 2002 : « Si je perds une étoile *Michelin,* je n'ai plus qu'à "me faire Vatel". Avec mes différentes activités, j'ai souvent l'impression d'être un funambule avec des gens armés de ciseaux et prêts à couper le fil sous mes pieds. » Un an après le décès tragique du fondateur, la *Côte d'or* vivote. La photo du maître est partout. Les amis du chef, de sa femme, ont profité de l'été pour venir l'encourager, l'entourer, comme Guy Savoy, arrivé avec sa petite famille. Depuis le 24 février 2003, la veuve de Bernard Loiseau dit avoir reçu plus de 4 000 lettres et 3 000 mails de soutien. Une chose est sûre, elle n'a pas perdu son sang-froid : « Il y a des gens qui avaient prévu de venir et qui sont venus quand même, il y en a qui n'étaient jamais venus et qui ont décidé de venir, et je trouve ça remarquable. Grâce à ça, on acquiert une nouvelle clientèle pour tout l'établissement. » Forcément, quand on a sacrifié sa vie, ses amis, son temps libre, ses enfants et son train de vie pour assurer la pérennité de son entreprise, la seule chose qui compte, c'est de continuer, coûte que coûte. De toute façon, impossible d'arrêter une locomotive lancée en vitesse de croisière, sa force d'inertie est trop grande : « La question ne s'est même pas posée. On était obligés de continuer », confie Dominique Loiseau. À défaut de pouvoir ressusciter son mari, elle veut continuer

[12] Article déjà cité.

à lui donner vie, en faisant comme il lui a appris, « contre mauvaise fortune, bon cœur ». Pas un seul moment, Dominique Loiseau, qui assure que son mari lui « dicte ce qu'il faut faire », n'a pensé quitter La *Côte d'or*, qu'elle a d'ailleurs rebaptisée en juin *Relais Bernard Loiseau.* L'inverse donc, de la stratégie habilement menée ces dernières années pour rassurer les investisseurs, inquiets que le groupe ne repose que sur une seule personne. Le projet de Dominique Loiseau n'est pas de faire du Loiseau sans Loiseau, mais de développer le Relais & Châteaux qu'elle juge « très viable ». Le problème, c'est que tout semble dire le contraire : difficile d'accès, Saulieu est avant tout une étape gastronomique. Les clients venaient pour le restaurant et Bernard Loiseau. Séduits, certains y faisaient étape. L'établissement est certes luxueux, mais il est isolé et n'a pas de parc. Le jardin est petit, la piscine aussi, il ne sera donc jamais un lieu de villégiature prolongée. Jusqu'à présent, le restaurant Bernard Loiseau drainait la clientèle pour l'hôtel. Dominique Loiseau avait tout fait pour allonger la durée des nuitées. La moyenne des séjours était de 1,2 jour, il y a dix ans, et elle s'établit aujourd'hui à 1,9 grâce à des chambres luxueusement aménagées et un « modeste » Spa qui a coûté plus de 450 000 euros[13]. Difficile de faire mieux, la maison ne peut guère s'étendre ni s'améliorer. Mais pour faire face, Dominique Loiseau s'est empressée de faire bonne figure, allant jusqu'à dire « la vie continue », c'est-à-dire, comme disent les Américains : *business as usual*[14]. Afin de prouver que la maison tournait très bien comme ça, Dominique Loiseau n'a fermé qu'une journée, le lendemain du décès. Immédiatement, elle s'est fait nommer P-DG du groupe Loiseau à la place de son

[13] Chiffre indiqué par Dominique Loiseau.

[14] Traduction : « les affaires continuent ».

mari et s'est employée à mener à bien les affaires en cours. Paradoxalement, l'entreprise n'a jamais été aussi saine sur le plan financier : comme l'explique Dominique Loiseau, « Bernard avait des assurances en béton. » Ainsi, l'endettement, qui représente 3,6 millions d'euros, était couvert, y compris en cas de suicide. Par ailleurs, Loiseau avait souscrit un contrat « homme clé » de 2,3 millions d'euros[15]. Le drame a permis au groupe de réaliser un exercice sérieusement positif malgré la disparition de son fondateur. Mais ce n'est pas tout. Dominique Loiseau doit payer de sa personne comme pour la renégociation du contrat avec Agis, signature d'un nouvel accord avec les champagnes Besserat de Bellefon, puisque le contrat précédent avec Perrier-Jouët était arrivé à échéance. Dominique Loiseau s'est engagée à faire personnellement au nom de Bernard Loiseau la promotion de Besserat de Bellefon, et représentera cette maison dans certaines manifestations. Pas question de lâcher du lest. Il n'est en effet pas un seul domaine où la licence Bernard Loiseau soit laissée en friche. Pour le moment, pas d'inquiétude, les plats surgelés se vendent toujours aussi bien : +42 % dans les six semaines qui ont suivi la mort du chef, +10 % sur 2003. Et de nombreux acheteurs se disent « sensibilisés après la mort de Loiseau ». Six nouvelles références ont été sorties le 18 juin 2003 dans la gamme Bernard Loiseau et personne n'y trouve rien à redire. « C'est Patrick, le second de Bernard, qui suivait déjà cette gamme de produits, mais bien sûr on garde la marque Bernard Loiseau, précise Dominique Loiseau. Pour les gens, ça représente quelque chose, il ne faut pas en changer. Ainsi, on continue à faire du Bernard Loiseau. » Une véritable manne, si l'on en juge

[15] Chiffres groupe Bernard Loiseau.

par les efforts consentis par le chef. La poule aux œufs d'or savamment entretenue par Bernard Loiseau est donc encore loin d'être tarie. Aujourd'hui, Madame Loiseau se plaint, mais elle est lucide : « C'est partout pareil. Sur 2003, on est à –15 % pour le restaurant, encore plus pour l'hôtel. » Il y a beaucoup moins d'Américains, moins de Japonais et plus d'Européens, mais ça ne compense pas. « Si on avait été à –50 %, avoue-t-elle, j'aurais compris, mais la clientèle nous soutient tellement. Tous les jours quelqu'un me dit "courage, il faut continuer". »

Guérard, le soleil du thermalisme

Le cas de Michel Guérard, chantre de la Nouvelle Cuisine, et trois étoiles *Michelin* d'*Eugénie-les-Bains*, est également éloquent. Pour lui, tout a démarré dans les années 70 lorsque sa cuisine minceur faisait des ravages grâce notamment à Gault & Millau. Les livres de Guérard connaissent des tirages pharaoniques, plusieurs centaines de milliers d'exemplaires à travers le monde. Notamment *La Grande Cuisine Minceur*, plus d'un million d'exemplaires dans 13 langues, qui figure parmi les 100 meilleures ventes tous secteurs confondus des cinquante dernières années. Ce coup de projecteur a attiré les convoitises. Le groupe Nestlé a ainsi demandé à ce pâtissier de formation des recettes de desserts et lui a confié la supervision de ses lignes de crèmes glacées. Un contrat, premier du genre, qui a fait scandale à l'époque : beaucoup de cuisiniers jugeaient méprisable de collaborer avec les industriels de la malbouffe. Guérard s'en moque et travaille aujourd'hui aussi pour Findus, la marque de plats surgelés du groupe. Sa seule contrainte : faire beau et bon pour pas trop cher en linéaire. Parce que pour le chef, ses deux jours pas mois lui ont rapporté plus de 150 000 euros pendant trente ans. Une vraie rente ! Pourtant, il assure : « Je ne circule pas rue de Passy en Ferrari avec des gants beurre frais. Je suis un homme de la campagne. » D'ailleurs, le cuisinier Guérard déclare gagner 7 000 euros mensuels[16], avantages en nature et alimentaires compris, un salaire qu'il qualifie de « misérable ». Il assure ne rien garder pour lui et tout réinvestir dans sa société, qui réalise entre 15 et 20 millions d'euros de chiffre d'affaires. En tout cas, c'est le père de Christine Barthélémy, la femme de Guérard, qui a racheté *Eugénie-les-Bains* à la fin des années 70 et permis au chef de s'installer. Christine a ensuite hérité de la Chaîne thermale du Soleil, qui exploite plus de vingt stations dans le sud de la France. Plus de vingt ans après, le nombre de curistes a été multiplié par 30 pour atteindre 6 000 et Guérard dirige le groupe. Devenu gestionnaire et financier, il a puissamment diversifié son entreprise, innovant et surtout investissant : il dispose d'une annexe, *La Ferme aux grives*, d'un Relais & Châteaux d'un luxe inouï et d'une station thermale complète à son nom. Le chef possède également un domaine viticole de plus de 100 hectares à Bachen dans lequel il a investi plusieurs millions d'euros ces vingt dernières années pour promouvoir le vin de Tursan.

« Bon appétit, bien sûr »

Mondialement connu, surtout au Japon et aux États-Unis, « trois étoilé » *Michelin*, nommé cuisinier du siècle par

[16] *Les Gros Sous des grandes toques*, in *GaultMillau*, avril-mai 2001.

GaultMillau et meilleur chef du monde par la presse américaine en son temps, Joël Robuchon a raflé toutes les récompenses. Depuis l'obtention de sa troisième étoile en 1991, du conseil en tout genre, des contrats ont afflué du monde entier. Entre autres : les recettes et les plats cuisinés de Fleury-Michon (50 000 portions vendues par semaine au moment des fêtes[17]), la sélection des produits de la ligne « Reflets de France » (plus de 150 millions d'euros de chiffre d'affaires) ou la publicité pour les cafés Legal où il succède à Johnny. « Une exception, se justifie Robuchon, le patron était mon meilleur client, j'ai fait ça pour lui. » Mais il y a aussi celui, plus sélect, avec les champagnes Bruno Paillard : en échange, Robuchon cuisine pour quelques VIP chez les Paillard, représente la marque dans des dîners de gala et assure que c'est le meilleur du monde. Compter au moins 150 000 euros pour une opération moins « prestigieuse » mais beaucoup plus pour sa collaboration avec Carrefour pour la gamme « Reflets de France » depuis 1996. Il y teste sans arrêt de nouvelles références de produits. Robuchon a également été un pigiste de luxe pour *Le Figaro*. Plus important, le complexe Taillevent-Robuchon implanté il y a quelques années au Japon et qui ne désemplit pas. Au pays du Soleil-Levant, le chef français est en effet une véritable star. Dans l'Hexagone, il n'est pas en reste. Après son départ à la retraite volontaire en 1996, et la vente de son restaurant à la Générale des eaux (devenue Vivendi), Joël Robuchon n'a pas tardé à profiter magnifiquement non de ses avantages acquis mais de sa notoriété. Vedette de cuisine hertzienne, le chef poitevin animait une émission quotidienne sur TF1 jusqu'à ce qu'il déménage avec producteur et

[17] Article déjà cité.

recettes sur France 3. Depuis, *Bon appétit, bien sûr* y connaît de très bons scores d'audience. Produite et réalisée quasiment par un seul homme, Guy Job, avec des caméras pilotées électroniquement, les émissions sont réalisées les unes à la suite des autres en une seule journée dans un studio de la taille d'une chambre de bonne en sous-sol d'un sinistre immeuble du 15e arrondissement. Décor inchangé depuis plusieurs années, peu de personnel, équipements depuis longtemps amortis, c'est une affaire rentable , longtemps sous la coupe de la fille de Joël Robuchon. Chaque émission coûte environ 3 à 4 000 euros à produire, alors qu elle est achetée par France 3 très largement au-dessus, c'est dire si les marges sont confortables. *Cuisinez comme un grand chef*, vendue dans le monde entier est aussi diffusée en boucle sur Gourmet TV, une chaîne du câble et du satellite dont Robuchon est le président et Guy Job le patron. Ajoutez bien sûr à cela ses déclinaisons Web et édition. Sans oublier la supervision par Robuchon de la carte de l'hôtel *Astor* (Groupe Accor) et de *Chez Laurent*, à Paris. Quant à son retour aux fourneaux, très habilement piloté l'an dernier, avec un groupe d'investisseurs, (*L'Atelier*, Paris) il donne 15/20 chez *GaultMillau* et une table pleine de 11 h à 15 h et de 19 h à 23 h, sans réservation. Pour Guy Martin, c'est le début de la fin : « Robuchon est quelqu'un d'intelligent, il a compris le marché. Je pense que la haute gastronomie, il y en aura de moins en moins. Il y a trop de frais, il y a trop de charges. » *L'Atelier* parisien marche si bien que Joël Robuchon devrait ouvrir sa version londonienne en partenariat avec le fonds d'investissement américain Blackstone en octobre 2004. Ainsi qu'une autre monégasque, au sein de l'*Hôtel*

Hermitage, situé juste en face de l'*Hôtel de Paris* où officie Alain Ducasse. « Ça va saigner » a plaisanté Alain Ducasse en apprenant la nouvelle. Joël Robuchon vient début 2004 de reprendre le 16 au 16, avenue Bugeaud à Paris, qu'il devrait transformer en « *La table de Joël Robuchon* ». Contrairement à ce qu'il avait indiqué, il fait donc son grand retour. Reste que Robuchon, s'il n'est pas fâché avec l'argent grâce à la gestion financière de sa notoriété, a toujours du mal avec les chiffres : « Pour tout ce qui touche à ça, je ne dirai rien, pas un centime. »[18] En tout cas, il n'est aujourd'hui plus question de retraite : « Tout cela est infiniment moins stressant que diriger un trois étoiles. Je peux donc continuer le plus longtemps possible. »

Blanc, le premier dans son village

Parti en 1968 de l'*Auberge de la mère Blanc* créée par sa grand-mère à Vonnas, deux étoiles *Michelin* dans les années 30, Georges Blanc est aujourd'hui un homme d'affaires prospère puisqu'il possède tout le village, à une maison près. On dit même qu'il a été le premier restaurant en France à disposer d'une aire d'atterrissage pour les hélicoptères, équipement que se sont empressés de copier les confrères jaloux. Un goût pour la munificence qui ne l'empêche pas de créer et de proposer une cuisine qui lui vaut trois étoiles depuis 1981. À la tête d'un important groupe familial qui porte son nom, Georges Blanc possède un luxueux hôtel-restaurant trois étoiles et Relais & Châteaux qui réalise 35 000 couverts par an à 200 euros l'addition

[18] Article déjà cité.

moyenne[19], toutes les maisons et constructions alentour, une boutique de luxe, un cellier, un vignoble, un hôtel, l'*Hôtel des Saules*, des annexes, *L'Ancienne Auberge*, réplique d'une auberge du siècle dernier, le *Saint-Laurent* de Mâcon (détenu à 90 %), *Blanc* à Bourg-en-Bresse (à 80 %) et *Au restaurant* à Lyon, sans oublier le château d'Epayssoles. Selon certains observateurs, Georges Blanc a vu trop grand. « Aujourd'hui, on arrive à une taille au-delà de laquelle il ne serait pas raisonnable d'aller », reconnaissait le chef en 1999. Depuis, il s'est pourtant bien développé et a parallèlement publié plusieurs livres de recettes. « Ce n'est un secret pour personne, assure le chef de Vonas, je déclare 5 millions de francs de revenu imposable. »[20] Depuis des années, l'homme d'affaires qui n'est plus aux fourneaux montre la voie à son fils qui sera la 5e génération de Blanc aux manettes.

Alain Ducasse inc.

Le Plaza Athénée à Paris, le *Louis XV* et le *Bar & Bœuf* à Monaco, des auberges de campagne (*La Bastide de Moustiers*, 900 000 euros de chiffre d'affaires gérés par Ducasse France, *Iparla* dans le pays basque), *Essex House* à New York, le *59 Poincaré* et *Il Cortile* à Paris... Tout ça, c'est lui. En 2001, le chef « multiétoilé » générait déjà plus de 30 millions d'euros (200 millions de francs de chiffre d'affaires). Mais depuis, il a plus que doublé l'activité de sa multinationale. Alain Ducasse est partout et trouve toujours le temps pour des projets motivants comme concocter le réveillon du millénaire sur le Concorde. Sinon, Ducasse refuse tous les

[19] Article déjà cité.
[20] Article déjà cité.

contrats : « Je ne veux pas faire de cravates ni vendre mon nom, ce n'est pas ma stratégie. Et si j'accepte de faire un ou deux dîners par an, je prends très cher. » En revanche, le chef a toujours refusé les plats cuisinés : « Ma tronche ne passera pas sur un tapis roulant de supermarché entre une boîte de clous et un rouleau de papier toilette... » Loiseau et les autres ont dû apprécier ! Sans doute parce qu'il sait que les produits et les garanties apportés par les industriels restent largement insuffisants. Son attachée de presse l'assure, « Alain Ducasse fait de la cuisine, pas du business. » Joël Robuchon est lui plus circonspect : « C'est un homme d'entreprise. Il adore les affaires. Déjà quand il avait deux trois étoiles, il avait une stratégie, une organisation. Ducasse, c'est une évolution vers une autre voie. » L'homme en question se moque de tout ça. Il se définit comme « un cuisinier moderne qui dépasse les frontières de l'Hexagone ». Mais comment fait-il alors ? Prioritairement, il s'occupe de ses grands restaurants dont celui d'*Essex House* à New York, le seul qu'il détienne « en propre », celui de Paris au *Plaza Athénée* et celui de Monaco, le *Louis XV* à l'*Hôtel de Paris*. Ce qui lui vaut d'avoir en tout neuf étoiles *Michelin*. Pour le reste, il préfère parler de galaxie, d'activités « annexes et accessoires ». Alain Ducasse est un cuisinier en réaction. *Le Spoon*, une table *world* et design née à Paris en 1998 et accompagnée de son livre de style ? Une réaction contre l'enthousiasme des Français et des médias pour les créations du Londonien Sir Terence Conran (*L'Alcazar*, Paris). Au *Spoon*, Ducasse réinvente les influences étrangères. Une technique qu'il a depuis clonée dans le monde entier puisqu'il existe aujourd'hui d'innombrables *Spoon*. Les bistrots « gastro » et fusion qui ont ouvert à

Paris, Londres, Tokyo, l'île Maurice, ou encore Saint-Tropez sont l'une des branches les plus développées de la stratégie ducassienne de conquête du monde. Et les ouvertures se succèdent. À l'automne 2003, *Spoon* a ouvert à Hong-Kong, en décembre à Gstaad (Suisse) et ouvre en mars 2004 à Carthage (Tunisie). On ne le dira sans doute pas assez, Alain Ducasse « veut être présent partout ». Jamais un cuisinier n'aura créé un tel empire. Ducasse, lui, assure que « le rythme de croissance est impulsé par notre capacité à former des gens. C'est simple, après, c'est eux qui poussent derrière. Alors il faut bien créer des restaurants si on ne veut pas qu'ils partent ailleurs ». En termes de management, Ducasse résume ses méthodes par un simple jeu de mots : « Savoir-faire, savoir faire faire et faire savoir. C'est comme ça que j'occupe mon temps, un tiers, un tiers, un tiers. »

Le secret de Ducasse, c'est qu'il sait bien s'entourer et bien déléguer. Il insuffle son esprit, et ce sont ses seconds et leurs brigades qui réalisent ses recettes, sa cuisine. Ce qui fait qu'il est partout et nulle part. « Mes clients savent que je ne suis pas forcément dans mon restaurant au moment où ils viennent », affirme cet ancien *frequent flyer* du Concorde toujours entre deux avions. Fin 1998, Alain Ducasse a créé une *holding*, sa troisième société, Bénéteau-Ducasse-Plantier. Puis, pour un peu plus de 1,7 million d'euros, il a racheté la chaîne Châteaux et Hôtels indépendants (1,8 million d'euros d'investissements) qu'il contrôle à 80 % avec son homme d'affaires, Laurent Plantier, rouage indispensable de la machine Ducasse, redoutable et très efficace[21]. Avec le guide de la chaîne, Ducasse est également devenu éditeur. De Gustibus, son

[21] Article déjà cité.

école de cuisine à Argenteuil (1 500 euros la semaine), lui permet également de facturer des honoraires de conseil pour des séances de formation (Alain Ducasse Formation). Début 2003, Alain Ducasse a également ouvert à Paris *BE*, une « boulangépicerie » en partenariat avec le boulanger Éric Kayser qui ne désemplit pas. On le voit, Alain Ducasse mène son développement tambour battant. Il est en réalité guidé par un principe simple : que partout et tout le temps on puisse « manger Ducasse de 8 euros à la Boulangépicerie jusqu'à 400 euros à New York ». Et tout ce qu'il touche se transforme en or. Pour le plus grand chef du monde, ces activités annexes sont parfaitement cohérentes avec ses restaurants étoilés : « Ce n'est pas antinomique, il ne faut pas penser chaque fois que je fais de la haute cuisine. On a des collections différentes, mais je propose des nourritures pour les consommateurs d'aujourd'hui. » Alain Ducasse ne lésine pas vraiment sur les moyens : lorsqu'il décide de fabriquer des pâtés en boîte dans son auberge basque *Iparla*, il investit 150 000 euros pour l'opération, aménage un atelier aux normes européennes sous le restaurant. Et tout est comme ça. Jusque dans le design, avec les 200 objets ou pièces de mobilier créés spécialement pour lui au *Mix* de New York. Son ambition secrète ? Laisser une trace dans l'histoire de la cuisine moderne. N'a-t-il pas été nommé “meilleur cuisinier du monde” par *l'Amercican Academy* of *Hospitality* le 8 mars 2003 ? « On verra dans quelques décennies ce qu'en diront les contemporains, mais je suis pour la transmission du savoir. Dans mes restaurants, j'ai introduit de nombreux étrangers. On est là pour donner. » Effectivement, il donne : *Mix*, un deuxième restaurant new-yorkais en septembre 2003, la publication coup sur coup du

Grand Livre de cuisine en format poche, la parution du *Grand Livre de la cuisine des brasseries* ou encore le *Dictionnaire amoureux de la cuisine* chez Plon. On attend pour 2004 au moins l'ouverture d'une table estampillée Ducasse à Moscou et le *Grand Livre de la cuisine méditerranéenne* qui a demandé plusieurs années de travail à des historiens et plus de 50 000 euros d'investissements. Mais aussi un hôtel de 22 chambres au Pays basque, *Ostapé*, un hôtel de 38 chambres en Toscane et un vignoble, le domaine *Tenuta La Bodiola*, en partenariat avec le groupe Tora Moretti. Avec tout ça, il n'est guère étonnant qu'Alain Ducasse soit le seul Français à se classer dans le Top 100 des célébrités les mieux payées au monde selon le magazine américain *Fortune*. Au vu du nombre des coupures de presse et des connexions à Internet consacrées à Ducasse, *Fortune*, référence mondiale des classements de fortunes, le place en 91e position[22] de la liste des personnalités les plus puissantes, où figurent Jennifer Aniston (la Rachel de la série *Friends*), Steven Spielberg, J.K. Rowling, l'auteur de Harry Potter, le golfeur Tiger Woods ou les Stones. Depuis trois ans qu'il figure dans ce prestigieux classement, Alain Ducasse n'a fait qu'y grimper, et ce n'est pas fini. Dernière distinction en date, il a été promu chevalier de la légion d'honneur lors de la journée du 1er janvier 2004.

Veyrat, il en a sous le chapeau

De toutes les grandes toques, Marc Veyrat est l'un de ceux qui a le mieux réussi ces dernières années et il est sans aucun doute le plus transparent. Reconnaître qu'il a créé

[22] *Fortune*, décembre 2003.

une société exprès pour gérer ses contrats, que sans eux il n'aurait jamais pu éponger ses 7 millions d'euros de dettes contractées en 1996, que ses activités annexes lui rapportent autour de 1,5 million d'euros par an n'est pas un problème pour lui. Poète et cuisinier, le Savoyard au chapeau, apôtre de la cuisine aux herbes a dû se ressaisir lorsque son *Auberge de l'Éridan*, sise sur les berges du lac d'Annecy et pour laquelle il a obtenu trois étoiles en 1995, a failli fermer l'année suivante. Ses banques menacaient alors d'arrêter les frais car le chef au chapeau n'arrivait plus à faire face à ses échéances de remboursement. Ce fut un véritable tollé. Veyrat s'empare alors de la presse locale, nationale et internationale, dénonce la pression exercée par les banques, ce qui est toujours un argument porteur auprès de l'opinion. Il finit par obtenir, fort de nombreux soutiens, la renégociation de ses prêts, et change de banques. Marc Veyrat indique : « Je n'ai jamais déposé le bilan et n'ai jamais été en redressement judiciaire, et ce banquier qui voulait me détruire m'a, indirectement, apporté de très beaux contrats de conseil puisque le débat a été largement médiatisé. » Depuis, cet apôtre du folklore culinaire est donc devenu un peu plus *businessman*. Ce qui lui a permis de remonter la pente financièrement parlant et de monter un second restaurant à Megève, *La Ferme de mon père*, en 2000, avec près de 6 millions d'euros d'investissement. C'est Sapé international, la société de conseil de Veyrat, qui en est actionnaire à 100 %. Résultat : 130 clients quotidiens qui dépensent environ 300 euros chacun, soit un chiffre d'affaires de 0,7 million d'euros par mois[23]. Et un an après l'ouverture, *La Ferme de mon père* obtient trois étoiles. Le rêve de Veyrat, qui « a tout misé

[23] Source : *Néo-restauration* et L'*Hôtellerie*, automne 2003.

pour les avoir », devient réalité. Deux fois trois étoiles comme Ducasse et premier chef de l'histoire à recevoir 20/20 dans *GaultMillau* en 2003, Veyrat peut alors bénéficier à plein de sa notoriété. C'est donc en toute franchise qu'il travaille pour le groupe Flo, tourne des publicités pour l'eau Thonon, mais surtout coache et conseille Sodexho, leader mondial de la restauration collective, entre deux émissions de télévision pour la Cinquième, l'enregistrement de *Rebelle au chapeau*, son émission hebdomadaire sur *France Bleu*, ou deux livres. Le tout, sous le contrôle bienveillant de sa femme, Cristina Egal, à la tête d'un bureau de presse influent dans la profession. Mais pour Marc Veyrat, pas question d'industrialisation honteuse. Il assure être aussi fier de ses « six étoiles au *Guide Rouge* que du travail que je mène depuis neuf ans à la Sodexho. »[24] Chaque année, il prend donc une poignée de chefs (de cantines ou de restaurants collectifs) en stage de quelques jours dans sa maison savoyarde, met la main à la pâte de la carte du *Lido* et de la compagnie des Bateaux parisiens pour la bagatelle de 700 000 euros. Cela permet à Marc Veyrat d'autofinancer pour 450 000 euros son *Encyclopédie culinaire du XXIe siècle*[25], un travail titanesque en trois volumes entrepris en mai 2002 et récemment publié. Le tout en conservant son 20/20.

Nous sommes les frères jumeaux

Jacques et Laurent Pourcel sont des cuisiniers dans le vent. Les deux frères ont connu le succès alors qu'ils étaient très

[24] *L'Expansion* n° 665, juillet-août 2002.
[25] *GaultMillau*, septembre-octobre 2003.

jeunes, et depuis, la machine s'est emballée. Pour eux, tout a été vite, très vite, trop, sans doute. Notamment grâce à Olivier Château, leur *homme d'affaires* et aux laboratoires Chauvin, leur associé dans deux sociétés anonymes dont ils détiennent 25 %. Les Pourcel foncent parfois tête baissée, comme pour leur accord avec Robert Skalli, pour la promotion des vins Skalli. Mais ils prennent la relève avec trois étoiles au *Jardin des sens* (Montpellier), reçues à 34 ans, ce qui en fait les seconds plus jeunes trois étoiles de France après Jacques Lamelloise à 32 ans, *Tokyo*, « où le succès continue », *La Maison blanche* (Paris), haut lieu branché, des brasseries *La Compagnie des comptoirs* (Avignon, La Grande Motte), une boutique de restauration rapide, *Sens* à Montpellier en juin 2003, des boutiques, des publicités pour Elle & Vire, ou encore des livres chez Hachette qui figurent en bonne place parmi les meilleures ventes. Jacques et Laurent Pourcel ont aussi ouvert cet hiver un restaurant de 150 couverts à Bangkok, au dernier étage de l'hôtel *Dusit Thani*. Et ce n'est qu'un début, puisqu'on les annonce prochainement au Japon.

J'ai mal à mon tiroir-caisse

« Allez, pour le business, il y en a 5, 10, s'emporte Guy Martin. Mais il y en a beaucoup qui rament. Heureusement qu'il y a ce business extérieur qui maintient la maison mère. C'est très français de critiquer les gens qui réussissent. Au fond, c'est tant mieux. » Parmi les restaurateurs étoilés, seuls 23 ont accès à la plus haute distinction et une poignée à la célébrité et à l'argent. L'ensemble de la restauration traverse en effet une passe difficile. Après des années 2001 et 2002 en demi-teinte, l'année 2003 a été très moyenne. Problèmes juridiques, problèmes de charges, de personnel, de coût des matières premières, de gestion de stocks, on oublie souvent que les restaurants sont des entreprises comme les autres dirigés par des chefs, autrement dit des gens pas comme les autres ! Les problèmes que rencontre de façon récurrente la cuisine française depuis 20 ans sont essentiellement économiques. Dans les restaurants gastronomiques, les marges sont très faibles, elles tournent entre 2 et 5 %, selon les maisons, contre plus de 10 % il n'y a encore pas si longtemps. Elles sont donc très tendues. En effet, 50 % des dépenses concernent le personnel, 20 à 30 % seulement pour les matières premières, le reste part en impôts et taxes divers et en frais financiers. C'est-à-dire que 70 à 80 % d'une addition sert à payer les coûts fixes[26]. Au *Carré des feuillants*, à Paris, Alain Dutournier évoque lui « une marge bénéficiaire de quelques euros par plat [...], compte tenu des charges fixes ». Ce sont surtout les investissements qui plombent les comptes et font grimper les additions. Gagnaire, Loiseau, Veyrat ont chacun investi plusieurs millions d'euros pour transformer, rénover, moderniser, agrandir souvent luxueusement leurs établissements. Les difficultés en termes d'exploitation sont donc réelles, quel que soit le talent du chef, en témoignent les chefs cités ci-dessus. En 1996, la faillite de l'audacieux Pierre Gagnaire à Saint-Étienne a été une première : pourtant souvent plein, son restaurant était structurellement déficitaire, compte tenu des investissements colossaux réalisés pour obtenir les trois étoiles. L'affaire a fait grand bruit et Gagnaire, qui depuis a accepté d'aller « là ou était l'argent », c'est-à-dire

[26] *L'Express*, 15 mai 2003, article déjà cité.

à Paris, dispose désormais d'un restaurant à son nom rue Balzac : « Un marchand de parapluies doit choisir la ville la plus arrosée, puis la rue où il y a le plus de magasins et enfin la partie de la rue où il y a le plus de marchands de parapluies. L'emplacement... plus que jamais, c'est la règle de notre métier. » Gagnaire ne veut d'ailleurs plus entendre parler de Saint-Étienne... L'homme a été fortement marqué par la faillite de son restaurant au décor pharaonique. Une pression qui fut le fruit « de la combinaison du commerce et de l'art ». Comme lui, de nombreux restaurateurs connaissent ou ont connu de très sérieuses difficultés financières. Car, comme la haute-couture, la haute gastronomie paie peu ou mal. « En province, on investit beaucoup pour faire venir des clients », reconnaît Marc Veyrat. Il y a en effet un monde entre Paris et la province : à Saulieu ou à Saint-Étienne, les hommes d'affaires ne sont pas légion à l'heure du déjeuner, tandis que dans la capitale, les repas sur notes de frais réalisent un pourcentage non négligeable du chiffre d'affaires et sont en constante diminution. Pour attirer les clients, les chefs se sont offert des équipements très coûteux : hôtels luxueux, piscines, héliport... À la *Côte d'or*, Bernard Loiseau avait calculé qu'avant d'avoir commandé quoi que ce soit, un client lui « coûtait » déjà plus de 70 euros, charges d'emprunt, de matières premières et de personnel comprises. En tout, il disposait de 72 salariés pour la table, plus de 120 personnes dans son groupe[27]. Pour les cuisiniers, la pression est donc avant tout financière. Pour André Daguin, aujourd'hui à la retraite, « être propriétaire du fonds de commerce, ce n'est pas confortable. Je suis beaucoup plus tranquille aujourd'hui, après avoir revendu mon fonds, que quand j'y étais. Ça paraît peut-être la solution la

[27] Chiffres groupe Bernard Loiseau.

plus simple, mais c'est la plus difficile à assumer ». En refusant d'accorder de petits prêts à des restaurateurs indépendants mais artisanaux et en leur préférant de grands projets à la Loiseau, les banques ont aussi poussé nombre de chefs à voir plus grand, à se développer. « De toute façon, renchérit Daguin, il vaut mieux devoir à un banquier 10 ou 15 millions d'euros que 1 ou 2. » Il est en effet plus confortable pour un banquier de se dire qu'il prête de l'argent à une multinationale de l'agroalimentaire en gestation qu'à un restaurateur de quartier. L'ambition des cuisiniers a d'ailleurs accompagné cette stratégie.

Dans les années 80, il y avait de l'argent dans la France entière. Les clients venaient en hélicoptère, allaient manger partout. Puis la crise est passée par là et avec sont arrivées les années où les gens avaient moins d'argent. Il fallait que les restaurants restent attractifs. Ils ont investi, ce qui a coûté beaucoup d'argent. Et en province, en semaine, c'est souvent désert. Difficile d'être rentable dans ces conditions. Certes, les grandes maisons sont très dures à gérer, mais n'est-ce pas parce que les chefs le veulent bien, parce qu'ils l'ont choisi ? Pour compenser, Loiseau, Meneau, Veyrat et les autres se sont endettés pour faire des chambres luxueuses et donc des marges plus importantes : sur une chambre louée entre 200 et 300 euros, la marge tourne autour de 30 à 40 %, c'est presque 10 fois plus qu'un repas pris dans le même établissement. Pas étonnant, donc, que Dominique Loiseau ait réorienté sa stratégie vers son Relais & Châteaux : « Avoir trois étoiles ne résout pas tout. Construire un Relais & Châteaux était indispensable, c'était la base. Mais il fallait de l'argent, et Bernard a eu des soucis financiers. On mettait tout dans les travaux. » Alors le couple avance étape par étape. La première tranche est complétée en 2000. Pour ce faire, Bernard Loiseau fait un emprunt. Tous les six mois, ses créanciers lui font passer un contrôle de santé. Car il y avait beaucoup de remboursements, trop même selon de bons connaisseurs de la maison. « Faux, rétorque Dominique Loiseau, c'est comme quand quelqu'un achète un appartement. Si la banque vous prête, c'est qu'elle pense que vous pouvez rembourser. » Mais pour entrer en Bourse, seule façon de sortir de l'engrenage des prêts, il fallait autre chose. Avoir un hôtel-restaurant qui fonctionne, c'est bien, mais ça ne donne pas une dimension industrielle à l'affaire. Qu'à cela ne tienne, pour Bernard Loiseau, l'affaire est vite conclue : pour étoffer son « groupe » et faire avancer son projet, il rachète coup sur coup trois restaurants à Paris, qu'il transforme en brasseries haut de gamme. Des anciens de chez lui y feront la cuisine, son second se rendra à Paris une fois par semaine et le tour est joué. Dominique Loiseau confirme : « Paris, ce n'était pas vraiment un gros souci, il faisait tout faire à d'autres. Il ne s'obligeait pas à un aller-retour par semaine. Il s'est bien dégagé de tout ça. » Et tant pis pour ceux qui croyaient naïvement que le chef venait de temps en temps en cuisine où qu'on y mangeait la même chose qu'à Saulieu.

La cuisine aiguise l'appétit des financiers

Les besoins en *cash* de la haute gastronomie française ont donc été croissants depuis vingt ans. Souvent, les banques se sont avérées insuffisantes pour subvenir aux problèmes rencontrés par les chefs. D'ailleurs, les chiffres confirment une crise réelle. Rares sont ceux qui, à l'instar du génial Espagnol Ferran Adria, peuvent encore dire : « Si je voulais, je pourrais ajouter un zéro à l'addition et le restaurant serait toujours plein. » Et si, après des années difficiles, les trois étoiles s'en sortent bien dans l'ensemble, c'est que, à Paris, 7 maisons sur 10 sont devenues la propriété de grands groupes ou d'investisseurs. Il y a 6 ou 7 ans, un grand restaurant pouvait trouver des financements privés qui lui permettaient de durer quelques années, suffisamment en tout cas pour attirer clients et critiques : Groupe Accor, Groupe Taittinger, Elior, champagnes Vranken... Bien qu'ils s'en défendent, les chefs qui appartiennent à ces grands groupes, c'est-à-dire qui ne sont pas propriétaires des murs et parfois pas du fonds de commerce, vivent une situation délicate : assurer le meilleur service, pas toujours très intéressant en termes de rentabilité et en même temps la meilleure gestion vis-à-vis de leurs patrons ou actionnaires. Financiers, grands capitalistes, industriels de l'agroalimentaire, vedettes, nombreux sont ceux qui coiffent des grandes toques. Pour des intérêts divers, image, prestige ou tactique. Guy Martin, salarié d'une société qui appartient à la famille Taittinger, s'en satisfait très bien : « Être comme moi dans un grand groupe, ça apporte une grande liberté. On n'est pas chez soi, donc on n'a pas le problème de revendre le jour où l'on veut s'en aller. Et quand on est dans un grand groupe comme Concorde, il y a une assise au niveau de la trésorerie ; si des investissements sont nécessaires, ils seront faits, la direction générale vous suit ; en plus, c'est un groupe familial. Là, ça marche, ça fonctionne très bien avec mes 42 employés. On fait à peu près 20 millions de francs de chiffre d'affaires, mais c'est une petite maison, on n'est pas une multinationale. » Ce n'est pas Alain Senderens qui dira le contraire, lui qui au bord du dépôt de bilan en 1998 a racheté grâce aux champagnes Vranken son restaurant aux Japonais. Autre incarnation jadis idolâtrée de la Nouvelle Cuisine, Senderens, trois étoiles chez *Lucas-Carton* (Paris), baptisé par certains le « révolutionnaire institutionnel », exerçait pourtant des activités de *consulting* chez Carrefour pour qui il crée plus de 10 nouveaux plats cuisinés par an. Ses voyages réguliers au restaurant du Sofitel de Lyon, *Les Trois Dômes*, dont il est conseiller culinaire, lui rapportent beaucoup plus d'argent que tout le reste, restaurant compris. Malgré tout, Senderens a dû vendre. Gérard Boyer (*Les Crayères*, Reims), qui doit aux champagnes Pommery (propriétaire à 70 %), puis à Danone, de l'avoir aidé à acquérir sa « folie » et à la développer, ne le contredira pas. Une liberté qui a un prix selon Flora Mikula : « Il n'y a pas que les grands groupes qui la permettent, la preuve. Si je devais un jour aller travailler pour un grand groupe hôtelier, ce serait un échec total. Je crois vraiment à l'avenir de la restauration indépendante. Si je me plante ici ou avec un autre, je suis prête à prendre la fuite et à remonter autre chose ailleurs. Je ne pourrais pas rester sur un échec, je serais vraiment mal. Aller travailler pour quelqu'un, c'est bien beau, mais dès qu'il s'agit de pognon, on n'est plus maître chez soi. »

Car la cuisine aiguise l'appétit des investisseurs. La réalité, c'est qu'un nombre de plus en plus important de grandes toques sont chapeautées par des grands groupes ou des financiers. Mécènes ou actionnaires, ils ont pris sous leur aile un artiste que la crise économique contrariait. En tête, les chaînes hôtelières ou les groupes de restauration collective qui s'offrent à peu de frais une « danseuse », aussi prestigieuse qu'utile en termes d'image et de communication. De gros groupes comme Vivendi et sa filiale CGIS ont eu jusqu'à 11 restaurants et 50 hôtels. Engager de grands chefs connus comme ce fut le cas pour Alain Ducasse ou Ghislaine Arabian, permet de doper l'hôtellerie ou la fréquentation de tel ou tel établissement. « À l'avenir, assure André Daguin, les restaurants étoilés devront s'adosser aux palaces, aux grandes chaînes thermales. Les grands chefs indépendants sont une espèce en voie de disparition. » D'ailleurs, la plupart du temps, les chefs n'ont pas leur mot à dire, ce sont les patrons des groupes auxquels ils appartiennent qui décident. Le cuisinier devient un salarié presque *lambda*, avec des obligations à remplir, une rentabilité à fournir et une gestion qui n'a rien à voir avec la grande restauration traditionnelle. L'argent prend alors le pas sur la création, la « financiarisation » de la cuisine est en marche. Jean-Claude Marcel, auteur de *La Salle Bouffe*, confirme : « L'agroalimentaire condamne les cuisiniers indépendants à se satisfaire de devenir des salariés dociles et impuissants de l'industrie. »[28]

C'est ce qui s'est passé, semble-t-il, lorsque la nouvelle directrice générale de l'*Hôtel Crillon* à Paris a décidé de remplacer le chef de son restaurant, témoigne un des candidats qui a été approché : « Ils ont vu tout le monde, ça fait des semaines qu'ils cherchent. Je sais que je tiens la corde, mais en dernier recours, c'est Albert Frère, le milliardaire belge, premier actionnaire du groupe, qui décide. Le directeur du groupe ne choisirait pas un chef qui lui déplairait. » Dans le groupe Royal Monceau, par exemple (*Les Élysées du Vernet*, à Paris, entre autres), c'est le propriétaire

[28] *La Salle Bouffe*, Jean-Claude Marcel, Barrault, 1990.

qui parle, ce n'est pas le chef. Le chef n'intervient jamais. « Le restaurant, c'est le seul moyen de faire parler d'un hôtel, explique un conseil en communication qui souhaite rester anonyme. Pour les grands hôtels, l'actualité du chef est le principal vecteur de communication. C'est une des raisons pour lesquelles les groupes ont des restaurants gastronomiques souvent déficitaires, pour entretenir la notoriété. La rentabilité des principaux "gastro" des grands hôtels est une catastrophe : c'est la course à l'étoile pour attirer des clients étrangers. Ça coûte une fortune, mais pour les propriétaires, il n'y a que les étoiles qui comptent comme les grands prix pour les écuries de course. Par exemple, Philippe Legendre, au *George V*, s'engage à donner de la visibilité à l'hôtel au plan international. « Les grands groupes en jouent, confirme François Simon. Ils engagent les chefs les plus en vue comme des *boosters* pour leur activité. » Une chose est sûre, les restaurateurs qui sont aujourd'hui la propriété de grands groupes doivent faire du profit à court ou à moyen terme. Michel Del Burgo, l'ancien chef de *Taillevent*, savait ce qu'il disait lorsqu'il parlait en 2001 des investisseurs du secteur : « Juste parce qu'ils ont des millions, ils pensent qu'ils connaissent parfaitement le business. »

Sachant cela, Del Burgo aurait peut-être dû se méfier, puisqu'il vient de vivre un échec cuisant à *La Bastide* de Gordes, où Jean Mazet, le propriétaire, a fait appel à lui début 2003. Del Burgo a donc acheté une maison à proximité et déménagé de Paris tout une partie de sa brigade. Mais il s'est vite senti à l'étroit et rapidement a constaté des divergences insurmontables entre ses vues et celles du propriétaire de cet hôtel-restaurant. Résultat : il a dû quitter les lieux après quelques mois à peine. Le propriétaire, lui, parlait de « turbulences » et de « passage éclair ». Dans un communiqué, Jean Mazet expliquait : « La tentative de Del Burgo, c'est malheureusement du passé. Dès le 2e mois, il a manifesté le désir d'arrêter. J'ai réussi à le retenir jusqu'en mai. » C'est d'ailleurs le drame de Michel Del Burgo : licencié, il a porté son dossier devant les prud'hommes. Il accuse son employeur de ne pas avoir respecté le chant des sirènes dont il avait usé pour convaincre le chef étoilé de quitter une place bien en vue à Paris pour venir chez lui.

Ce type de divergences entre le propriétaire d'un établissement et son chef est fréquent. En septembre 2003, le restaurant *Les Loges* (Lyon), distingué en 2003 par une étoile *Michelin*, a ainsi fermé. Son chef, Nicolas Le Bec, en était gérant salarié, les murs appartenant à la famille Sibuet[29] ; c'est « un courrier qui lui a appris la nouvelle », rapporte l'hebdomadaire professionnel *L'Hôtellerie*. Dans un communiqué, le propriétaire a fait état d'une « vision non partagée sur la gestion de la restauration », souhaitant axer la gastronomie sur le snack et les séminaires, « tout cela étant difficilement compatible avec la stratégie de haute gastronomie et le produit élitiste mis en place par Nicolas Le Bec ». Frais de personnel, achats de produits haut de gamme ont obéré la rentabilité du restaurant, en perte, alors que le bar et la cafétéria rapportent de l'argent : « Il s'agit du problème économique d'un ensemble », résume Georges-Éric Tischker, gérant de la *Cour des Loges*. Une vision que ne partage pas le jeune chef, créateur en 2000 de ce restaurant : « L'affaire est bénéficiaire avec un chiffre d'affaires de 3 millions d'euros, et nous travaillons à guichet

[29] Compagnie des hôtels de montagne, présente à Megève, Saint-Tropez et Ménerbes.

fermé tous les soirs. Je ne me sens pas responsable de la rupture du contrat », explique celui qui était également consultant en restauration pour la compagnie des Hôtels de montagne. Depuis, Nicolas Le Bec a ouvert son propre restaurant à Lyon, « une maison d'amis avec le respect du client ». Il faut également noter que dans la haute cuisine, chaque année au printemps, les transferts se multiplient, comme dans le football, le vélo ou la Formule 1. En 2003, c'est Jean-François Rouquette, ancien de la *Cantine des gourmets* à Paris qui est appelé aux *Muses* (*Le Scribe*) pour remplacer Yannick Alléno, parti au *Meurice*. Ou encore Laurent Audiot (*Marius et Jeannette*, Paris), qui est embauché par Gérard Depardieu pour diriger les cuisines de *La Fontaine Gaillon* (Paris 2e), son nouveau restaurant. Voilà aussi qui en dit long sur les rapports entre les chefs et les propriétaires, qu'ils soient ou non hôteliers.

Indépendance, j'écris ton nom

Poser la question de l'argent de la cuisine, c'est inévitablement poser celle du statut du cuisinier, qu'il soit restaurateur indépendant, gérant intéressé ou non aux résultats, simple salarié ou consultant. Entre eux, sur ces sujets, les chefs sont en effet impitoyables. Notamment entre ceux qui sont propriétaires de leurs restaurants, de plus en plus rares, et les autres, salariés de grands groupes ou juste consultants.

Homme d'affaires pointilleux, Alain Ducasse a une recette : sous contrat de salarié ou de consultant avec des groupes hôteliers, il développe ses restaurants dans l'enceinte de palaces de renommée internationale : *Hôtel de Paris* à Monaco, *Plaza Athénée* à Paris, *Essex House* à New York, mais aussi *Saint-Géran* à l'île Maurice, *Byblos* à Saint-Tropez ou *Sanderson* à Londres. Alain Ducasse fut un pionnier en matière de relations contractuelles entre un cuisinier et ses patrons, inaugurant un nouveau genre de collaboration. Le contrat est simple : le propriétaire gère son hôtel et amène des clients, Ducasse s'occupe du restaurant, où il les soigne aux petits oignons et encaisse les additions. Alain Ducasse peut ainsi travailler avec différents groupes comme Accor en France (restaurant *Il Cortile*, Paris 8e et *Bar & Bœuf*, Paris 7e), la société des Bains de mer, Raffles International ou Sun international, les plus grandes chaînes hôtelières internationales.

CHAPITRE 7

Les tontons flingueurs en cuisine

« Méfiez-vous de la tarte maison, c'est souvent celle de la femme du chef. »
Robert J. Courtine

Le chef des chefs

La gastronomie française connaît une crise d'identité sérieuse. Il est donc temps de se mettre à cogiter en France sur la cuisine que nous voulons pour demain. S'adapter aux nouveaux modes de consommation et savoir revenir sur ses certitudes, sont en effet deux qualités mal partagées des cuisiniers et des médias dans l'Hexagone. Représentativité à tiroirs, subdivisions en cascade, syndicats professionnels multiples, comités inutiles, l'interprofession n'a pas d'existence réelle. « Au sein du syndicat de la haute cuisine, explique Jacques Pourcel[1], j'ai tenté de faire des choses, mais je me suis souvent retrouvé trop seul pour parvenir à faire

[1] *Le Nouveau GaultMillau* n° 1 avril-mai 2003.

bouger les choses. La crise économique contraint les cuisiniers à se recentrer sur leur entreprise. Si certains s'occupent de formation et tissent des liens de solidarité, la plupart n'ont ni le temps ni les moyens pour se rassembler. » Ajoutez à cela une pincée de compromission, une bonne dose de confréries ringardes et l'absence de réelle entraide, et l'on se retrouve incapables de faire face à la concurrence industrielle et multinationale. Malgré elle, Dominique Loiseau confirme : « Les restaurateurs sont des gens très individualistes. » Comme si la spirale sans fin de la gloire et de la reconnaissance pouvait faire perdre la raison au point d'oublier les amis, les confrères, dans la rivalité. Il faut croire que rien n'apaise les haines dès qu'il s'agit de réussite ou d'argent… D'ailleurs il faut se rappeler que de nombreux membres éminents de la haute cuisine française qui ont fait mine de pleurer la mort du chef de Saulieu ne se privaient pas de le critiquer en privé lorsqu'il était au faîte de sa gloire, à la télévision et dans les guides. En écho, Jean Miot ne dit pas autre chose : « La confraternité en matière de gastronomie vaut bien celle de la presse ! La confraternité journalistique est quelque chose de palpable, et c'est bien pire en cuisine. Ils s'embrassent avec le sourire et conservent des couteaux dans les manches et les pointes des fourchettes entre les dents. Il faut bien le dire, il y a une jalousie spontanée naturelle qui fait qu'on dit bien volontiers du mal du voisin. » Ainsi, c'est la course aux étoiles entre chefs, comme bien souvent lorsque les restaurants sont proches, dans un rayon d'une heure en voiture. C'est alors la guerre. « En salle, c'est décor de luxe, écrit Vincent Noce, critique à *Libération*, service feutré et belles assiettes. En coulisse, la partie de la gastronomie est déchirée de guerres secrètes. Des bandes rivales se partagent les territoires, les chefs de guerre se défient, les coups bas sont la règle. L'enjeu, c'est le cachet. » Il n'y a qu'à entendre Alain Ducasse parler de Ferran Adria d'un air moqueur : « Si on n'a pas la réflexion, le terroir mental, on n'a rien. » Ou encore à le voir jouer le *deus ex machina* de la cuisine française, se vantant par exemple d'avoir récemment imposé à la tête du restaurant de l'*Hôtel Crillon*, son second du *Plaza Athénée*, Jean-François Piège. Comme si rien ni personne, aucun honneur, aucune gloire ne devaient lui résister. On se souvient aussi qu'en 2000, Alain Passard s'était lancé dans la cuisine des légumes à grand renfort de publicité dans la presse, en pleine hystérie de la « vache folle ». Un journaliste ose parler de « nouveauté », et voici Alain Ducasse qui bondit et écrit : « Le 27 mai 1987, j'avais déjà mis un menu légumes à la carte du *Louis XV* à Monaco. » Seize ans après, lorsque « ça arrive enfin à Paris », que la presse parle de « révolution », le chef neuf fois étoilé fustige l'ignorance des journalistes, qui parlent de mode et de tomate à la *plancha*, alors que, presque comme l'huile d'olive, « une mode millénaire », ce sont des choses qu'il a déjà faites. Chacun ne peut tolérer que l'autre lui fasse de l'ombre. Le microcosme des toqués est donc un monde sans pitié dont les habitants ont des mœurs verbales parfois brutes de décoffrage, à l'instar d'André Daguin, le président de l'UMIH. La cuisine, ce « métier généreux », laisse donc parfois un goût amer. Le mépris que les chefs affichent les uns pour les autres en privé est bien surprenant, compte tenu de la sympathie toujours affichée en public. On est bien loin du 11e pilier de la Nouvelle Cuisine Française, l'amitié. Il a été si vite oublié qu'on a toujours et exclusivement parlé des 10 commandements de la NCF. Pourtant, Gault & Millau le tenaient en haute estime : « Ce sont des gens qui s'aiment, écrivaient-ils à propos des chefs, qui inventent. Parlez de Bocuse aux Troisgros, des Troisgros aux Haeberlin, des Haeberlin à Guérard, de Guérard à Delaveyne, de Delaveyne à Manière, de Manière à Senderens et de Senderens à Peyrot, etc., élargissez la chaîne si vous voulez, les maillons resteront soudés. Ils s'aiment bien, ne se jalousent pas, se repassent des idées, des recettes, des adresses, et même des clients. Et c'est bien pour cela que ces gens ont autant de talent. »[2] Quelques années plus tard, il semblerait tout de même qu'il y ait dans ce métier beaucoup de faux amis. Le copiage n'a jamais été autant en vigueur. Il a pris des proportions colossales. Michel Bras, Alain Ducasse en sont presque quotidiennement les victimes. Certains confrères peu scrupuleux copient sans vergogne leurs plats. Mais surtout, se consacrer à ses propres affaires, à sa cuisine, voilà l'ambition des grands chefs français. Aucun n'a vraiment envie de passer du temps à travailler pour un collectif qui, au fond, n'en est pas un. Plus personne ne croit à la force de la représentation, comme le dit Alain Ducasse : « S'unir est sans doute un bien grand mot parce que nous sommes une profession d'indépendants, mais en tout cas, il faut élever le débat pour que la cuisine française s'y retrouve au-delà des débats régionaux, des tendances ou des obédiences. » Justement, parlez de Ducasse à Robuchon, voilà ce que vous obtiendrez : « je ne suis pas comme Ducasse avec 5 ou 6 attachées de presse. (...). Moi, je resterais plus dans mon restaurant ». Rappelons aussi que les deux hommes sont en procès depuis de longues années à propos de la propriété

---

2 *Vive la nouvelle cuisine*, in *Le Nouveau GaultMillau*, n°54, octobre 1973.

du terme « Atelier », puisque Joël Robuchon avait écrit un livre, *L'Atelier de Joël Robuchon*, et qu'il conteste depuis la possibilité à Alain Ducasse d'utiliser ce terme pourtant générique. Ducasse est d'ailleurs *persona non grata* sur Gourmet TV, la chaîne de Robuchon.

Il n'y a donc pas qu'en période de crise, qu'elle soit économique ou idéologique, que les cuisiniers se recentrent donc sur leur propre entreprise. Quelques-uns comme Alain Senderens, Régis Marcon, prennent le temps de s'occuper de formation, d'autres tel Antoine Westermann tentent de tisser des liens de solidarité entre les cuisiniers. Mais pour Jacques Pourcel, « la plupart n'ont ni le temps, ni les moyens pour se rassembler ». De temps en temps, il y a néanmoins de petits sursauts. Début octobre 2002, on retrouvait ainsi Alain Senderens, Pierre Gagnaire, Alain Dutournier, Guy Savoy, Guy Martin, Régis Marcon et Bernard Pacaud dans un manifeste anti-OGM autour d'André Daguin. Ils se prononçaient pour un « principe de précaution gustatif ». Inquiets des progrès de l'agriculture intensive et des OGM, ils avaient hésité avant de recourir à cette démarche, car ils avaient peur que leurs prises de position publiques heurtent leurs clients. Puis ils ont fini par s'accorder pour défendre producteurs et produits traditionnels en rédigeant un manifeste commun s'opposant au développement des OGM et en demandant aux autorités un suivi très encadré. Une opération qui était également soutenue par Euro toques (3 000 cuisiniers dits « de qualité » en Europe dont 500 en France) et l'UMIH.

Paradoxalement, il suffit qu'un journaliste gastronomique américain[3] critique l'absence d'évolution culinaire en France et porte aux nues Ferran Adria, le prodige espa-

---

[3] *New York Times*, 10 août 2003.

gnol, égérie de la cuisine contemporaine, pour qu'aussitôt les réactions de ce côté des Pyrénées fusent. C'est le réflexe du corporatisme. On n'est jamais d'accord, mais si on nous attaque, on ne fait qu'un. Ainsi, récemment, Pierre Gagnaire s'est insurgé dans une tribune à *Libération*, contre « une certaine agressivité » des étrangers, « une façon trop sommaire d'aborder la cuisine française ». Il parlait de « vigueur inégalée de la cuisine française. Moderne, dynamique et ouverte au monde, elle garde en mémoire sa tradition, garante de son authenticité, de sa créativité et de sa longévité ». Alain Ducasse, comme en 1996, se drape quant à lui dans un drapeau français en clamant : « La cuisine française est la plus riche, la plus variée. Arrêtez de dire que c'est mieux en Espagne ou en Italie. Quand je demande à un journaliste français ou américain de me citer 5 noms de grands chefs italiens ou espagnols, il n'y a plus personne. » C'est pour ça qu'Alain Ducasse a lancé Food France, ni « modeux » ni moisi. En invitant tous les quinze jours à la brasserie du *Plaza Athénée*, à Paris, un jeune chef de province, en mettant en avant des jeunes talents, il cherche depuis octobre 2003 à faire passer un message fort d'espoir. À part ça, le reste ne dit rien qui vaille. Les cuisiniers doivent inventer entre eux des rapports d'un nouveau type qui dépassent le corporatisme arriéré. Faute de figure emblématique, de rassembleur, ce projet pourrait bien rester lettre morte.

Les syndicats de toqués

Les cuisiniers sont bien représentés à travers plusieurs

syndicats, mais c'est un vrai micmac. Le plus connu est l'Union des métiers et des industries de l'hôtellerie (UMIH), présidée depuis avril 2000 par André Daguin, ancien chef à Auch. C'est un organisme patronal qui représente les professionnels de l'hôtellerie et de la restauration au sens large, qu'il s'agisse des chaînes ou des indépendants. L'UMIH est considérée comme le syndicat le plus représentatif de la profession car plus de 35 000 restaurateurs indépendants y sont affiliés, dans tous les départements sur l'ensemble du territoire. Il défend les intérêts professionnels de ses membres, et joue même un rôle de lobbying auprès des pouvoirs publics. Il a pas mal de moyens et son pouvoir de mobilisation est fort. On comprend pourquoi André Daguin dont le mandat vient à échéance en 2004 a finalement décidé de se représenter. Officiellement, c'est afin d'obtenir gain de cause sur la baisse de la TVA, son principal dossier. Le credo de l'UMIH : défendre les petits contre les gros, avec la contradiction majeure de compter dans ses rangs aussi bien les chaînes de restauration rapide que des grands chefs.

Il faut compter aussi sur la Chambre Syndicale, cofondée par Jacques Maximin, et dont Joël Robuchon est le président d'honneur. C'est une sorte de club des grandes toques et des étoilés. Son histoire récente est particulièrement perturbée. Depuis dix ans, en effet, on ne compte plus les revirements et les départs en cascade. « Trop d'individualisme, pas de moyens », c'est ce que semblait regretter Jacques Pourcel au lendemain de sa démission de la présidence en mars 2003, tout en expliquant : « La chambre de la haute couture réalise des choses formidables dont tous ses membres se louent, pourquoi pas nous ? » Pourtant, sa seule ambition affichée à la tête de l'institution, était d'établir une sélection de produits agroalimentaires de qualité par les grands chefs pour la grande distribution ! En 1996, la belle unité de façade de la Chambre de la Haute Cuisine avait déjà explosé lorsque Marc Veyrat avait pris la France entière à partie dans sa lutte contre les banques. Membres de la chambre, Georges Blanc et Alain Ducasse ont alors fortement critiqué cette prise d'otage médiatique et ces chefs qui flambent, s'attirant les foudres de Veyrat. Par interviews interposées, ils sont renvoyés la balle, s'accusant de servir avec des couverts en or, d'un luxe tapageur. Des dissensions qui ont convaincu Veyrat de lancer un nouveau mouvement, le Groupe des 8. À ses côtés, Michel Bras, Olivier Roellinger, Alain Passard, Jean-Michel Lorrain, Michel Troisgros, Pierre Gagnaire et Jacques Chibois. Pour Paul Bocuse, « Si l'on veut revenir un petit peu en arrière, on se souvient que la collaboration entre Champérard et la Chambre Syndicale de la Haute Cuisine française avait mis le feu aux poudres. Il y a eu des dissidents et j'avoue que j'étais d'accord avec eux et que j'aurais pu, moi aussi, démissionner. Je pense que c'est là qu'est née l'idée de Marc Veyrat de créer le Groupe des 8, qui me semble une bonne idée... Même si, pour être efficaces, il faudra être encore plus nombreux. » Amitié, respect et surtout talent créatif unissent la poignée de chefs en ébullition. Le syndicat des grands chefs « n'a pas le standing qu'il mérite », explique aujourd'hui un étoilé. Et c'est peu de le dire : Bernard Loiseau l'avait quitté en 2002 car il n'avait pas le temps de s'investir dans des actions collectives. Alain Ducasse en est parti en 2003 à la suite du courrier de Jacques Pourcel attaquant les guides gastronomiques. C'est qu'au fond, il ne s'y passe rien.

Pour faire partie de ce « Sénat » de la cuisine, les chefs doivent avoir au moins une étoile *Michelin* et recevoir le parrainage d'une grande toque déjà membre, avant de s'acquitter d'une cotisation de 1 250 euros annuels. Tout à fait officielle et très pompeuse, la Chambre Syndicale de la Haute Cuisine est en réalité une association des anciens qui va toujours contre les modernes. Déjà, en 1996, à la suite du manifeste « pour la défense de la cuisine française », de Robuchon, Ducasse, Loiseau et Blanc contre « la mondialisation de la cuisine », tous les jeunes cuisiniers – près d'une vingtaine – avaient quitté la CSHCF. Son implosion est évitée de justesse lorsque Marc Veyrat explique que « ce discours conservateur et archaïque était en fait un véritable danger ». Le Savoyard, en proie à des problèmes financiers, était en réalité au cœur des querelles de la chambre syndicale, qui l'accusait d'en faire un peu trop. « J'ai été très affecté par les déclarations de Georges Blanc et d'Alain Ducasse, expliquait-il alors. Il est trop facile de tirer sur une ambulance. Nos modes d'investissement ne sont pas les mêmes. Chez moi, la nourriture ne sera jamais mangée avec des couverts en or, comme chez certains qui se targuent de simplicité et feraient bien de me rendre visite. »[4] Veyrat promet alors de « faire valoir notre identité » parce qu'il lui semble alors « plus important de s'occuper des jeunes qui feront la gastronomie de demain et de leur formation ». Deux ans plus tard, sous son égide, le Groupe des 8 verra le jour. Des déclarations qui contribuent à brouiller l'image des cuisiniers, en opposant les classiques et les avant-gardistes. Attitude méprisante des uns, déclarations intempestives des autres, un fossé s'est creusé qui n'a jamais vraiment été comblé depuis. Ce panier de crabes

---

[4] *L'Hôtellerie*, novembre 1996.

attend toujours son pacificateur, celui qui saura redonner le goût du collectif à des toques trop habituées à jouer perso. Les associations professionnelles, sans moyens et très chronophages, ne peuvent offrir aux cuisiniers hommes d'affaires les salaires de footballeur qu'ils réclament pour s'en occuper. Elles sont donc condamnées à n'avoir à leur tête que des seconds couteaux ou des retraités, ce qui explique leur immobilisme et leur manque de représentativité. Les rapports entre les chefs sont à réinventer. Aux fourneaux règne un profond malaise et surtout trop d'individualisme. La profession n'avance pas et des liens d'un nouveau type devront exister pour introduire le dialogue. Personne n'a aujourd'hui vraiment envie de poursuivre une vie associative moribonde, sous perfusion depuis des années. Il n'y a plus de sang neuf pour irriguer le système. Pourcel, qui s'y est essayé, a vite lâché l'affaire : « Mon frère m'avait dit "Ne mets pas les pieds là-dedans". Aujourd'hui, on va se consacrer à nos affaires, à la cuisine. C'est dommage, mais j'espère que d'autres, peut-être plus jeunes, auront le courage de prendre la relève. » Jacques Pourcel a fini par démissionner de la chambre syndicale. L'institution maudite a depuis été laissée en déshérence. La seule figure emblématique, le seul rassembleur aujourdhui, ce pourrait être Alain Ducasse, mais il est trop occupé à développer son groupe pour vouloir perdre du temps et de l'argent dans des querelles institutionnelles. « Il faut une forte personnalité, précise Le Divellec, pour tenir les troupes. Il faut être libre, sans activité. » Ce qui n'est pas le cas de Ducasse, loin de là. À mille lieux des corporatismes, le plus grand chef du monde essaie de fédérer de façon plus constructive, comme avec son opération *Food*

France lancée en octobre 2003. Ducasse, qui a baptisé en coulisse l'opération « la relève », a été chercher une vingtaine de chefs dans nos régions et leur offre pendant deux semaines les cuisines de la brasserie du *Plaza Athénée.* Mais en privé, il soupire : « Je fais des choses dans mon coin. Je fais ce que je peux. Ce qu'on décide, on le fait de manière modeste. Je ne fais pas la révolution. » Vu son messianisme, on aurait pourtant pu penser le contraire.

Il existe par ailleurs un grand nombre d'associations qui regroupent les chefs qui ne sont pas membres des autres. À tel point que si un chef n'est membre d'aucune organisation, c'est qu'il prend soin de l'éviter ! Il faut dire que certaines sont d'une utilité redoutable. Les Maîtres-cuisiniers de France par exemple, ont pour ancêtre une association créée il y a plus d'un demi-siècle et baptisée l'Association des maîtres queux jusqu'en 1967. Elle regroupe aujourd'hui 340 chefs. Son objectif, « défendre et promouvoir la qualité et la renommée de la cuisine française »[5]. En clair : sauvegarder nos traditions et surtout les toques blanches, c'est-à-dire la grande gastronomie qui se tient droite dans ses bottes. Ce n'est alors guère étonnant que Paul Bocuse en soit Président d'honneur. Y participent donc de nombreux chefs français qui exercent à l'étranger. Le seul avenir qu'envisagent ses membres, c'est le maintien de ce qui existe. Surtout, que rien ne change, que rien ne vienne déstabiliser les institutions de la gastronomie française. Dans la charte de l'association, rédigée en 1951, il est précisé que le maître cuisinier « doit être conscient du fait qu'il s'inscrit dans une lignée illustre », qu'en héritier, « il a pour mission de servir l'art culinaire », ou encore qu'il « vit dans sa cuisine ». Voilà qui en dit long sur

[5] Source dossier de presse « Fou de France ».

la volonté de la profession de s'ancrer dans son temps. Car l'association fait encore largement autorité grâce à son rayonnement international. Pourtant son règlement date de plusieurs dizaines d'années, alors que le métier évolue tous les jours…

Quant à l'Association des Jeunes Restaurateurs d'Europe, elle fédère en réalité des antennes nationales d'une organisation née en France. Dans l'hexagone, 97 cuisiniers en sont membres. L'AJRE fut créée en 1974 sous l'impulsion de Grand Marnier pour assurer le rayonnement de sa marque. Sa fondatrice, Nicole Seitz, avait l'ambition de sortir des jeunes chefs de leur isolement, de dresser une véritable « solidarité entre tous ». Le réseau s'est constitué, étoffé au niveau européen, mais il n'a pas vraiment d'identité propre. Les valeurs qu'il défend, « Talent et passion [6]», sont tellement galvaudées qu'elles ne veulent pas dire grand-chose. Ses membres n'ont bien souvent pas de points communs et l'association ne sert pas vraiment à donner du sens à la cuisine européenne. On ne compte plus les postes honorifiques attribués à des membres ou à d'anciens membres. Pourtant, l'AJRE se veut « le symbole de la gastronomie montante » et prétend assurer rien de moins que « l'avenir d'un paysage gastronomique européen », et même plus, « le défi d'une révolution ».

Beaucoup de chefs moquent la « médaillite » aiguë des cuisiniers de second rang qui, à défaut d'avoir réussi leur carrière d'artiste et d'entrepreneur, se piquent de cumuler les présidences de tous les ordres gastronomiques locaux, la direction d'une association européenne des jeunes toques ou l'antenne locale de l'amicale des chefs de plus de 49 ans et les médailles des confréries du boudin noir et du mous-

[6] Source annuaire 2003 de l'association.

seux du pays[7]. Ils rajoutent généralement à cela la présidence de la section locale du syndicat professionnel des cuisiniers. Bien souvent, les confréries permettent à des restaurateurs que rien n'a jamais distingués, de se retrouver dans les journaux, de faire parler d'eux. Ils s'échappent une fois par semaine de leur quotidien pas toujours drôle et se font appeler partout « Monsieur le président ». C'est un peu le club des sans-réseau qui se retrouvent entre eux. Généralement, les réunions ou assemblées générales de ces associations n'ont pour seul but que d'organiser des agapes dignes de ce nom. Il n'est pas besoin de préciser qu'elles sont largement arrosées et qu'il faut bien un prétexte pour expliquer ça à sa femme, par exemple.

Il ne faut pas non plus occulter l'impact énorme des différents concours culinaires organisés sur le modèle des Bocuse d'Or en France. « Entre les tenants de la cuisine classique et les modernistes célébrant les produits exotiques, Paul Bocuse joue les juges-arbitres, fort de son envergure », écrit ainsi Michel Chabot à propos du « pape » de la gastronomie française. Dans le sens où il veille à l'application à la lettre des dogmes de son église, où il en baptise les nouvelles ouailles, ce n'est pas une vaine comparaison. Et gare au parjure, il se verrait aussitôt traité d'hérétique, de fou, et jeté au bûcher réservé aux sacrilèges, aux modernes qui veulent enterrer leurs pères. L'institut Paul Bocuse « a pour clef de voûte les liens étroits tissés avec des hommes et des femmes qui, chaque jour, défendent ce que nous avons reçu : une tradition, un héritage, l'esprit d'un métier ». Les termes sont proches de ceux qui sont utilisés par les frères maçons, avec la pesanteur de la tradition et des corporatismes. D'ailleurs, la seule raison d'être des

[7] Voir à cet égard le très complet, *101 confréries de France et autres associations gourmandes*, Jean-Paul Branlard, Eska, 2002.

Bocuse d'or, créés en 1987, est de « perpétuer la tradition ». Bocuse a mis en place un vaste réseau international de chefs qui lui envoient leurs élèves. Tous les récompensés vouent au « maître » une reconnaissance éternelle. Par les thèmes et les techniques imposés aux jeunes qui cherchent à percer, les concours comme « le Trophée Coq Saint-Honoré » organisé par la fameuse école supérieure de cuisine Grégoire Ferrandi à Paris, sont de véritables conservatoires de l'art culinaire. Ils exigent des jeunes chefs des pommes dauphine façon Escoffier ou une galantine de volaille, toujours selon Escoffier. Voilà pourquoi beaucoup n'évoluent pas, cantonnés qu'ils sont, étouffés même par des prédécesseurs imposants et prestigieux. Il en est de même pour l'Académie nationale de Cuisine, qui promeut « l'authenticité de la gastronomie française », à travers ses trophées et ses manifestations promotionnelles.

Le syndrome de la confrérite aiguë

Les tenants de la cuisine bourgeoise ou à l'ancienne sont imprégnés du folklore qui l'accompagne. Héritées de traditions parfois ancestrales, les confréries ont été sanctifiées par Curnonsky. De 1872 à 1956, le « prince des gastronomes » a glorifié le provincialisme dans la cuisine ainsi que ses traditions, se faisant le porte-parole des confréries bachiques, type ordre de la tête de veau et, pour ce qui le concerne, de l'Académie des gastronomes. Le credo de ces rassemblements de gros mangeurs ? Des nourritures riches, abondantes, souvent rôties ou mijotées pendant des heures, d'innombrables plats, les plus roboratifs possibles, et des vins à vous faire tourner la tête. Les libations de ces confréries ressemblent en effet à des banquets orgiaques et sont abondamment arrosées de nectars. Elles incarnent l'archétype de la France replète, à l'opposé de la simplicité et du naturel. Il faut cependant y distinguer les clubs d'influence, où grands chefs étoilés côtoient patrons du CAC 40, industriels et célébrités, comme c'est le cas du Club des 100.

Défenseur « d'une cuisine nationale », le Club des 100 a été fondé le 4 février 1912 par Louis Fourest, un journaliste du *Matin*, après une excursion automobile à Évreux qui avait pour objectif un repas à *La Biche*. On dit qu'à l'époque, il fallait faire plus de 100 kilos pour en faire partie, ce qui en dit long sur la philosophie des fondateurs. Formé de gastronomes, ce club se réunit donc depuis plus de 80 ans, au départ surtout chez *Maxim's*, rue Royale à Paris. Chaque jeudi de 12 h 30 à 14 h 30 a lieu un déjeuner. Régulièrement, des virées s'effectuent en province chez les plus grands cuisiniers. Pour Forest, ce sont « quelques hommes d'esprit, dégoûtés des palaces et fervents de bonne cuisine ». En réalité, il s'agit bien là du cercle le plus secret de la gastronomie. Par le biais de la cooptation et des parrainages, ne s'y retrouvent que des journalistes, éditeurs, restaurateurs, politiques et riches industriels. Le principe est simple : pour chaque repas, un membre volontaire, appelé ce jour-là le brigadier, choisit le menu et organise la fête. Joël Robuchon, Alain Ducasse ou Paul Bocuse ont, parmi d'autres, récemment cuisiné pour le Club des 100. Au début du XXe siècle, il s'agissait alors de véritables agapes, avec plus de 7 plats pas toujours légers, terrines, gibiers, chariots de desserts, fromages et digestifs. Les membres du Club sont un peu plus raisonnables aujourd'hui. Le but avoué du Club des 100 était de « défendre le goût de notre vieille cuisine nationale, tristement menacée par les formules chimiques toutes importées de pays où l'on n'a jamais su préparer même une poule au pot ». Il faisait la promotion, comme les chefs et la critique gastronomique de l'époque, du passé culinaire français, de son côté patrimonial et non de sa vivacité. Un point commun à bon nombre de confréries persuadées que c'était bien mieux hier. L'idée au départ était de garder secrète la liste des membres, venus de tous les horizons et que regroupait la passion de la table. Mais, rapidement, les noms ont été connus : Pierre Messmer, Bernard de Nonencourt, le propriétaire de Laurent-Perrier entre autres. Des repas hors du commun en bon voisinage, c'est le credo de cette « docte compagnie ». « C'est en effet, déclare l'un de ses membres, le seul endroit au monde où l'on puisse, à 50 ans, se faire des amis d'enfance. » Claude Lebey a longtemps été l'animateur du Club des 100 qui a depuis longtemps perdu son côté purement « paillard ». Pour Emmanuel Ratier, « Certains membres collaboreraient par ailleurs, de manière très discrète, avec des noms de code, à la réalisation de grands guides gastronomiques comme le célèbre *Michelin*, tels Jean-Pierre Soisson, Jean-François Poncet ou Philippe Bouvard. »[8] Y participaient également de nombreux industriels de l'agroalimentaire et des politiques, davantages fines gueules que férus de gastronomie. C'est surtout « leurs visages réjouis » qui témoignent de leur amour pour la bonne chère, plutôt que leurs connaissances. « Gueulards avertis », certains sont membres de toutes les confréries. À la suite, André Robine créera le Club des pur-cent, puis l'Académie des gastronomes, ou encore le Cercle des gour-

[8] *Au cœur du pouvoir*, Emmanuel Ratier, Facta, 1996.

mets, qui servaient à banqueter sous de fallacieux prétextes. Mais le Club des 100, qui regroupe la fine fleur de l'establishment est l'un des cercles les plus prisés et son taux de fréquentation est très élevé. On ne trouve donc dans ce club fermé que des grands capitaines d'industrie, des hauts fonctionnaires, des politiques ou des journalistes influents. Très sélectif, le Club des 100 rassemble aujourd'hui des gourmets qui ont fait leurs preuves, comme Marc Ladreit de Lacharrière (Fimalac), Louis Schweitzer (P-DG de Renault), Claude Bébéar (P-DG d'Axa), Michel David-Weill (Lazard), Jean-René Fourtou (Vivendi), Claude Imbert (*Le Point*), Elie et Edmond de Rothshild, Pierre Messmer, Jean-Pierre Soisson, Didier Pineau-Valencienne, Jean-François Revel, Jacques Tajan, ou Pierre Cardin. Bon nombre des membres du Club des 100 se retrouvent d'ailleurs dans un autre cercle fermé, Le Siècle. Chacun dispose d'un numéro puisqu'il compte toujours cent membres, plus quelques invités ou membres honoraires. Il est donc très difficile de rentrer au club des 100, puisque seuls les membres décédés sont remplacés et qu'il faut de surcroît « disposer de deux parrainages de membres, avoir une surface sociale importante, disposer d'un compte en banque copieux et avoir des connaissances certaines en matière de gastronomie, d'œnologie et de bonnes tables »[9]. D'ailleurs, « si l'impétrant doit toujours passer un grand oral » gastronomique devant une commission de quinze membres, ses titres de gloire et ses parrainages comptent tout autant que la sûreté de son palais »[10]. Raymond Barre, Jean-Louis Beffa (ex-P-DG de Saint-Gobain), le banquier Jean-Marc Vernes en ont aussi longtemps fait partie. En plus du déjeuner hebdomadaire, diverses manifestations sont organisées pour les membres

---

[9] Ouvrage déjà cité.

[10] Ouvrage déjà cité.

chaque année. Deux fois par an, ils peuvent inviter amis et femmes à partager un banquet. Une fois au printemps et l'autre lors de l'assemblée générale. Rendez-vous important également, la cérémonie de couronnement des chefs. Le diplôme du club est un prix reconnu dans l'univers de la gastronomie et est remis à certains cuisiniers ainsi qu' « à tous ceux qui comptent en l'art gastronomique ». Depuis 1997, le président du Club des 100 est Éric Fréchon, le chef virtuose de l'*Hôtel Bristol* à Paris. D'autres restaurateurs, comme Paul Bocuse, Joël Robuchon ou Jean-Claude Vrinat (*Taillevent*), en sont membres d'honneur. Chaque année les membres reçoivent un annuaire très prisé, où figurent les fonctions et les coordonnées de chacun. Voilà bien ce qui s'appelle un réseau d'influence.

Il existe bien d'autres sociétés de gastronomes et autres confréries qui ont pour culte la bonne chère et les grands vins, mais elles sont bien moins importantes. C'est le cas par exemple de l'Académie des gastronomes, créée en 1928 à Paris par Curnonsky. Elle compte 40 membres recrutés par cooptation et jusqu'à une dizaine au maximum de membres associés, d'amis dits « membres libres ». Traditionnellement masculine, l'Académie s'est ouverte aux femmes, que réunit également un dîner par mois. Deux fois par an, une grande soirée de gala réunit l'ensemble des membres. Son activité principale est d'éditer et de rééditer des ouvrages culinaires passés et présents. Depuis juin 1986, son président est Jean Sefert, 78 ans. Autre symbole, Taittinger père occupait, à l'Académie des gastronomes, le fameux 22ᵉ fauteuil, celui de l'auteur de l'*Almanach des Gourmands*, au début du XIXᵉ siècle : Grimod de la Reynière.

Parmi les autres confréries, l'Académie internationale des

gourmets et des traditions gastronomiques, anciennement Académie Brillat-Savarin, le Cercle des Gourmettes, la confrérie de la Chaîne des rôtisseurs, la confrérie des Chevaliers du Tastevin, ou encore le club Prosper Montagné. Fondé en 1949 par des amis du chef des armées françaises et auteur de livres comme le *Larousse gastronomique*, il a pour but de défendre la gastronomie française et d'aider au développement des grandes maisons en leur décernant des prix et des récompenses chaque année, notamment le prix culinaire, le championnat des écaillers et la coupe Léon-Beyer. Des diplômes et des panonceaux en forme de borne kilométrique sont remis aux tables distinguées en guise de récompense.

La toque et le tablier

En cuisine, on le sait, les tâches sont très hiérarchisées et l'autorité est de mise. D'ailleurs, on n'appelle pas un cuisinier « chef » pour rien ! À partir de 16 ans, c'est l'apprentissage, puis le tour de France des bonnes maisons. Une sorte de compagnonnage qui ne veut pas toujours dire son nom. Un métier manuel de tradition millénaire, un respect pour l'autorité et un « chef-d'œuvre » ou une réalisation hors du commun, presque tous les jours dans les grandes maisons, voilà de quoi entretenir la comparaison avec les corporations et les rites maçonniques. Le travail d'équipe, comme chez les ébénistes ou les tailleurs de pierre, mène à la franc-maçonnerie. Ajoutez à cela un recrutement par cooptation qui l'emporte sur tout le reste. De surcroît, la franc-maçonnerie recrute traditionnellement dans des métiers manuels souvent techniques. Des individus assez indépendants qui restent maîtres de leur libre arbitre et se font peu influencer. Tous concourent d'ailleurs chaque année au prestigieux concours des MOF, les meilleurs ouvriers de France. Arborer au revers de sa veste la fameuse distinction tricolore, c'est comme revendiquer son appartenance. En cuisine, on est dans la droite ligne de la philosophie maçonnique : écouter et respecter les anciens, pratiquer la solidarité voire le corporatisme, et croire au progrès et à l'amélioration de l'homme. De nombreux chefs sont en effet francs-maçons. Qui par intérêt, qui par envie. Mais dans les loges, on se tutoie, on se côtoie, on se serre la main. S'il faut demander un service, on préfère le demander à un frère. Il existe ainsi un regroupement de professionnels de la restauration et de l'hôtellerie de toutes obédiences, appelé le GITE (Groupement Interprofessionnel du Tourisme Européen). Les frères qui en font partie figurent dans un annuaire ultra-secret et restent d'une discrétion totale à l'égard de cette organisation, comme le note Sophie Coignard[11]. Y figurait notamment Georges Blanc (*Georges Blanc*, Vonnas). « La franc-maçonnerie en cuisine, on y revient toujours, souligne une attachée de presse d'un étoilé parisien. Les chefs subissent une pression sur le choix des fournisseurs, et surtout, dans leurs cuisines, lorsqu'ils doivent embaucher quelqu'un ou passer d'une maison à une autre. Il faut bien entendu être du sérail. Les apprentis s'échangent entre initiés qui font avant tout travailler les leurs ou leurs enfants. Parmi les plus connus : Christian Constant, Marc Veyrat, beaucoup de grands. » D'ailleurs, Alain Bauer, grand maître du Grand Orient, ordre maçonnique plutôt à gauche, siège aussi à l'Institut français des

[11] Ouvrage déjà cité.

arts culinaires où il a été intronisé par Alain Ducasse. Également frère, mais pas franchement du même bord, Joël Robuchon, à la Grande Loge Nationale de France. Parmi les vedettes des fourneaux, les noms de Gaston Lenôtre ou Alain Senderens sont aussi avancés[12]. C'est le *Nouvel Observateur* qui l'assure : « Pas étonnant que les chefs français deux et trois étoiles et les chefs concierges des palaces soient majoritairement francs-maçons. La franc-maçonnerie est née dans l'arrière-salle d'une auberge de Londres, *L'Oie grill*, où a été constituée la première loge. » Certains parlent même de 90 % de cuisiniers qui seraient francs-maçons. Un secret de polichinelle. Ce qui est sûr, c'est que les obédiences recrutent beaucoup en cuisine. Par exemple, parmi les associés de Robuchon, Éric Bouchenoire, Philippe Braun, Antoine Fernandez et Éric Lecerf, le grand jeu du microcosme est de deviner lequel n'est pas franc-maçon puisqu'ils le seraient tous sauf un. Chez les élèves de Robuchon, la pratique se poursuit : à l'*Amphyclès* à Paris, au *Pré Catelan*, à *La Réserve* de Beaulieu.

Il est généralement considéré que, lorsqu'on est maçon, il vaut mieux rester discret sur son appartenance. Professionnellement ou socialement, cela peut en effet avoir des coïncidences fâcheuses. En cuisine, il semblerait que ce soit tout le contraire. Nombreux sont les maçons qui revendiquent leur présence dans telle ou telle loge. Entre eux, bien sûr, car vis-à-vis de l'extérieur, c'est loin d'être toujours le cas. Il est officiellement difficile de se faire confirmer qui est maçon et qui ne l'est pas. Et quand les copains parlent, l'intéressé dément. Un monde dont Ghislaine Ottenheimer a percé bien des mystères[13]. Dans

---

[12] Ouvrage déjà cité.

[13] *Les Frères invisibles*, Ghislaine Ottenheimer et Renaud Lecadre, Albin Michel, 2001.

la cuisine, la franc-maçonnerie a toujours eu le monopole de l'idéologie. À défaut d'être organisé dans les organismes professionnels, le débat avait lieu dans les loges, les recrutements aussi. Mais comme pour de nombreuses professions, la disparition des compagnons a fait chuter les taux de recrutement. Aujourd'hui, ce sont surtout les chefs les plus âgés ou les plus confirmés qui sont maçons. Les jeunes. le sont beaucoup moins. Informations, coups de main, circulent par les cuisiniers dans les différentes loges. En province, de nombreux clubs plus ou moins liés à la franc-maçonnerie réunissent les notables dans des grands restaurants locaux. On dîne, on crée des liens et les chefs font souvent partie de l'élite d'une ville ou d'une région. On se rend service, on se soutient, et on remplit sa salle. Dans certaines villes de province, des « Club des 50 »[14] existent, qui réunissent hommes d'affaires, entrepreneurs, professions libérales, magistrats, élus. Les cuisiniers, souvent proches des notables locaux comme le président de la chambre de commerce, y sont bien représentés. Les chefs qui accueillent de nombreuses personnalités chez eux sont souvent au centre de réseaux d'influence importants. On s'y aide beaucoup. En Bourgogne, la tradition de la franc-maçonnerie est assez importante. Il est de notoriété publique que parmi les six restaurants qui y affichent deux ou trois étoiles, la plupart des grands chefs sont membres d'une loge. Bernard Loiseau, lui, disait qu'il s'y était rendu « pour voir » et en était sorti aussitôt. Pour autant, cela permet-il d'obtenir plus facilement des distinctions dans les guides ? « Ça ne fait pas de mal mais ça ne sert pas à grand-chose car aucun des patrons successifs du *Guide Michelin* n'a appartenu a une obédience », expliquait le *Figaro Magazine*.

[14] *L'Événement du jeudi*, 18 janvier 1996, in Ouvrage déjà cité.

Parmi les grands, seul Joël Robuchon revendique ouvertement son appartenance maçonnique. Il a été vénérable maître de la GLNF. La presse se fait régulièrement l'écho des « planches brillantes consacrées à la nourriture et à la terre » du grand chef. « Et comme dans sa cuisine, il y est intransigeant et rigoureux », écrit un observateur. S'il a choisi la GLNF, c'est parce qu'il est croyant. Son objectif : « le bien-être de l'être et l'amour du travail bien fait », c'est-à-dire « devenir quelque chose pas comme les autres ». Tout a commencé à l'âge de 19 ans lorsqu'il sort du petit séminaire, un peu perdu après le divorce de ses parents. Les compagnons du Tour de France, traditionnellement francs-maçons, le prennent sous leur aile. Ce qui lui plaît, c'est la rigueur et le goût du travail, comme chez son père, qui était ouvrier maçon. Mais l'ancien séminariste n'en abandonne pas pour autant son éducation catholique et continue à fréquenter l'église. « C'est un chef d'école hôtelière de Dinard, à qui je m'étais enfin ouvert de mes difficultés, qui m'a montré la voie du compagnonnage », confie Joël Robuchon[15]. Le 21 janvier 1970, Joël Robuchon est « reconnu par ses pairs », « dans le respect du travail et la recherche de la perfection » pour son « chef-d'œuvre », un lièvre reconstitué avec farces et garnitures et un bouquet de roses en sucre. Plus tard, il dira : « À ma grande surprise, j'ai découvert qu'on pouvait être compagnon du Tour de France et croire en Dieu. Pour moi, c'était une révélation. Dans le compagnonnage, j'ai retrouvé l'esprit du séminaire, la même rigueur. J'y ai retrouvé le même respect pour les hommes et pour les choses, l'amour du travail bien fait, du perfectionnement professionnel, moral. » Pour les compagnons du devoir, qui lui enseignent aussi

[15] *Ce que je crois, in Le Monde des religions*, novembre-décembre 2003.

l'amour du métier, Robuchon est « Poitevin la Fidélité ». Six ans plus tard, à 31 ans, il deviendra meilleur ouvrier de France. Outre Raymond Oliver, parmi ses maîtres à penser figure également parmi les maçons, Jean Delaveyne, étoile des années 60 et 70 au *Camélia* à Bougival et Pierre Vandenameele (*La Poularde*, Houdan). S'il choisit la Grande Loge Nationale de France pourtant entourée d'un halo de mystère, d'un « goût du secret, de la conspiration, de l'anticléricalisme », c'est en réalité parce que « la pratique spéculative de la maçonnerie s'y concilie avec la croyance en Dieu »[16].

À table avec les politiques

Décoré par Valéry Giscard d'Estaing, Paul Bocuse lui dédia aussitôt une soupe de truffes demeurée célèbre qui porte toujours son nom. François Mitterrand, lui, préféra Bernard Loiseau ou Georges Blanc, décorés par ses soins. Présidents de la République, députés, maires ou leaders de l'exécutif régional, de Jean-Pierre Soisson à Jean-Pierre Raffarin, tous entretiennent avec les grandes toques de leur région des relations amicales qui dépassent de très loin celles de client à restaurateur et de politique à citoyen. Il n'y a qu'à voir le nombre de députés au ministre à avoir défendu la baisse de la TVA sur la restauration traditionnelle. Preuve en est aussi que, malgré son emploi du temps, Jean-Pierre Raffarin a bien trouvé le temps, le 13 octobre 2003, de remettre à Joël Robuchon les insignes d'officier de la Légion d'honneur. Ils se sont connus enfants au lycée de Poitiers et ont appris à se connaître lorsque, président du conseil régional,

[16] Ouvrage déjà cité.

Raffarin a organisé une coupe d'Europe des saveurs en 1997. Depuis, il apporte au chef poitevin un soutien inestimable et sans faille. Voilà qui en dit plus long que de grands discours sur l'imbrication des hommes politiques et des grands chefs. Le Premier ministre partage outre son origine autre chose avec Joël Robuchon : tous deux ont été élevés au Broyé du Poitou, un biscuit local très particulier. Ça crée des liens. Presque de quoi faire de la gastronomie une véritable affaire d'État. À tel point qu'Anthony Rowley écrit : « La cuisine est une véritable passion, ici, sans égale dans aucun autre pays. L'invention du mot « radical-cassoulet » entre les deux guerres pour désigner une influente famille politique issue du Sud-Ouest en est la preuve. »[17]

Dis-moi où tu manges, je te dirai pour qui tu votes ! L'histoire récente regorge d'anecdotes à ce sujet. Lorsque Jacques Chirac est l'hôte du G8, il fait préparer, au restaurant *Léon* à Lyon, un fabuleux dîner dans la plus pure tradition républicaine, et communique le menu à la presse. Il ne s'y prend d'ailleurs pas autrement lorsqu'il se rend chez *Yvonne* à Strasbourg, en compagnie du président allemand, ou à *L'Ami Louis* avec les Clinton. À cette luxueuse table, se succèdent Jack Lang, Michel Charasse et Charles Pasqua. À Paris, Chirac apprécie également beaucoup *Faugeron* depuis son ouverture en 1977. Il faut croire que les restaurateurs lui rendent bien son amour pour la cuisine, puisque c'est feu Raymond Thuillier, ancien patron de l'*Oustau de Baumanière* (Les Baux-de-Provence), qui fonda en 1988 la fameuse « Association des amis de Jacques Chirac », présidée ensuite par Bernard Pons à partir de 1996[18]. Dans les restaurants les plus prestigieux, on a toujours croisé les grands et

[17] *À table ! La fête gastronomique*, Découvertes Gallimard n° 228, 1994.
[18] Ouvrage déjà cité.

les puissants de ce monde, capitaines d'industrie, magnats des médias, stars du show-biz ou vedettes du petit écran, mais surtout et toujours des politiques. Les grandes tables abritent les secrets, petits et grands, des hommes et des femmes publics. Parmi celles-ci, il y avait le défunt *Edgar*, rue Marbeuf à Paris, où se nouaient intrigues et campagnes avec la complicité bienveillante du patron, mais en province, ça se passait plutôt chez les « grands » comme chez Blanc, chez Loiseau, ou chez Bocuse. Le restaurant de Jacques Le Divellec sur l'esplanade des Invalides à Paris ne démérite pas non plus. Cette antre de la cuisine nautile et nautique a longtemps abrité les gloutonesques agapes de François Mitterrand, dont l'appétit pour la bonne chère ne s'est jamais démenti jusqu'au bout, comme l'évoquait Georges-Marc Benhamou. Son livre fit scandale car il racontait par le menu un repas d'ortolans pris en compagnie du président malade et de tous les hiérarques de son règne finissant. Le Divellec, « c'était LA table du président », a-t-on déjà pu lire. Il y venait en voisin et ami, accompagné de Robert Badinter, Jack Lang, Édith Cresson, Bernard Tapie, Michel Charasse, ou encore Mazarine, lorsque son existence était encore inconnue du grand public. D'ailleurs, c'est au sortir de ce restaurant que *Paris Match* photographiera Mazarine en 1994. Mais le président n'en tiendra pas rigueur au chef, puisque en 1989, il est choisi pour orchestrer les repas des célébrations du bicentenaire. Lionel Jospin est lui aussi un fervent amateur de Le Divellec, il s'y est même réconcilié avec Claude Allègre. Mais Jacques Chirac et Édouard Balladur ne dédaignaient pas non plus s'y afficher pendant la cohabitation. Tout un symbole. Fines gueules, les politiques se pressent tous chez ce cuisinier qui a fait ses preuves à La Rochelle. Lorsqu'il monte à Paris, en 1983, les gros poissons et les politiques demeurent fidèles à sa maison, installée, ce n'est pas un hasard, à deux pas de l'Assemblée Nationale, entre Matignon, l'Élysée et tous les grands ministères. Michel Crépeau, le maire de La Rochelle, est un ami de longue date de Jacques Le Divellec. Hervé de Charrette est aussi un fidèle de la table parisienne. De tout temps, des dîners de négociation s'y sont tenus, comme encore récemment début juillet 2003 entre plusieurs têtes pensantes du gouvernement Raffarin et le Premier ministre lui-même, qui apprécie à la fois la cuisine et l'homme, qu'il connaît bien. Des réunions et des tête-à-tête secrets dont Le Divellec n'a jamais dévoilé la teneur.

Jean-Michel Lorrain (*La Côte Saint-Jacques)* a lui, par exemple, largement bénéficié des subsides du conseil régional de Bourgogne, après être allé jusqu'à menacer de fermer l'un des plus prestigieux restaurants de la région et de se réfugier à Paris. L'impact de ce genre de décision a de telles conséquences économiques, que les collectivités locales ou territoriales préfèrent les éviter, par tous moyens. De surcroît, les élus sont de bons clients des grandes tables. Mais par-delà les connexions croisées et la petite cuisine des grands politiques, il arrive souvent que la politique se pique de restauration : soit en finançant l'acquisition d'un restaurant à Paris pour en faire une ambassade de la cuisine régionale, soit en subventionnant l'installation d'un grand chef dans son département, soit en facilitant l'implantation d'un restaurant sur sa commune. Mais lorsque tel est le cas, les revirements sont plus fréquents, et l'affection qu'un maire ou qu'un député porte à un chef peut vite tourner à l'aigre. Dernièrement, Jacques

Chibois (*La Bastide Saint-Antoine*, Grasse) en a eu la preuve à Menton, où son néobistrot, *Le Mirazur*, a dû fermer ses portes en août 2003. Pas vraiment rentable, le restaurant a été lâché sous le flot de plaintes du voisinage, alors qu'il avait été au départ largement soutenu par la mairie. Voilà la mauvaise foi qui caractérise les rapports entre politiques et cuisiniers : contents de voir ouvrir un établissement prestigieux qui va créer des emplois et où il sera bien reçu, le maire donne son blanc-seing, puis ensuite refuse les demandes d'ouvertures exceptionnelles pour des réceptions. Le double discours des politiques à l'égard des cuisiniers, dont ils sont pourtant proches, a atteint des sommets avec la promesse de Jacques Chirac de baisser la TVA sur la restauration de 19,6 % à 5,5 %. L'arrivée de Raffarin, grand défenseur des métiers de bouche, à Matignon, devait accélérer le processus. Pourtant, il n'en a rien été.

L'argent part en « fumets »

L'immixtion de la politique et de la cuisine qui est particulièrement flagrante dans notre belle république a aussi donné lieu à quelques scandales qui ont défrayé la chronique, comme celui du CNAC, le Conseil national pour les arts culinaires. Cet organisme financé à 80 % par l'État avait pour vocation de « coordonner la politique du goût » et d'effectuer une sorte d'inventaire du patrimoine culinaire région par région. Pour Lang, qui en est l'instigateur dès 1985, la gastronomie et le goût font indiscutablement partie de ses attributions, mais le changement de gouvernement repousse de trois ans le projet. Un programme alléchant et particulièrement ambitieux... Mais nécessitait-il une dépense de 1,5 million d'euros par an ? Ministères, conseils régionaux, commission européenne, tout le monde a versé des subventions au CNAC. En tout, plus de 8 millions d'euros ont été collectés entre 1990 et 1997. Le problème, c'est qu'à part le parrainage de « La Semaine du goût », financée par le CEDUS, le Centre d'études et de documentation du sucre, porté par les industriels du sucre, et la publication d'une quinzaine de guides mettant en avant le patrimoine culinaire de la France, le CNAC est surtout connu pour ses « frais de fonctionnement exorbitants, plus du quart du budget », selon l'IFRAP[19]. L'organisme indépendant stigmatise les « quelques millions qui n'ont pas réellement d'explication » et pose des questions : « interventions spéciales pour le compte de l'Administration ? Soutien politique au ministre de la Culture en place ? ». De nombreuses actions du CNAC n'ont jamais servi à rien : certains guides régionaux édités pour plus de 100 000 euros « ne font que dormir sur des étagères. Ils ne sont pas vendus, ne rapportent rien mais ont un coût monumental ». Pourquoi alors ? « Ce programme – et c'est un trait commun avec tous les autres programmes du CNAC – sert essentiellement à rémunérer des intermédiaires et à fidéliser les relations du CNAC avec les médias. » Le projet de création d'un conservatoire national des arts culinaires a aussi coûté une fortune alors qu'il na jamais vu le jour. Comme par hasard, l'une des premières actions du CNAC en 1989 est d'organiser à Blois, ville dont Lang vient d'être élu maire, « les premières assises du chocolat noir ». Et à nouveau c'est la ville de Blois qui est choisie pour l'implantation du conservatoire national. De 1992 à 1994, c'est

[19] Institut français pour la recherche sur les administrations publiques.

près d'un million d'euros qui a été dépensé par le CNAC en frais de réceptions, déplacements et achats de locaux dans la ville du ministre. Ce n'est pas tout. Devenu ministre de la Culture à son tour en 1995, Philippe Douste-Blazy, « ému par les difficultés de Pierre Gagnaire », demande au CNAC d'élaborer un système de soutien financier aux grands chefs qui en ont besoin. Le projet suscite un tollé, il sera retiré. En réalité, les frais de fonctionnement de l'association, qui engloutissaient chaque année 40 à 50 % du budget, ont empêché le CNAC de mener à bien sa mission. Pourtant, son ambition de départ et ses trop rares et onéreuses réalisations étaient louables. Seulement voilà, écrit l'IFRAP, « Les ministres de la Culture en ont fait un outil au service de leur promotion personnelle. » Au centre de ce copieux plat de résistance : Alexandre Lazareff, le directeur du CNAC. Neveu du célèbre Pierre Lazareff, le fondateur de *France Soir*, Alexandre est énarque et administrateur civil à la DREE (Direction des relations économiques extérieures). Bon vivant, amateur de bonnes tables, il est l'auteur de *Paris sucré*, guide des salons de thé parisiens en 1984, d'un guide qui porte son nom, a longtemps été chroniqueur au *Figaro* et a collaboré à de nombreuses publications, dont *Le Nouvel Économiste*. Ce qui lui est reproché, entre autres ? « D'être en même temps fonctionnaire détaché, d'occuper le poste de directeur du CNAC et également la direction de sociétés privées, dont le CNAC a pris contrôle. » Par le biais du CNAC, Lazareff s'est imposé comme l'interlocuteur unique des pouvoirs publics sur les questions de goût et d'art culinaire, coupant l'herbe sous le pied de tous les autres organismes du secteur. En 1993, il crée Euroterroirs, un groupement européen d'intérêt

Économique dont il est le gérant fondateur, volet européen du CNAC, et, en 1994, G3 : « goût, gastronomie, gourmandise », dont il est administrateur et directeur général, deux sociétés à vocation commerciale et pas « à but non lucratif », dont les activités sont particulièrement opaques. Tout cela n'empêche pas le CNAC d'être déficitaire ! Ce qui n'empêchera pas son ancien directeur de rebondir avec des chroniques gastronomiques au *Nouvel Économiste,* la publication d'un livre sur l'avenir de la haute gastronomie française en 1998 ou la rédaction en chef du site de vente de vins « chateauonline ». En 1999, Lazareff a crée Pain, Vin & Compagnie, « l'agence des produits de l'alimentaire » où il mélange copieusement les genres, réalisant des missions commerciales pour des marques françaises et étrangères, ou des collectives, des relations presse, du conseil éditorial et du lobbying. Aujourd'hui, il est également éditorialiste de *France magazine,* une publication haut de gamme en anglais orchestrée par le ministère des Affaires étrangères. Diffusé aux États-Unis, ce titre éminemment politique est financé par de grandes entreprises françaises comme Total, Suez, Air France, BNP ou Thalès.

Après l'explosion en vol du CNAC, on pensait que l'idée d'un ENA de la cuisine était définitivement entérrée. C'était sans compter sur Renaud Dutreuil, secrétaire d'état aux PME qui vient d'annoncer la création d'un Institut des hautes études du goût, de la gastronomie et des arts de la table. Installé à Reims, ce Harvard culinaire au budget annoncé de 400 000 euros a pour vocation de développer « une vrai stratégie agroalimentaire appuyée sur les produits du terroirs », sur le modèle du slow food italien. Les élèves,

« seront les ambassadeurs de l'art de vivre à la française », tout un programme donc !

L'appétit des chaînes câblées

Davantage que de la politique, dans les années 50, Raymond Oliver est le premier à comprendre le parti qu'il peut tirer de la télévision. *Art et Magie de la cuisine*, première émission culinaire en 1953, a par la suite beaucoup été copiée. Après lui, tous les chefs de la Nouvelle Cuisine y sont venus. Malgré l'appétence des Français pour la gastronomie, et le développement du câble et du satellite, personne n'avait en tout cas pensé à créer une chaîne thématique sur le sujet. Jusqu'au printemps 2001, ou ce ne furent pas une mais deux chaînes de télévision qui se sont lancées sur le créneau de la gastronomie. Première à émettre, Cuisine TV, propriété à 51 % de Pathé et à 49 % de Dominique Farrugia. Dotée d'un budget annuel de plus de 7 millions d'euros, « à destination de tous les gourmands », elle avait pour ambition de « désacraliser la cuisine ». Quelques semaines plus tard, c'est Gourmet TV qui a vu le jour, avec un budget annoncé de 9 millions d'euros. Elle est portée par Joël Robuchon, qui n'a pas mis un centime dedans et par Guy Job, son producteur. Dans le capital, France télévision et France Télécom à 49 %, Job pour un tiers et des investisseurs anonymes. Un même créneau mais deux publics opposés : Cuisine TV s'adresse aux 18-35 ans de façon accessible, Gourmet TV s'adresse surtout « à la ménagère classique », avec des valeurs « sûres » comme Robuchon, omniprésent à l'écran, Michel

Oliver ou Jean-Luc Petitrenaud. Gourmet TV a été conçu comme une sorte de LCI, de TF1 de la cuisine : en invitant tous les grands chefs, les producteurs et les industriels, il s'agissait de les fidéliser, de les robuchoniser. L'idée était surtout de diffuser l'esprit « Robuchon », de conforter son image de « chef français international », comme Bocuse avec ses Bocuse d'Or. Cuisine TV veut, à l'opposé de cette image papier glacé de la cuisine, montrer « la génération montante de la cuisine », « sans critique en vogue ni star ». Très vite, la guerre fait rage entre les deux projets concurrents. Lorsque Guy Job découvre que la chaîne de Dominique Farrugia a été baptisée TV Gourmand, il enrage : « pour le nom, on a l'antériorité de plusieurs années. Nous, on existe, on a la légitimité. Il ne faut pas mélanger les torchons et les serviettes. Je n'ai aucune légitimité pour faire Comédie, je ne sais pas s'ils en ont pour la gastronomie. Premier échange d'avocats. Invité à la télévision, Farrugia lance : « Ma chaîne n'est pas une chaîne chiante dédiée à la cuisine, c'est- à- dire que je n'ai pas envie d'avoir Robuchon les yeux révulsés façon lapin pris dans les phares. » Choqué, le grand chef ? Non, amusé. Car son producteur Guy Job dispose d'un bon de commande signé de Farrugia, qui a cherché à acheter les émissions de Robuchon. La polémique retombe comme un mauvais soufflé. Au départ, sur Gourmet TV, une vingtaine de permanents sont embauchés. Guillaume Crouzet, ancien rédacteur en chef de *Elle à table* et chroniqueur gastronomique au *Monde* prend la tête de la rédaction. Il ne tiendra que quelques mois avant de rendre son tablier. Les objectifs de la chaîne sont très vite revus à la baisse : les 7 heures et demie de programmes frais par jour ne seront jamais tenus, et si la grille est effectivement composée essentiellement de programmes réalisés en interne, il s'agit principalement de rediffusions des quatre années d'émissions de Joël Robuchon sur TF1 et France 3 (plus de 800 émissions). Les recettes publicitaires de *Gourmet TV* restent quasi-inexistantes, le sponsoring n'a jamais démarré, le télé-achat et les accords avec la grande distribution annoncés, n'ont jamais vu le jour. En revanche, des accords sont passés avec plusieurs titres de la presse gastronomique pour des émissions et des échanges marchandises. Objet principal de cette chaîne : recycler les programmes déjà produits par Futur TV, la société de production de Guy Job. Les équipes de Job tournent la plupart des programmes et des images à moindres frais, en profitant de voyages de presse ou d'invitations d'institutions. Assez vite, les résultats d'audience viennent sanctionner ce qui semblait en question dans les chaînes culinaires : il ne semble pas y avoir un public pour les deux concurrentes. Rapidement, Gourmet TV fait courir des rumeurs de rapprochement avec Cuisine TV, qui dément formellement. Fusionnera, fusionnera pas ? La mauvaise conjoncture frappe de plein fouet les chaînes. Malgré tout, cela fonctionnait à peu près. Mais voilà qu'au printemps 2003, après une première vague de licenciements d'intermittents du spectacle, tout le personnel de Gourmet TV est prié de faire ses bagages. Il n'y avait en réalité que 3 ou 4 permanents pour plusieurs dizaines de collaborateurs plus ou moins réguliers, toutes fonctions confondues. L'explication officielle est la suspension des activités par anticipation pour l'été. Chez Cuisine TV, la situation est également tendue et les changements d'organigramme nombreux. Avec l'été, la plupart savent qu'ils risquent de ne jamais revenir. Officieusement, tout Paris le sait, Gourmet TV connaît de graves difficultés financières et va devoir mettre la clé sous la porte. Seulement voilà, Joël Robuchon ouvre au printemps un nouveau restaurant à Paris, *L'Atelier*, il n'est donc pas question de tirer le rideau de sa chaîne de télévision. L'annonce éclipserait sans nul doute l'ouverture du bar à tapas robuchonien. Mais quelques semaines plus tard, les studios de Gourmet TV sont fermés, les tournages et les émissions arrêtés jusqu'à nouvel ordre. Anne Hudson, Madame « terroirs » sur France Info et troisième rédactrice en chef de Gourmet TV en moins d'un an, rend elle aussi les armes. Elle n'a rien pu faire, car Guy Job s'occupe de tout, supervise tout, se mêle des aspects techniques, éditoriaux, financiers, des problèmes matériels et des querelles de personnes. Robuchon, lui, se tient à l'écart. Il n'a été vu qu'une fois dans les studios par le personnel, le jour de l'inauguration. En réalité, note un proche du dossier :, « Robuchon n'y a jamais mis les pieds parce que tout l'argent investi dedans est à Job. Lui n'y a pas mis un centime. C'est pour cela qu'il ne s'en occupe pas. ». La presse, elle, ne dit mot, puisque Guy Job a fait appel à la plupart des chroniqueurs de la place pour des émissions diverses et que les autres sont régulièrement conviés sur le plateau pour parler de leurs livres. Mais en sous main, on s'active depuis quelques mois, notamment auprès des pouvoirs publics. Raffarin et Robuchon ne se connaissent-ils pas très bien ? Début 2003, le chef écrit au Premier ministre pour lui demander son soutien et lui fait part se ses difficultés. Raffarin, très préoccupé par la question, transmet le dossier à Dominique Ambiel, chargé à Matignon des questions de communication et d'audiovisuel. Quelques semaines plus tard, le chef poitevin est rassuré, les pouvoirs publics sont avec lui, Gourmet TV ne craint rien. À France Télévision, actionnaire de Gourmet TV, c'est Marc Tessier, le président, qui reçoit une lettre de Raffarin lui demandant de soutenir le tandem Guy Job-Joël Robuchon. Le problème, c'est que la *holding* publique, pour des raisons juridiques, ne peut renflouer Gourmet TV en procédant à une augmentation de capital. Comment faire ? Le conseiller de Tessier chargé des questions du câble et du satellite, qui confirme par ailleurs l'existence de ce courrier premier-ministériel, finit par proposer un montage et le tour est joué, Gourmet TV peut continuer.

De son côté, Cuisine TV a déménagé pour faire des économies. Mais vient de perdre en référé contre Gourmet TV qui a obtenu l'interdiction pour Cuisine TV d'utiliser le slogan « chaîne de la gastronomie et de l'art de vivre » qui était déjà le sien. Pour Gourmet TV, ce sous-titre est « associé à son nom et signe de son identité ».[20] En attendant, personne ne sait vraiment si l'une ou l'autre passeront l'hiver.

[20] *Stratégies*, 16 décembre 2003.

CHAPITRE 8

Le Food biz

« Nous sommes des homnivores, ce qui est une condition paradoxale. Un homnivore, c'est un être qui a une grande latitude de choix pour manger. »
Claude Fishler, *L'Homnivore*[1]

Un business comme les autres

« Aujourd'hui, le marché de la restauration en France, c'est 300 millions d'euros, note André Daguin. Les restaurants gastronomiques ou considérés comme tels, c'est-à-dire les tables au-dessus de 60 euros, représentent seulement 2 % du marché. Un marché qui se coupe en deux : le très haut de gamme et le reste. Des chefs médiatiques, il y en a 50, ceux dont on parle, 2 ou 3 000, et 150 000 qui sont des restaurants et pas de la restauration collective. » Des chiffres confirmés, à quelques nuances près, par les statistiques gouvernementales : « Il existe en France 161 000 restaurants.

[1] *L'Homnivore*, Claude Fishler, Points/Odile Jacob, 1993.

Ils génèrent un chiffre d'affaires annuel de 27,23 milliards d'euros. La restauration gastronomique, elle, concerne un peu plus de 6 250 restaurants dont l'addition moyenne est au-dessus de 30 euros. Ils représentent 2 % du total mais pèsent plus de 4 milliards d'euros, soit 15 % du marché en valeur. »[2] Les artisans indépendants, dont on a vu que pour certains ils étaient de redoutables hommes d'affaires, représentent la majorité dans le secteur, mais ce chiffre tend à diminuer. La cuisine a en effet toujours attisé l'appétit des chaînes qui grignotent des parts de marché aux restaurateurs indépendants. Elles représentent aujourd'hui plus de 20 % des parts de marché de la restauration contre 8 % il y a 25 ans. Devant les difficultés économiques, les problèmes divers et variés de TVA, de personnel ou parfois de succession, de nombreux restaurants indépendants ont en effet vendu leur âme au diable, les chaînes. Parallèlement, dans les années 80, l'immobilisme de la restauration traditionnelle, ses prix trop élevés et son incapacité à se remettre en cause, ont favorisé l'essor de chaînes comme Buffalo Grill, Courte Paille, Léon de Bruxelles, La Criée, qui fait un tabac, Maître Kanter, pour n'en citer que quelques-unes. Certaines disent leur nom, en l'affichant sur la façade, mais la plupart se cachent. D'où l'essor de groupes parfois inconnus, comme le propriétaire des Maître Kanter, Restoleil, créé en 1995 autour de 7 restaurants et qui dispose aujourd'hui de 40 établissements et réalise plus de 17 millions d'euros de chiffre d'affaires. Ils se sont également emparés de brasseries haut de gamme en province. En 2002, les comptoirs de Maître Kanter ont connu une hausse de près de 19 % ! Selon une étude confidentielle publiée récemment, le classement par chiffre d'affaires

[2] Source ministère des Affaires étrangères.

des principales sociétés de restauration en France[3] s'établit comme suit : McDonald's, leader loin devant Quick, suivi d'Élior (ex-Éliance comprenant Pomme de Pain, Arche, entre autres chaînes, mais aussi des tables gastronomiques comme *Drouant*, le *Jules Vernes* ou le *Toupary*), puis de Buffalo Grill, qui devance Flunch, suivi de Cafétéria Casino, devant le groupe Flo, le groupe Le Duff (notamment Brioche dorée) et le groupe Holder (Chez Paul, entre autres). Parmi les quinze premiers groupes de restauration français, figurent donc les propriétaires de grandes tables ou de grandes brasseries parisiennes à vocation gastronomique. Leurs moyens sont colaussaux par rapport aux indépendants. Sans compter que les dépenses publicitaires de marques comme Hippopotamus ou Flunch, sont sans commune mesure avec celles de la restauration dite traditionnelle. Autant d'éléments qui expliquent pourquoi celle-ci est au régime sec Plus important encore : la durée moyenne d'un repas pris à l'extérieur du domicile a fondu, passant de 1 heure et 22 minutes en 1975, à 38 minutes aujourd'hui. Peu de gens ont encore le loisir de vérifier cet aphorisme de Brillat-Savarin, qui écrivait : « La table est le seul endroit où l'on ne s'ennuie pas pendant la première heure. » D'ailleurs, 1 Français sur 4 ne va jamais au restaurant pour des questions de prix. Le dossier de presse du *Guide Michelin* résume ainsi la situation de la restauration : « L'activité au déjeuner se réduit d'année en année et des formules de restauration rapide, notamment en ville, se mettent en place tandis que des restaurants à vocation gastronomique tendent parfois à n'ouvrir qu'au dîner. »[4] La clientèle de déjeuner est devenue de plus en plus sensible aux prix. De surcroît, le contrôle sur les notes de frais est

[3] Hors restauration hôtelière.

[4] Dossier de presse *Guide Rouge Michelin*, février 2003.

de plus en plus drastique dans de nombreuses entreprises. À une nuance près, Paris, qui a toujours fait figure d'exception. Le temps moyen de déjeuner y est beaucoup plus élevé qu'en province, et les frais de repas hallucinants y sont davantage tolérés, notamment par de grosses entreprises qui peuvent absorber un bon niveau de frais généraux. Il y a six ans, Jean-Paul Bucher, P-DG du groupe Flo, était déjà au combat : « Il est urgent de sortir de notre culture ancestrale pour faire du business », expliquait-il en 1997.

Le message était clair : la cuisine française, sans se départir de ce qui fait son succès dans une mondialisation de plus en plus normée, devait, pour attirer de nouveaux consommateurs dans ses filets, apprendre à utiliser de nouveaux codes, à surfer sur les tendances, faire de la *food attitude* une règle. Trop codifiée, vieillotte, compliquée et hermétique, la grande cuisine française, celle du grand restaurant, fait aujourd'hui peur aux jeunes générations. Seuls les anciens, les plus riches ou les gens éduqués y ont accès, et uniquement les connaisseurs ou les amateurs éclairés s'y retrouvent dans le maquis des guides et des tables recommandées. La cuisine est enfermée dans une sphère et dans un monde que seuls ses clients les plus fidèles peuvent comprendre et décoder. Difficile dans ces conditions de séduire les derniers arrivés ou les néophytes. De plus, son imaginaire et ses rituels demeurent pour la plupart des consommateurs beaucoup trop liés à la tradition, jamais à la modernité. Cela, y compris chez les moins de 40 ans qui se disent attachés aux traditions culinaires françaises. Ces consommateurs ont fait imploser les frontières de la restauration, se rendant avec ravissement dans des petits bistrots comme des grandes brasseries où ils ont l'impression qu'il se passe toujours quelque chose et qu'ils en ont pour leur argent. Les clients réclament davantage de décontraction. Ils veulent des restaurants décrispés. La cuisine française traditionnelle, trop formelle, rebute le client. Alain Ducasse le clame depuis des années : « La grande cuisine française véhicule encore l'image d'un restaurant trop formel. Il faut moins de solennité dans la prise de commande, moins de raideur dans le service. Il y a des clients qui ne sont pas gênés par ce cérémonial, mais la plupart ont certainement envie de plus de décontraction [...]. C'est une évolution sociale. Décontractons-nous un peu ! Nous ne sommes pas des musées. » Pour le consommateur, l'esprit, l'atmosphère d'un lieu compte pour au moins 50 % dans le choix, selon les études de la presse professionnelle. Parmi les critères susceptibles d'attirer les Français dans un restaurant, si c'est toujours la qualité de la nourriture qui vient d'abord, l'accueil vient ensuite, devant la sympathie du personnel et la sécurité de la nourriture. C'est dans ce contexte qu'en quelques années, les grandes tables mythiques de la capitale, les brasseries célèbres, les cafés branchés sont devenus la propriété de chaînes indépendantes ou de familles puissantes qui ont fait main basse sur la restauration parisienne. Comme dans tous les autres secteurs de l'économie, la concentration s'est sérieusement accélérée depuis 10 ans.

La restauration aux mains des familles

Puisque le *food business* attire les invités au festin du marketing et de la tradition, Jean-Paul Bucher, propriétaire notamment d'Hippopotamus – racheté dans les années 90 –, de la chaîne Bistrot Romain acquise en mai 2002, mange tout ce qui se trouve sur son passage. Dans l'escarcelle de cet infernal glouton à la tête du groupe Flo : *Bofinger, Julien, Le Bœuf sur le toit, Le Vaudeville, Terminus Nord, La Coupole, Le Balzar, Les Grandes Marches... Flo,* avec plus de 325 millions d'euros de chiffre d'affaires, est l'un des rares groupes français de restauration cotés en Bourse, ce qui n'apporte pas forcément que des avantages. D'ailleurs, Bucher avoue « n'avoir pas su transformer la gastronomie en restaurants et les restaurants en business ». Apprenti cuisinier en Alsace dès l'âge de 14 ans, Jean-Paul Bucher sait pourtant de quoi il parle. Il a tout fait dans ce métier, occupé tous les postes avant de racheter sa première affaire en mai 1968. Il a jeté son dévolu sur Flo, qui deviendra l'emblème et le nom du groupe familial qu'il détient à plus de 54 %[5]. Sa technique est simple : s'emparer d'une brasserie de taille importante, à caractère historique, réputée pour son décor ou son ambiance, et qui sommeille gentiment. « Pour gagner sa vie, explique-t-il, il faut de grands restaurants pour avoir beaucoup de clients. » Ensuite, Bucher restaure ou rénove lorsque c'est nécessaire, repense la carte de façon simplifiée et la plus authentique possible tout en n'hésitant pas à sacrifier aux modes du moment. Dernière étape avant l'ouverture, le recrutement d'une équipe de salle au top et d'un responsable qui gère son établissement de façon autonome. Enfin presque... car il y a des fournisseurs et des plats imposés. C'est d'ailleurs ce qui a suscité l'inquiétude du personnel et des clients lors de la très médiatique reprise du *Balzar* (Paris 5e). Tous étaient inquiets de voir partir en fumée la patine des lieux et de la voir remplacée par une

---

[5] Source Flo profile, Eurostock city.

industrialisation et une standardisation à outrance. Ses rachats successifs de brasseries permettent à Jean-Paul Bucher de s'emparer ensuite des restaurants Hippopotamus (plus de 30 établissements), des restaurants Bistro Romain (près de 40). Puis, il y aura aussi les 6 restaurants à Disneyland Paris, les comptoirs restauration du Printemps, d'Habitat et d'autres grands magasins. Et aussi le développement international, à Londres, Tokyo, Osaka et Barcelone. Sans oublier l'essor des boutiques traiteur Flo prestige (15 unités). Rien de vraiment commun donc avec ses grandes brasseries traditionnelles, et ce développement dans toutes les directions inquiète à la fois investisseurs et analystes. Ce d'autant plus que les petits Bofinger, venus renforcer la présence du groupe sur le segment du bistrot, connaissent une situation financière tendue depuis quelques années. Certes, avec plus de 8 millions d'euros de chiffre d'affaires, ils ont connu une croissance élevée ces derniers mois, mais leur développement et la recherche de parts de marché coûtent cher au groupe. Plusieurs cessions sont aussi intervenues récemment. Le groupe connaît actuellement quelques difficultés et, visiblement, la revente en septembre 2002 à Fauchon des traiteurs Flo et la cession des 22 Bistro Romain n'a pas colmaté la brèche. Depuis le 1er octobre 2003, Bucher n'est plus le principal actionnaire de son groupe. Clients et salariés pourraient s'apercevoir qu'il y a peut-être pire que lui.

Parmi les bâtisseurs d'empires gastronomiques, Jacques et Pierre Blanc, 58 et 56 ans font eux aussi figure de pionniers. Une chaîne, Chez Clément, devenue une référence, et surtout plus de 25 restaurants parmi lesquels *L'Arbuci, Au pied de cochon, Chez Jenny, Le Petit Zinc, Le Procope, L'Alsace, La*

Lorraine, Charlot, Le Grand Café, La Taverne, ou encore *La Fermette Marbeuf.* À une époque où les entreprises familiales connaissent quelques vicissitudes face aux puissants groupes financiers et aux investisseurs anonymes, les frères Blanc sont apparus comme les leaders d'une restauration très parisienne en satisfaisant quelque 6 000 appétits quotidiennement, aussi bien de jour que de nuit, soit environ 3 000 000 de couverts par an. En 2002, les brasseries ont réalisé une très bonne performance, +3 % à 68,6 millions d'euros. Pourtant, avec 100 millions d'euros de chiffre d'affaires et plus de 1 500 employés, leur holding PJB, qui se place parmi les 15 premiers groupes français de restauration, est bien loin de l'auberge traditionnelle. Leur appétit, les frères Blanc le doivent à leur père, Clément, qui acheta entre les deux guerres ce qui devait devenir le fameux restaurant des Halles : *Au pied de cochon.* Pour prendre sa suite, Jacques son frère a fait une école hôtelière et quelques bonnes maisons, l'ESCP. Un cuisinier et un patron, voilà qui explique la réussite en affaires de ce tandem qui, au début des années 80, possède déjà cinq brasseries et un appétit immodéré pour les rachats de restaurants et de fonds de commerce. Leur secret ? N'avoir jamais laissé passer une bonne affaire. Et surtout, avoir misé sur des maisons en bonne santé, dotées d'excellentes zones de chalandise de jour comme de nuit. Et non pas racheter tout ce qui coule. En 1988, c'est le tour du *Procope,* en 1995, celui de *La Fermette Marbeuf,* en 1998, celui de la brasserie *La Lorraine.* En tout, ils ont douze des plus prestigieuses brasseries de la capitale. Et un dogme, « l'emplacement, l'emplacement, et l'emplacement ». Puis, c'est l'aventure Chez Clément au début des années 90, en hommage à leur père : un concept bien travaillé, avec des planches de rôtisseries et des grillades, des prix bas et un décor traditionnel. Depuis 1993, année de l'ouverture du premier Chez Clément dans le quartier Opéra à Paris, il s'en crée deux par an. À travers ce produit, les frères Blanc ont misé sur la lassitude des consommateurs des autres chaînes et sur l'aspect ludique de la décoration et des additions modestes pour des nourritures pas ordinaires : huîtres, rôtisserie... La réussite a été immédiate, elle ne s'est pas démentie depuis et assure un bon relais de croissance aux frères Blanc. Côté développement, pas question pour eux de s'introduire en Bourse. Ils ne veulent pas sacrifier leur indépendance. En prenant le relais, les frères Blanc ont progressivement acquis, sans publicité tapageuse, la 18e place parmi les 80 leaders de la restauration en France, et la 58e place en Europe. Leur groupe figure ainsi au 3e rang de la restauration commerciale indépendante en France.

Les frères Costes, Aveyronnais montés à Paris, comme tant de bistrotiers et de limonadiers, ont aussi connu une réussite sans égal : leur empire, décoré par Garcia, réalise plus de 80 millions d'euros de chiffre d'affaires. Autant dire qu'ils ont pas mal de casseroles sur le feu. Dans leurs 25 établissements parisiens, ils servent plus de 5 000 couverts par jour. Autre particularité des deux frères, ils cultivent un secret à la hauteur de leur ambition dévorante : les Costes dénigrent les schémas classiques, les critiques, les chefs stars, les invitations de presse... À 53 ans et 54 ans, Jean-Louis et Gilbert Costes refusent en effet de recevoir les journalistes, quels qu'ils soient, ou alors leur racontent les sempiternelles banalités sur leur enfance dans la ferme familiale, où Marie-Josèphe, leur mère, tenait « une belle maison, où le moindre détail était pensé ». C'est, disent-ils, ce qui leur donne envie de monter tenter leur chance dans la capitale. En 1980, Gilbert manque le *Café de Flore*, qui est à vendre. Il finit par aider son frère à lancer en 1984 le *Café Costes*, désigné par Philippe Starck, en plein cœur du quartier des Halles. Un coup de génie. Le quartier est à la mode, la cuisine entre gastronomie et *fast-food* chic, le service *in*, et la clientèle branchée. Les ingrédients de la recette du succès sont donc déjà réunis, leur sens inné du marketing fera le reste. À deux pas de là, Gilbert va aussi lancer son propre business, le *Café Beaubourg*, dessiné par Christian de Portzemparc. Il fait aujourd'hui plus de 4,5 millions d'euros de chiffre d'affaires et réalise une marge de 7 %[6]. Le succès du second établissement ne s'est pas démenti depuis, mais le *Café Costes* a été remplacé par une boutique de vêtements. Ce sera leur seul vrai échec. Il faudra attendre plus de dix ans pour que les deux frères rouvrent un établissement à leur nom rue Saint-Honoré, devenu le temple de la « branchitude parisienne ». Entre-temps, les deux cafetiers, qui se présentent comme des « acharnés de l'esthétisme », ont racheté *L'Avenue*, le *K*, le *Café Marly*, le *Café de la musique* à La Villette, *Chez Georges* à Beaubourg, cogéré par Thierry, le fils de Gilbert, qui réalise plus de 10 millions d'euros de chiffre d'affaire, *Le Murat*, *L'Esplanade*, *La Grande Armée*. À chaque fois ce sont des endroits stratégiques, très fréquentés à la fois par les Parisiens et par les étrangers : le Louvre, Beaubourg, La Villette... Avenue Montaigne, leur restaurant est une véritable machine à *cash* : plus de 6,6 millions d'euros de chiffre d'affaires[7], soit le double d'avant sa reprise. Son taux de bénéfice est très élevé (plus de 16 %) et les bénéfices avant impôts représentent 133 %

[6] Étude déjà citée.
[7] Étude déjà citée.

des fonds propres ! Au *Marly*, qui réalise plus de 6 millions d'euros de chiffre d'affaires[8], le bénéfice d'exploitation est de plus de 800 000 euros, c'est-à-dire environ 11 %, soit deux à trois fois plus que dans la restauration classique. Leur intuition ? Avoir réinventé le moment de la consommation d'un repas, comme l'explique Marc Bougery, analyste de tendance : « Le vécu du manger est plus important que le manger lui-même. » Les Costes ont su offrir au public parisien une expérience et des produits qui marchent, avec des plats consensuels : tartare, croustillants de gambas *sweet&spicy*, carpaccio comme à Venise, risotto aux langoustines, steak de thon rouge, « thiou », le tigre qui pleure, crevettes rôties à la thaïe, moelleux au chocolat, tarte au citron vert... Avec un décor signé et une cuisine branchée, les Costes revisitent la grande tradition de la brasserie parisienne, mais aussi son hôtellerie. Ils seront beaucoup copiés, rarement égalés. Ils ont senti venir le vent de la mode et des Bobos. À chaque fois, c'est le même scénario : un bel emplacement ou une enseigne prestigieuse en perdition, rachetée 50/50 par les deux frères, sans qu'aucun actionnaire extérieur ne soit accepté. Pas question en effet au départ que quiconque vienne mettre le nez dans leurs secrètes affaires ni dans les recettes de leur succès. Les frères Costes sont en quelque sorte les notables de la limonade, mais des notables en costume rayé et chemise blanche. D'ailleurs, le fait qu'en janvier 2000, Gilbert Costes soit devenu le président du tribunal de commerce de Paris a fait couler beaucoup d'encre. Dans ce contexte, d'autres n'ont guère trouvé étonnant que, depuis 2000, la croissance du groupe et son emprise sur les lieux les plus branchés de la capitale, dont on sait qu'ils passent vite de mode

[8] Étude déjà citée.

et sont régulièrement en cessation de paiement, se soient accélérés. Des allégations jamais prouvées. Et des accusations toujours démenties par les Costes. En se servant du talent de designers pour attirer les *people* et les VIP dans leurs restaurants qui n'ont pas d'autre intérêt que le décor et l'ambiance, les Costes ont en tout cas initié un mouvement qui ne s'est pas encore ralenti. Sans strass et sans paillette, ils n'ont pas eu la folie des grandeurs et ont su calculer leurs risques. C'est « de la rentabilité raisonnée, une gestion très aveyronnaise, presque paternaliste », écrit Emmanuel Rubin. Ils ont poussé le raisonnement jusqu'à aider des membres de leur famille à reprendre *Le Paris* sur les Champs-Élysées et d'anciens employés pour le *Café Ruc.* C'est d'ailleurs Thierry Costes, le fils de Jean-Louis, qui gère le dernier-né de l'empire, *L'Étienne Marcel* Paris 3ᵉ. Pendant que son père était président du tribunal de commerce, c'est lui qui a assuré l'intérim sous son contrôle. Les Costes ont également fini par tisser une toile immense autour de leur galaxie, puisqu'ils sont présents dans les *Caves Saint-Gilles* (3ᵉ arrondissement), *Le Sanseveria* (1ᵉʳ arrondissement), *Le Sanz Sans* (11ᵉ arrondissement), *Le Lounge* (4ᵉ arrondissement), avec des participations entre 25 et 75 % selon les cas, contrairement à la politique de leurs débuts. En tout, une douzaine d'affaires, souvent familiales, comme l'*Hôtel du Bourg-Tibourg*, propriété de leur frère Guy, ou le *Café Ruc*, qui appartient à leur sœur Geneviève. Seule diversification, les Costes possèdent une partie de la chaîne de restauration tex-mex Indiana Café. En rajeunissant des brasseries ou des restaurants parisiens, en les dépoussiérant et en les américanisant, les Costes ont en tout cas appliqué des concepts, des recettes, et fini par convaincre qu'ils avaient inventé « une nouvelle façon de manger ». Eux assurent ne pas avoir cette prétention : « Nous n'avons jamais prétendu faire de la restauration, explique Jean-Louis Costes, mais du snack-bar de luxe. » Un style qui se paie cher : de 40 à 80 euros le repas. Dans certains restaurants, jusqu'à 450 à 500 personnes sont servies chaque soir.

Mais c'est sans parler du groupe Bertrand, également propriétaire d'un nombre considérable d'établissements dans la restauration. Rejeton d'une dynastie de brasseurs auvergnate bien connue qui, après être restée longtemps indépendante, est devenue une filiale de Heineken, Olivier Bertrand affirme qu'il n'a « aucun lien capitalistique avec sa famille ». Il est aujourd'hui à la tête de 15 restaurants à thème, de la chaîne Eris, qui possède des cafétérias, de 12 *fast-foods* Quick et de deux brasseries parisiennes. Il réalise 130 millions d'euros de chiffre d'affaires et gère 1 600 employés. Comme on a pu le voir dans l'émission *Capital* qui lui a été consacrée en mars 2003, Olivier Bertrand a démarré très jeune, puisqu'à 20 ans, il ouvre une chaîne de pizzerias avec son ami Jean-Pierre Mialet, également Auvergnat, qui deviendra son associé. Endettés, ils ont du mal à faire tourner leur affaire. Alors, l'idée leur vient de lieux de vie, d'endroits où la clientèle peut venir du matin au soir consommer ce qu'elle veut : petit déjeuner, restauration légère, boissons, bar nocturne. Ce sera le *Chesterfield Café*, thématisé autour de la musique rock, inauguré en 1995 et qui connaît un grand succès. « L'idée, explique Olivier Bertrand, c'est de faire les choses en profondeur, pas de façon superficielle. On essaie de faire de la qualité, de s'inscrire dans le temps et de se diversifier. »

Suivront une kyrielle de restaurants et de bars à thèmes, le *Sir Winston*, le *MAOH*, le *MCM Café*, l'*Impala Lounge*, *Le Kiosque* ou encore un restaurant fusion asiatique porte d'Auteuil. Seules deux exceptions dont Olivier Bertrand, à 32 ans, n'est pas peu fier, *Lipp* et *L'Écu de France*, plus proches de la brasserie et de la restauration traditionnelle. Dernier succès en date : les discrets Bert's, une chaîne de sandwicherie haut de gamme spécialisée dans les soupes pour cadres dynamiques affamés. Leur point de vente le plus fréquenté, place de l'Alma, fait plus de 600 couverts le midi ! Olivier Bertrand, également propriétaire de plusieurs hôtels, vient de reprendre le *Korova*, l'ancien restaurant de Jean-Luc Delarue, qu'il a rénové et rebaptisé. En tout, Olivier Bertrand possède plus de 60 restaurants dans la France entière et gère 1 600 salariés. Le « petit prince des restos branchés », comme l'a appelé Emmanuel Chain, est allé chercher ses idées aux États-Unis pour rentabiliser très vite ses activités. Rien n'est artisanal, tout est calculé, le ratio du personnel par rapport au chiffre d'affaires, le grammage des assiettes, le temps passé par un client en salle, la durée de vie d'une carte ou d'un plat avant rotation. Le résultat est impressionnant, mais il ne s'agit, bien sûr, pas là de gastronomie. On en veut pour preuve sa récente prise de participation dans la chaîne de sandwicheries Toastissimo qu'il devrait transformer en *Bet's*, et son acquisition du fast-food américain *TGi Friday's* à Paris pour 760 000 euros en janvier 2004.

Plus discret, Jean Richard, Aveyronnais pur souche, fils d'un bougnat venu à Paris dans les années 20 dans l'espoir de monter son affaire, comme beaucoup d'autres. Non seulement il a réussi, mais en plus, particulièrement vite et bien. Employé d'un négociant en vins de la capitale, le père Richard a petit à petit lancé son affaire, avant de bâtir une fortune colossale dans les vins, les cafés, puis les restaurants. Premier fournisseur de bon nombre d'établissements en liquides, la société Richard est rapidement devenue interlocuteur privilégié pour le café et le reste. Aujourd'hui encore, Richard se partage le marché francilien avec quelques confrères aveyronnais. Un maillage très serré du territoire et des bonnes relations avec les clients permettent de savoir ce qui se passe, de connaître les affaires à vendre, celles qui marchent, celles qui ne marchent pas. Et comme Richard est souvent le premier créancier, c'est lui qu'on vient voir pour négocier, discuter. Voilà comment la famille Richard s'est développée dans la restauration. La deuxième génération de Richard au pouvoir s'est partagé les différentes branches dans laquelle la troisième génération, ses enfants, peut s'épanouir. À 57 ans, Jean Richard dirige ainsi un hôtel et huit restaurants, situés pour la plupart dans des quartiers bourgeois et huppés comme le 7e, le 8e et le 16e : *Chez Francis*, acheté en 1975, *Le Bistrot de Marius, Marius et Janette, L'Hôtel Montaigne, Le Cenzo.* Ses dernières acquisitions dans le triangle d'or en font l'un des papes des adresses « modeuses » de la capitale, avec plus ou moins de réussite. Autant *Café Indigo* et *Thiou* fonctionnent très bien, autant *Le Berkeley* décoré par Garcia n'a pas connu l'engouement escompté. Mais avec *Thiou* et *La Marine de Thiou,* qui font un tabac et obtiennent d'excellentes critiques dans les guides et journaux, il n'a pas trop d'inquiétude à se faire.

On le constate, la restauration parisienne est davantage entre les mains de familles et de quelques entrepreneurs isolés qu'entre celles des chefs et des cuisiniers. À Paris il faut aussi compter sur Gérard Joulie, concessionnaire du Palais des Congrès, porte Maillot, et surtout propriétaire de nombreux restaurants et brasseries parisiens. Il est l'un des premiers, dans les années 80, à avoir anticipé le renouveau des bistrots parisiens et de la restauration de chaîne. Ses Batifol, les bistrots dont on raffolait, ont longtemps égayé les soirées et les nuits parisiennes, avant de fermer les uns après les autres. Joulie possède encore aujourd'hui *L'Auberge DAB*, les deux *Sébillon*, *Chez André* et *L'Auberge du mouton blanc*. Mais dans l'ensemble, ces adresses, qui comptent dans le panorama parisien de la restauration, remplissent les caisses de véritables empires. D'autres restaurateurs collectionnent les tables ou les concepts, mais pas avec un tel appétit. Ils privilégient des unités plus petites, indépendantes les unes des autres et ne cherchent pas uniquement le profit, mais ils sont rares.

Nouvelle sociologie du restaurant

Comme dans les autres domaines où la frontière entre la haute couture et le prêt-à-porter est de plus en plus ténue, le marché de la restauration est aujourd'hui entre les mains des *fashion victims*. Les nouveaux consommateurs sont capables de dîner dans un trois étoiles, de déjeuner dans un sushi-bar tenu par des Pakistanais, soit une variation de plus de 200 euros à souvent moins de 20 euros. La cuisine fusion, les tables à la mode et les restaurants branchés connaissent un succès important au détriment des chefs, fussent-ils créatifs. Et si une table branchée était un produit comme un autre ? C'est en tout cas ce que se sont dit des architectes et des designers comme Sir Terence Conran, fondateur d'Habitat et des Conran Shops, qui a bouleversé le paysage de la table contemporaine. Alain Ducasse le reconnaît également, les recettes du succès existent. Il avoue d'ailleurs : « Au *Mix*, à New York, on a laissé peu d'espace pour se faire accrocher. La première fois avec *Essex House*, on a survécu à New York avec plusieurs centaines de papiers négatifs. C'est notre expérience passée qui nous a appris à survivre. » Nombreux sont les propriétaires de restaurants à avoir adopté cette posture. Le créneau de Conran ? Pas le gastro de Ducasse, qui fait à la fois bon et beau. Non, pour lui, ce sont les « gastrodromes », des tables au décor impressionnant, à destination de clients riches et tendance. Son credo ? Miser sur des zones en friche, à fort potentiel et faire venir les clients pour quelque chose qui mérite le détour. Déjà milliardaire, Conran s'est ainsi imposé en moins d'une décennie comme le pape de la « branchitude » de la gastronomie, en commençant par Londres. Au début des années 90, ses Conran restaurants ont commencé par révolutionner l'art de vivre à l'anglaise, en se démarquant des vieux pubs enfumés et peu soignés. Enfin, les clients avaient le choix ! Puis Conran s'est emparé de *Butlers Wharf*, d'anciens docks qu'il a réhabilités en restaurants immenses, modernes et ultra-chics. Tout y est soigné jusque dans les moindres détails : la cuisine ouverte, juste séparée de la salle par une baie vitrée, le design et le stylisme jusque dans la décoration de la table et des assiettes. « Un repas est encore meilleur, confie Conran, s'il est servi dans un bel endroit. » *Chez Mezzo*, en plein Soho, il sert très vite plus de 750 couverts. En 1997, c'est le *Bluebird*, avec sa boutique et son épicerie. Les *yuppies*, l'équivalent des BCBG ou des Bobos, âgés de 30 à 40 ans, se précipitent dans ces établissements pour l'ambiance et le *fun*. Les espaces sont étonnants, comme au *Bluebird*, une ancienne station-service de Chelsea, ou *Le Pont de la tour*, avec ses airs de paquebot années 30, qui jouit d'une vue superbe sur la Tamise. Les plats sont chers, mais la clientèle est prête à payer. À chaque adresse sa cible : femmes, jeunes branchés, hommes d'affaires ou touristes. Le secret de Conran, c'est qu'il se passe toujours quelque chose dans ses restaurants, qui attirent les VIP du monde entier : Madonna, Tina Turner, Hugh Grant, Naomi Campbell. Tout, jusque dans l'accueil, est fait pour accueillir les vedettes dont on sait qu'elles font ou défont les réputations. La presse, elle, tire à boulets rouges sur les tables de Conran, hormis quelques exceptions. Peu importe, la clientèle suit. Néanmoins, Sir Terence va rectifier le tir, en obtenant une étoile *Michelin* à *L'Orrery*, en réajustant des prix qui étaient parfois excessifs, ou en ouvrant le *Bibendum*, à la gloire de la figurine des pneumatiques *Michelin*, qui connaît également un grand succès. L'ambition de Conran a aussi rapidement dépassé les frontières de son île puisqu'il a ouvert en 1998 un complexe de 300 couverts à New York en même temps que *L'Alcazar* à Paris. En reprenant cet ancien cabaret, Conran a tenté un pari : exporter son succès d'outre-Manche, en transformant ce lieu en cantine branchée et à la carte totalement *fusion food*. Un Britannique qui ambitionne de donner des leçons de restauration aux Français, l'idée a alors fait sourire. Cadre épuré, cuisine ouverte sur une grande salle de 220 couverts, plats et service un peu froids, la mise en route est difficile et la presse salement critique. Puis *L'Alcazar* s'est tranquillement mais sûrement installé dans le paysage parisien. Le soir, la mezzanine a été confiée à des DJ très en vue. Le point de ralliement d'une nouvelle génération d'établissements était né.

L'ébullition gastronomique de la capitale qui a suivi a permis de littéralement réinventer le restaurant, à la fois sur le fond et sur la forme. Le moindre bistrot revu et corrigé est ainsi devenu un lieu tendance pour les *beautiful people* et la gastronomie souvent devenue un accessoire plus qu'une priorité. On va au restaurant pour s'amuser et pas forcément pour bien manger. Sanctuaire de la bonne cuisine française, le restaurant à l'ancienne a vécu. « En trois ans, Paris a bougé comme jamais », affirmait, il y a quelques années, Michel Besmond, directeur général de *L'Alcazar*. Avec sa mezzanine, où l'on peut danser au son des meilleurs DJ, le restaurant est devenu un *before*, c'est-à-dire un endroit où l'on sort avant de partir en boîte de nuit. « Avant, pour sortir, on allait dans les boîtes de nuit, mais elles ouvraient tard, explique Michel Besmond. Ces lieux ont pris leur place. » Une tendance qui a radicalement bouleversé l'usage du restaurant. Et c'est cette effervescence qui a attiré à Paris de nombreux projets de restaurants, de concepts élaborés par des non initiés de la gastronomie. Les puristes ont eu du mal à s'y mettre. Les années 1997 et 1998 ont en effet vu les branchés et les stars de la nuit réinvestir Paris, surfant sur cette tendance de manger beau et cher, dans des espaces plus grands, plus éclatants, plus modernes. *Le Barfly* fut longtemps l'icône du retour de ces années branchées, la gastronomie en moins. Lumière tamisée, musique électronique et exotique, le ton était donné, après les premiers pas des Costes. Il ne se passait pas une semaine sans l'ouverture d'une table à la mode. Midi et soir, elles affichaient complet, comme au *Spoon*, ouvert par Alain Ducasse en 1998. *La Villa Barclay*, *Lô Sushi*, le *Barrio Latino*, *Asian*, le *Renoma Café*, le *Man Ray*, le *Findi*, le *Nobu*, les *openings* en cascade se sont succédés avec frénésie, surtout autour des Champs-Élysées. La *world food* est passée par là : les cartes oscillent entre Asie, Amérique latine et influences méditerranéennes. Pour le meilleur comme chez *Shozan*, aujourd'hui disparu et souvent pour le pire. Puis le couple Guetta des *Bains* finit par s'installer dans le triangle d'or, investissant le *Tanjia*, en 2000, rue de Ponthieu. Dans le pur style néomarocain, il annonçait la grande vogue du *lounge* : boire, manger, se détendre et surtout rester longtemps pour faire tourner les compteurs. Plus récemment, en 2003, ce fut *La Suite*, en lieu et place de la défunte *Véranda*. Les points communs à toutes ces tables : un décor digne des mille et une nuits, un service agréable et des hôtesses « castées » sur mesure, et parfois, mais plus rarement, de la bonne cuisine, car la musique est devenue plus importante. Et surtout, un investissement de 4, 5 et jusqu'à 10 millions d'euros. Car « manger avec son temps » est devenu le credo indispensable. Quel qu'en soit le prix. Les tables à la mode, en détournant les codes de la restauration classique, perturbent les journalistes avec leur succès retentissant, leur débauche de paillettes et de moyens. Faut-il parler du *Buddha Bar* ou du *Barrio Latino*, établissements branchés de la capitale, même si la gastronomie n'est pas au rendez-vous, pour être dans le coup ou faut-il les exclure quitte à avoir l'air ringard ? Car les clients sont tout acquis à ces tables à la mode qui affichent souvent complet malgré des tarifs exorbitants, souvent près de 50 euros par personne pour des ersatz de sushis, des assiettes *world* et modeuses élaborées avec des produits industriels ou semi-industriels. Ce qui n'est guère étonnant quand on sait que dans les endroits branchés, le loyer mensuel est parfois de 70 000 euros, qu'il faut bien rentabiliser. Et la concurrence est rude.

Droit dans le décor

Au restaurant, le décor est devenu au moins aussi important que l'assiette si ce n'est plus. Depuis Conran et les Costes, pionniers du genre, aux nouveaux lieux qui viennent d'éclore, tout le monde marque le pas. D'ailleurs, lorsqu'en 2000, Jean-Luc Delarue annonce qu'il va ouvrir le *Korova*, rue Marbeuf à Paris, la première chose dont on parle, c'est du designer, Christian Biecher, au CV long comme le bras. Ensuite, on fait mousser l'histoire autour du concept de son décor, et des *people* qui ne manqueront pas de venir grâce à Hubert Boukobza, le patron des *Bains*, également associé dans l'affaire, ou encore des plats, conçus par Frédérick Grasser et Pierre Hermé, avec le poulet au coca et les macarons. On ne parle plus de restaurant, mais de « lieu ». Le bien-être dans de nombreux restaurants parisiens l'emporte sur tout, y compris la cuisine. De l'esthétisme froid des années 90 au dépaysement exotique des années 2000, le principal n'est plus dans l'assiette. Désormais, les propriétaires d'établissements se préoccupent d'abord de technologie pour améliorer la qualité de leurs installations. Ils essaient aussi de dépayser leurs clients en leur offrant des espaces uniques. « Le restaurant est un lieu de plaisir où l'on vient se détendre, se dépayser », expliquait en novembre 2001 Nicolas Adnet, d'un cabinet d'architecture. Ce que confirme Jacques Garcia, le chouchou des restaurateurs, décorateur entre autres de *l'Hôtel Costes*, de l'*Hôtel des Beaux-Arts*, de *Ladurée*, de *L'Esplanade*, du *Murat*, ou de *La Grande Armée* : « Le lien commun entre tous les lieux que j'ai créés, c'est la convivialité et le confort, de la même façon que je reçois des amis chez moi. » Quand il parle de Jean-Louis Costes, Garcia lui rend un hommage appuyé : « Jean-Louis est un visionnaire. Il sait exactement où il veut aller [...]. C'est le meilleur maître d'ouvrage que j'aie jamais rencontré. » Ces gens-là ont l'intuition qu'un décor, ou un décorateur, permet de lancer un restaurant. Que le décor soit signé du zen Christian Liaigre, de Starck ou autre et la presse suivra, la clientèle aussi, séduite par un propos moderne et un espace contemporain. Il faut faire simple, léger et chic. Confortable aussi. Les restaurants deviennent des lieux excessifs parfois, improbables, mais qui, écrit Jean-Pierre Quélin dans *Le Monde* « font mieux comprendre le combat acharné contre l'inquiétude et l'ennui que mènent ces conquistadors du presque rien ». Cette influence du décor dans les restaurants faisait bondir des chefs comme Bernard Loiseau, rappelle sa femme, citant un article de *Paris Match* du 11 juillet 2002 : « J'en ai marre et je mets les pieds dans le plat. Aujourd'hui, la cuisine française est en train de perdre son âme... La vedette, ce n'est plus le cuisinier, ce n'est plus le produit, c'est le décorateur. Bientôt, je vous le dis, on va nous faire bouffer les rideaux. »

Mais puisque le décor est devenu primordial, pour attirer les *fashionistas*, il faut innover, choquer parfois, mais toujours inventer quelque chose de différent. Alors les empereurs du *food bizz* s'arrachent les décorateurs les plus influents :

Jacques Garcia, Philippe Starck, Andrée Putman, Christian Liaigre... Jusqu'à 1,5 million d'euros peuvent être investis dans un décor, surtout si l'une de ces stars du design est aux manettes. On ne compte plus les exemples d'espaces (c'est le nouveau mot qu'il faut utiliser à la place de restaurant) relookés, repensés, restructurés par ces divas de l'architecture intérieure : *Buddha Bar*, *Lô Sushi* 1 et 2 ouverts par Laurent Taïeb, Andrée Putman et Philippe Starck, *Bon* 1 et 2, avec toujours le trio infernal Starck, Taïeb et Amat, *Kong*, avec encore Taïeb et Starck, le *Market*, dessiné par Christian Liaigre, et financé par Luc Besson, François Pinaut et Jean-Georges Vongerichten, le *frenchie* qui a réussi à New York, le *Pershing Hall*, où c'est encore Andrée Putman qui a signé l'hôtel, le *lounge bar* et le jardin. La liste est longue comme un jour sans caviar. Et ça marche, il s'ouvre encore près d'un établissement de ce type par mois. Parmi les derniers nés, la nouvelle maison Baccarat, installée dans l'ancien hôtel particulier de la vicomtesse de Noailles, place des États-Unis à Paris depuis octobre 2003. Sur 3 000 m² confiés à Philippe Starck, on y trouve le siège de la marque, une boutique, une galerie-musée et un restaurant gastronomique de 60 couverts appelé *Cristal Room*. Dans un décor de briques, de lambris et de cristal, Thierry Burlot, créateur d'*Armani Café* sert une cuisine branchée recherchée dans un lieu hors du commun, qualifié de « l'un des cadres les plus prestigieux de la capitale » par la presse, qui fut à la fois nombreuse et unanime à saluer l'ouverture de ce lieu. Presque en même temps, Guy Savoy présentait son *Atelier* de Maître Albert revu et corrigé par Jean-Michel Wilmotte après trois mois de travaux. La presse parle d'une « décoration contemporaine, chaude et lumineuse », d'une

« ambiance ». On appelle ça un concept, c'est-à-dire un endroit où c'est le design qui est important, ensuite le casting, c'est-à-dire l'équipe qui est aux manettes et en salle, et après on se préoccupe de la cuisine. Une sorte de « nouvel art de vivre », inspiré de la mode new-yorkaise où les espaces sont vastes et le service infect a envahi les restaurants. Il faut noter aussi le nouveau mélange des designers, concepteurs créateurs de lieux et renifleurs de tendances comme Jean-Georges Vongerichten (*Market* à Paris, plusieurs restaurants à New York), les Guetta (*Les Bains, Tanjia, La Suite*), Laurent Taïeb (*Lô Sushi, Bon, Kong*) ou Frédérick Grasser et Pierre Hermé (*Korova, Hermé*). Ils créent des restaurants en mêlant une pincée de recettes d'un genre nouveau, sur le registre ethno-fusion, un restaurant tendance, un cadre design et une musique originale, créée spécialement par des disc-jockeys. C'est particulièrement le cas chez *Bon* 1 et 2, conçus par Philippe Starck, qui en est actionnaire, et Jean-Marie Amat, le chef bordelais, sous la houlette de Laurent Taïeb. Dans les assiettes, les uns et les autres s'inspirent des plus grands chefs, de Michel Bras (le coulant au chocolat) à Ferran Adria. Ou tentent de donner une touche de modernisme à des plats du terroir comme les grosses frites au couteau (apelées PP9 chez Costes), le tartare aller-retour, le poulet grand-mère et sa purée, ou la bonne vieille tarte aux pommes et sa boule de glace, en passant par le magret de canard au miel. Une cuisine qui n'est donc pas toujours en rapport avec les prix exorbitants pratiqués par ces établissements, qui comprennent le décor et la musique.

Dans les restaurants à la mode, rien n'est laissé au hasard. Pas plus le contenu que le contenant. On ne le dira et le répétera jamais assez, les créateurs de lieux branchés soignent tout particulièrement le packaging, histoire de se différencier de ce qui existe déjà non seulement à Paris mais dans les grandes capitales européennes où se rend la clientèle internationale. En se mettant au marketing et aux produits dérivés, ils se sont emparés de la musique. Les compilations au nom des bars branchés sont devenues un élément essentiel de leur décor, de leur code, de leur ambiance. Le principe est simple : le DJ passe des tubes rares, inédits, qu'il remixe à sa façon. C'est la marque de fabrique d'un disque de bar ou de maison branchée. La mode des *lounge bar* à la fin des années 90 a donné une cohorte de disques à l'effigie des restaurants ou bars branchés et les DJ's maison sont devenus des stars, à l'image de Claude Challe. Ses albums du *Buddha Bar* à Paris ont tous été vendus à plus de 200 000 exemplaires depuis le milieu des années 90. Ils sont le top du genre. Leur lancement était inspiré du *Café del Mar*, un lieu mythique et très couru d'Ibiza, qui fut l'un des fervents promoteurs de la musique électronique. L'idée, qui est par ailleurs un formidable vecteur de communication, a ensuite fait son chemin parmi les noctambules fashion de la capitale. Aujourd'hui, le *Buddha Bar* en est au volume 6. Tous les établissements nocturnes ou diurnes de Paris ont voulu leur compilation : *Barrio Latino, Alcazar, Barfly, Latina Café, Hôtel Costes...* Pour ce dernier, on en est à plus de 4 volumes et 800 000 CD vendus dans le monde entier. Le disque est bien plus efficace qu'une campagne de publicité internationale car il ne vend rien mais donne envie, et de surcroît, cela rapporte de l'argent aux établissements. Une véritable poule aux œufs d'or à manier tout de même avec précaution. « Si le lieu a une véritable identité, ça marche », lance Claude Challe, qui se présente plus comme un « ambianceur » ou un designer sonore qu'un DJ. « Quant à ceux qui ont voulu profiter du filon, ils ont échoué », confie-t-il sans donner de noms. Les disques peuvent rapporter gros, mais coûtent cher : coffret cartonné, prix élevé, tirage limité et clientèle très ciblée. « Il s'agit de faire en permanence le parallèle entre le CD et le lieu qu'il représente, explique Raymond Visan, du *Barrio Latino.* Nous assumons le côté sélectif, voire élitiste. » Icône de cette tendance folle : Béatrice Ardisson, la femme de Thierry, qui se présente comme « illustratrice sonore ». Elle mixe, compile des reprises de chansons célèbres et le tout est produit par Ardisong. À son crédit, les soirées musicales et très VIP du sélect *Jaïpur,* le bar de l'*Hôtel Vernet,* la bande originale du *Kong,* et l'animation sonore des émissions *Tout le monde en parle,* de Thierry Ardisson, *On a tout essayé* de Ruquier, et surtout *Paris dernière.* Ses compilations de l'émission nocturne de *Paris Première* se sont vendues à plus de 30 000 exemplaires.

Stars et paillettes

Autre ingrédient indispensable pour que la sauce prenne dans un restaurant : les stars. D'ailleurs, ce n'est pas pour rien qu'à l'instar des Costes, la plupart des patrons de restaurants ont embauché un « ami des stars », au carnet d'adresses épais, qui fait venir les animateurs du petit écran, les mannequins et les grandes stars internationales du 7e art. Et puisque les stars, Leonardo di Caprio, Mick Jagger ou Naomi Campbell ont pris comme QG tous ces restaurants dans l'air du temps, et que le péquin moyen suit, les investisseurs se sont engouffrés dans la brèche. Voir et être vu, mais surtout se faire voir est en effet l'objectif principal d'une soirée dans un établissement branché. Mais cela ne s'arrête pas là. Toute maison digne de ce nom a désormais son *people*. Chacun doit d'ailleurs choisir son camp, puisque les célébrités sont de plus en plus nombreuses à posséder un restaurant. Gérard Depardieu vient ainsi de racheter et de relancer Pierre à la *Fontaine Gaillon* (Paris), aidé par Carole Bouquet pour la décoration et la carte des vins : le cocktail idéal pour attirer le chaland. Robert de Niro, propriétaire de la chaîne nippo-péruvienne Nobu (13 restaurants) s'est associé à Paris avec Jean-Luc Delarue et Hubert Boukobza pour dupliquer son succès new-yorkais, Luc Besson possède des parts du *Market*, Johnny Hallyday s'est associé à Michel Rostang dans *rue Balzac*... Les *people* se veulent ainsi les architectes du nouveau goût. Au *Man Ray*, ce sont Sean Penn, Johnny Depp et John Malkovitch qui se retrouvent co-actionnaires. Au *Korova*, l'animateur de *Ça se discute* avait l'ambition de recevoir tout ce que le show-business comptait, mais le pâtissier Pierre Hermé s'était aussi beaucoup engagé dans l'affaire. Le résultat, c'est que la cuisine était très décevante, les additions particulièrement salées, les comptes mal gérés et que le restaurant a fini par mettre la clé sous la porte. *Nobu* a également périclité, le tout engendrant un certain nombre de procès opposant les brasseurs aux propriétaires, des actionnaires entre eux, Pierre Hermé à ses anciens partenaires. Du Dallas au milieu des casseroles. Les pique-assiettes et les repas offerts aux amis sont l'un des principaux écueils des tables des stars. Pour autant, les restos de vedettes ne sont pas tous des échecs. Johnny Hallyday, rue Balzac, fonctionne très bien avec le chef Michel Rostang, et Claude Bouillon, l'un de ses vieux amis. Sa mise de départ était de 5 millions d'euros et pour la promotion, Johnny donne un peu de sa personne. Mais le résultat est plus que réussi et depuis l'ouverture en février 2002, ça ne désemplit pas. L'avantage d'avoir une star comme Johnny, Smaïn, Jean-Claude Brialy ou Johnny Depp ? Ça fait venir la presse, les médias, les *people*, et donc la clientèle se bouscule pour apercevoir les VIP et le taux de remplissage est plus élevé que dans un établissement *lambda*. Qu'elle soit occasionnelle ou régulière, la clientèle ne semble pas s'embarrasser des prix qui évoluent aussi plus vite que l'inflation ou du niveau de la cuisine dans les restaurants de stars. La preuve, de nombreuses adresses connues pour le peu de cas qu'elles font de la gastronomie sont pleines à craquer.

ÉPILOGUE

Le renouveau des générations

La jeune garde

Même si l'horizon gastronomique contemporain paraît bien bouché, il faut se garder de tout pessimisme. Car une nouvelle génération arrive aux manettes, celle qui a reçu la Nouvelle Cuisine et les *fast-foods* en héritage, qui zappe et vit avec son temps. Oui, il existe une jeune garde qui innove et qui a du talent, des jeunes toques à la cuisine plus accessible. En province, cette génération spontanée des chefs formés dans les grandes maisons, tente de dépoussiérer le restaurant et ses manières. De découvrir, de créer, de se déconditionner. Ce qui caractérise ce mouvement, c'est moins l'âge réel de ses membres que leur état d'esprit. Pas question de faire du jeunisme à tout crin et d'expédier les maîtres dans des boîtes à sapin. Les cuisiniers de demain ont un état d'esprit d'entrepreneur, au sens où ils s'investissent, prennent des paris et des risques, à la fois économiquement et gastronomiquement parlant. Les nouveaux créateurs inventent sans cesse, sans reproduire ce qui existait avant, en donnant chair à une nouvelle matière. Ils veulent donner un sens différent à leur métier. La jeune garde regroupe des cuisiniers qui ont des âges, des statuts et des prérogatives différents. On y trouve évidemment Alain Ducasse, Michel Bras, Olivier Roellinger, Pierre Gagnaire, Marc Veyrat, Jacques Thorel (*L'Auberge bretonne*, à La Roche Bernard dans le Morbihan), Michel Troisgros, qui incarnent un moment charnière dans l'histoire de la cuisine. À leur manière, ils ont créé une manière de fonctionner, des processus efficaces. Leur lecture contemporaine de la cuisine a montré la voie. Il n'y a donc pas que des jeunes dans cette nouvelle vague. Il y a de la part de certains grands chefs consacrés un changement de cap, une compréhension et une envie nouvelle de faire leur métier. Il ne s'agit pas pour ces cuisiniers de tenir, mais de faire partie de quelque chose de plus grand et de plus construit. Ce n'est pas seulement leur réussite personnelle qu'ils recherchent. Ils vont beaucoup plus loin, ce qui ne les empêche pas aujourd'hui d'être débordés par leurs « enfants terribles ».

Ces héritiers rebelles sont des chefs parfois patrons d'à peine 30 ans. À Paris, mais surtout en province, ils révolutionnent la pratique régionale, plus du côté miso[1] que du côté bourguignon. Chefs actionnaires, ils sont souvent partie prenante dans leurs établissements. Fous dingues, ils sont des têtes de pont. Ils ont une carrure, une envergure et se déboutonnent, osant ce que leurs aînés n'ont pas fait ou ne voulaient plus faire. Ce sont des cuisiniers qui font ce métier avec pugnacité en étant aux fourneaux et en ayant une distance pour mener leur barque de façon sensée. Ils ne

[1] Pâte de soja japonaise, très utilisée dans les soupes nippones.

courent ni après l'argent, ni après la réussite et n'aspirent qu'à exercer en toute indépendance le métier qu'ils ont choisi par passion et conviction. Le plus connu d'entre eux est sans aucun doute Jacques Decoret (Vichy, *Jacques Decoret*) qui commence à faire sacrément parler de lui. Il fait référence et sa cuisine veut dire beaucoup. À Paris, Pascal Barbot (*L'Astrance*), un jeune déjà grand, s'est imposé en trois ans. À la tête d'un tout petit restaurant de 10 tables payé 150 000 euros, il a créé l'archétype de l'établissement du troisième millénaire. Incontournable également, Gilles Choukroun (*Le Café des délices*). Très tôt dans sa carrière ce dernier a compris que les problèmes économiques de la cuisine étaient doublés d'un débat existentiel sur l'avenir de la grande tradition française. Faute de moyens à la fois humains et matériels, elle pourrait ne pas survivre au XXIe siècle si elle persistait à vouloir refuser d'évoluer. Alors, après de sérieuses difficultés financières à Chartres où il avait une étoile, Choukroun s'est retroussé les manches. Il a explosé à la fois les barrières techniques, gustatives de la cuisine classique, et les barrières financières. Comment ? En faisant sienne la maxime d'Alain Ducasse, qui disait, il y a déjà quelques années : « C'est vrai, le gastro de province est condamné à ne pas exister », et en ouvrant un « café » qui tient plus du bistrot chic que du gastro toc. Citer tous ceux qui, comme lui, mais dans des registres différents, font avancer la cuisine et ce qui l'enrobe serait fastidieux, car ils sont effectivement plus nombreux. Il y a les chefs dont on parle, mais il y a aussi tous ceux, majorité silencieuse, qu'on connaît moins : Christophe Lasmaries (*Hôtel Bellevue*, Puy-L'Évèque), William Frachot (*Hostellerie du Chapeau Rouge*, Dijon), Michel Portos (*Le Saint James*, Bouliac) ou encore Cyril

Boulet (Chalon-sur-Saône), et, à Paris, Christophe Beaufront (*L'Avant-goût*), François Pasteau (*L'Épi Dupin*) et surtout Nicolas Vagnon (*La Table de Lucullus*), dont Alain Ducasse dit qu'il « faudrait bâtir une sphère de réussite ». Bien entendu, la liste est loin d'être exhaustive.

D'abord, il y a eu ceux qui, passés par les pianos des palaces ou des étoilés, lassés de la finesse et des techniques de la haute cuisine, ont voulu exécuter des choses plus simples, plus franches. A suivi toute une génération dont les enfants continuent de grandir et de germer çà et là. Ne supportant pas la pression, bons vivants et heureux de vivre, refusant le modèle du cuisinier à l'ancienne, s'arc-boutant contre toutes les pesanteurs institutionnelles et s'affranchissant des conventions quelles qu'elles soient, se sont installés à leur compte.

C'est à Paris que tout a commencé[2]. Au milieu des années 90, le gastro au bistrot, ou néobistrot, a bouleversé le paysage gastronomique, rendant caduques les classifications et les classements reposant sur le décorum, le service à l'ancienne et le flonflon des grandes tables. En rompant avec les traditions et en offrant un cadre plus modeste et souvent plus chaleureux, ces nouvelles tables renvoyaient les autres au rang de l'ennui le plus profond. Francs-tireurs, s'excluant eux-mêmes de la course aux étoiles, les jeunes chefs du néobistrot ont déplacé le débat. Il y a eu Yves Cambdeborde, il y a eu Christian Constant, las des ors du *Crillon*, et tous les autres, avec leurs auberges un brin canailles, leurs produits irréprochables tous issus du terroir local ou de producteurs voisins et souvent amis, leurs prix sages, leurs maisons confortables mais jamais luxueuses. La recette ? Imparable : un coin généralement perdu comme la Fourche

[2] Voir chapitre 3.

ou la Porte d'Orléans, déserts gastronomiques, une gentille adresse qui ne paye pas de mine, un patron pas bégueule qui est l'âme de la maison, un talent classique reconnu, des prix défiant toute concurrence. Ouverte, la clientèle parisienne qui se lasse vite des nouveautés et mange du restaurant toute l'année s'est emballée pour ces tables moins coincées mais tout aussi exigeantes en cuisine. En province, depuis des années tous les restaurateurs ont voulu faire du « gastro », ce qui, selon Alain Ducasse, est une hérésie pour des raisons économiques : « L'économie locale et l'attente du public ne permettent pas d'avoir le personnel suffisant pour faire de la gastronomie. En province, il n'y a pas d'alternative, on doit être aubergiste. » C'est-à-dire faire une cuisine de terroir, simple et avec des produits locaux, mais pas pour autant dénuée d'ambition. Il ne s'agit pas de glorifier la ferme auberge ou la tambouille de routier, non. Mais de redonner du sens aux recettes et aux produits, de façon simple et spontanée. Le nouvel aubergiste propose donc une cuisine simple, franche, de l'instant. Comme Jean-Luc Rabanel (*La Chassagnette*, Arles), Gérard Bossé (*Les Tonnelles*, Béhuard), Raymond Tixier (*Auberge du bon vieux temps*, Meilliers), les Fleys (*Ferme auberge du Bruel*, Saint-Illide), entre autres grandes auberges. « L'aubergiste contemporain doit répondre à une demande des consommateurs. Il s'inscrit dans l'évolution de la cuisine », répète à l'envi Ducasse.

Portrait robot du néocuisinier

On l'a dit, les chefs de cette nouvelle génération se sont formés en réaction à des pratiques préexistantes dans ce métier. Ce qui les a fait réagir, c'est à la fois l'histoire de la cuisine française et l'évolution du métier de cuisinier. Les chefs qui ont aujourd'hui 40 ans sont en réalité des cuisiniers avec une typologie assez forte et dont il est facile de tracer un portrait-robot qui vaut pour tous les fous dingues. Première caractéristique et pas des moindres, ils ne portent pas de toque. Comme le disait Michel Berger, « C'est peut-être un détail pour vous, mais pour moi ça veut dire beaucoup. » L'abandon de la toque, statutairement parlant, est très révélateur d'un certain état d'esprit. Les cuisiniers tombent la toque comme d'autres tombent la chemise, pour amener non pas l'irrespect de l'hygiène, qui n'a jamais été aussi forte en cuisine, mais la décontraction. L'absence de toque du chef n'a en effet pas valeur de front anti-hygiéniste, mais a valeur de symbole. Le cuisinier se représente de moins en moins par le truchement de la toque, c'est une désacralisation du chef. La toque avait cet effet de réduire le cuisinier à une partie de lui-même. Il se prend donc moins au sérieux jusque dans sa représentation, refusant de poser avec la toque pour la presse ou la télévision. On ne voit plus non plus le chef bedonnant et aviné, ce qui fut le quotidien de générations de cuisiniers, venir sanglé et toqué, hautain et titubant en salle pour saluer les clients. La disparition de ce cérémonial a amené chez le cuisinier moderne un regard plus libre, plus déluré par rapport à ce métier et à l'image qu'on s'en fait. La question de l'image du métier auprès du public est au cœur de sa préoccupation. Ce faisant, il a dépoussiéré cette image du cuistot statufié qui a été partie prenante de la cryogénisation de la cuisine. Ce changement d'habitudes est le symbole de l'attitude générale d'un chef contemporain.

Les bouleversements touchent, bien entendu, aux fondements du travail en cuisine : le cuisinier de la jeune génération a connu comme larbin ou comme commis le pire dans les cuisines. Position dont certains ont parfois souffert dans leur chair. D'autres ont des souvenirs pétrifiants de grandes brigades militarisées menées à la baguette et qui ont par respect d'une stupide tradition déshumanisé une cuisine. À nouveau, en réaction à ça, le cuisinier moderne, qui a cru à un moment de sa vie à cet embrigadement qui « désingularise », s'inscrit en faux. Humainement, il sait que ce n'est pas tenable, qu'il y a un moment où ça ne passe plus, alors il évite de reproduire ce modèle. La société s'est déverrouillée d'un point de vue sociologique, le salariat est devenu moins répressif, moins tortionnaire, la société s'est désincarcérée et, par ricochet, le métier de cuisinier aussi. Le retour de manivelle a été très fort. Du côté de l'assiette aussi. Trop d'abus avaient été commis. Car la militarisation des cuisines n'a pas entraîné systématiquement le bien manger ni le respect des produits. Au contraire, ce type d'organisation masquait souvent une médiocrité réelle dans les processus de fabrication, les choix des produits, des fournisseurs. Jusqu'à la fin des années 90, jusque dans les tables les plus prestigieuses comme le *Crillon* ou *La Tour d'argent*, la pratique des bakchichs payés par les fournisseurs aux chefs ou à leurs seconds était monnaie courante. Pour être référencés dans une grande maison, les producteurs versaient ce qu'on appelle « les fines herbes ». Une affaire apparemment bénigne mais qui dissimule un système caractérisé de magouilles, d'abus de biens sociaux, contre lesquels le cuisinier moderne lutte. L'*omerta* qui a longtemps sévi dans la profession, il refuse d'y participer.

Il veut juste trouver sa place et obtenir une récompense légitime, pas usurpée ni chipée au voisin par des coups bas.

La génération montante a été éduquée différemment, dans une société plus ouverte, ça a amené les cuisiniers à être plus volatiles, moins corporatistes et moins ancrés dans une pseudo-tradition. Les fous dingues d'aujourd'hui se sont forgé un esprit différent. C'est une génération plus cultivée, plus ouverte, qui a fait plus d'études que la vague précédente. Ça amène les chefs à voyager de façon culturelle, à découvrir, à voir ailleurs ce qui se passe, en France comme à l'étranger. La plupart des cuisiniers ont un BEP et souvent un bac pro. Il ne s'agit pas de juger la qualité de l'ouvrier, mais son niveau socioculturel qui a considérablement évolué. Ce n'est pas neutre. Le système précédent était confit de certitudes, encadré par des règles strictes. La nouvelle génération est plus efficace. Dotée d'une liberté plus grande, elle a moins de contraintes et va jusqu'au bout du possible, dans la recherche, la réflexion, sur ce qu'est un restaurant. Tous ces changements ont forcément apporté une culture différente du métier en tant que telle dans sa pratique sociale, humaine, économique. À part de rares exceptions en nombre et temporelles, le cuisinier contemporain crie moins, ne frappe plus. Le côté progressiste des chefs d'aujourd'hui, leur nouvelle culture, leurs nouvelles pratiques sont aussi ce qui leur permet de recruter. Maintenir une brigade, aller chercher des jeunes et donner envie à des gens de les suivre, ce n'est pas évident. On voit bien aussi que le tablier s'est démocratisé, esthétisé. Il a suivi la mode. Il a changé, il est plus volage. On crée des modèles, des tissus différents. Ça paraît anodin mais c'est aussi l'image de marque d'un cuisinier. Il en existe des centaines de modèles. Encore un détail qui est là aussi une révolution.

Plus sérieusement, comme l'époque est plus difficile, le fou dingue s'y prend différemment pour avoir des clients. Il n'attend de reconnaissance que celle du ventre. Plutôt que de figurer dans tous les guides, d'avoir une clientèle de passage, il s'est donc occupé de fidéliser sa clientèle. Il a renouvelé ses rapports à ses clients. Ceux qui le font traversent plus facilement la crise que les autres. Le chef moderne se défie par ailleurs de la clientèle des guides et du revers de la médaille *Michelin* ou *GaultMillau*, qui amène une clientèle très exigeante, pointilleuse. Aujourd'hui, les cuisiniers ne veulent pas répondre pas à pas aux exigences de leurs clients. Ils n'ont pas l'envie de justifier leur cuisine et font la cuisine qu'ils aiment. Ils savent que ça apporte ce lot de clients-là. Ça les amène à recréer un réseau, une forme de chaîne beaucoup plus solidaire et à prendre leurs distances avec le système de collusion créé par leurs pères. On en arrive à des situations comme Nicolas Vagnon (*La Table de Lucullus,* Paris), qui refuse le prix du meilleur bistrot remis par Claude Lebey car il ne voulait pas organiser le buffet qui allait avec. Vagnon a renvoyé le critique dans ses 22 mètres et en plus il l'a répété à qui voulait l'entendre. Le jeune chef de *Lucullus* n'avait tout simplement pas envie de fournir à manger pour plusieurs dizaines de personnes adeptes d'une certaine cuisine, qui ne sont pas et ne seront sans doute jamais ses clients. Les nouveaux dingues des fourneaux ont donc des rapports très sains avec la critique, en tout cas plus sains. Malgré tout ce qui peut être écrit dans les guides, ils cuisinent à guichet fermé en permanence et ils refusent d'entrer dans la danse, à Paris comme en province. Pas question pour eux de faire partie de ces confréries sans fondement, d'un art de vivre dont personne n'a plus une définition honorable ni partageable.

Pour autant, ils n'ont pas moins de clients. Ils savent aujourd'hui pourquoi leur restaurant peut marcher, parce qu'ils ont mieux étudié leur implantation, ils connaissent davantage le marché. Leur talent et leur courage réunis leur permettent simplement de se distancier par rapport aux médailles, aux prix et aux critiques. Le cuisinier d'aujourd'hui sait aussi que c'est un système pervers et la plupart d'entre eux se laissent moins griser. Il sait que la presse gastronomique a perdu du poids et de l'influence sur le public et que ce qui compte c'est le bouche-à-oreille. Beaucoup sont revenus à cette forme pragmatique et très rationnelle du baromètre de la clientèle. Le bouche-à-oreille est assurément le moyen le plus sûr pour des cuisiniers de remplir leurs salles. Bon nombre de restaurateurs ont enfin pris conscience que la qualité de leur travail et leur réputation sont plus importantes que de passer à la télévision. Et que fidélité et qualité sont les deux mamelles de la nouvelle cuisine française indépendante.

Cantique du journalisme gastronomique

La cuisine change, les chefs bougent, les restaurants aussi. Les journalistes, chroniqueurs et critiques doivent s'adapter. La « critique à la papa » doit céder le pas à de nouveaux journalistes, qui veulent s'émanciper des vieilles habitudes du copinage et des renvois d'ascenseur. La nouvelle critique cherche donc à se dégager des anciennes pratiques décrites plus haut, à faire de l'investigation et du vrai journalisme gastronomique au sens le plus large du terme. Car elle considère que le paysage gastronomique a bien changé depuis que messieurs Pudlowski, Lebey, Petitrenaud et consorts ont commencé à s'y intéresser. Pour humer l'air du temps qui passe de plus en plus vite, ils poussent pour passer en force car on ne leur cède pas la place volontiers. À la différence cependant de la nouvelle génération de cuisiniers, les journalistes qui ont aujourd'hui cette ambition sont plutôt jeunes. Ils veulent faire la preuve qu'on peut être à la fois proche des chefs, bien les connaître et faire son métier correctement. C'est-à-dire pratiquer ce métier non pas sous la forme de chroniqueur, mais de journaliste au sens réel du terme : travailler, dépasser le périphérique, rapporter des choses, s'étonner, être curieux, faire des reportages, recouper, filtrer. La jeune génération comprend l'agacement des cuisiniers devant la critique gastronomique à l'ancienne et a pour ambition de lui redonner ses lettres de noblesse. Elle reconnaît volontiers que la qualité fait souvent défaut, que l'exactitude et l'approximation sont souvent au rendez-vous. Elle a simplement l'ambition d'exercer son métier, le journalisme, en toute liberté, en toute imagination. Parce qu'elle veut avoir raison avec Simon lorsqu'il écrit : « La critique a fait son chemin. Si une certaine partie cultive un style courtisan convivial, l'autre effectue son travail sans état d'âme. »

Les jeunes journalistes plaident pour l'échange, le dialogue, la réaction. Il ne s'agit pas pour eux de savoir qui de la poule ou de l'œuf a choisi l'autre. Parce qu'ils aiment la gastronomie, pas seulement pour le plaisir de manger. Ils s'y intéressent aussi parce que c'est révélateur de l'époque. Les jeunes cuisiniers sont demandeurs d'un retour sur eux-mêmes, d'un miroir tendu. Ils veulent que les journaux, les guides, leur disent que leur cuisine parle. Et pour cela, les cuisiniers apprécient cette nouvelle race de journalistes. C'est ce rôle de miroir que veut incarner la jeune génération. Elle n'entend pas couper les ponts, rester anonyme ou masquée et se retrancher derrière sa plume. La seule raison du renouveau qui se fait jour, c'est parce qu'il y a une génération de chefs qui créent un nouveau genre d'espaces, joyeux, en rapport direct avec leur cuisine. Pas question de s'en couper, bien au contraire. La jeune garde ne veut pas laver plus blanc. Nombreux sont ceux qui considèrent que dans les rapports entre cuisiniers et journalistes, payer ses additions n'est qu'une partie du problème, être connu ou reconnu aussi. Il faut savoir que lorsqu'un journal ou un magazine envoie quelqu'un chez un chef en province ou à l'étranger, ce qui est assez rare, il est encore plus rare que cela s'accompagne de l'enveloppe de frais nécessaires au voyage. Combien ont entendu : « Tu t'arrangeras sur place, ça m'étonnerait qu'on ne vous invite pas. » Que faire quand on n'a pas les moyens mais qu'on a une éthique : y aller ou pas ? Tous préfèrent payer leur note, *a fortiori* lorsqu'ils travaillent pour des guides, mais certains acceptent l'invitation ou le voyage car il permet d'enrichir leur bibliothèque personnelle, leur expérience. Ils préfèrent cela à la méconnaissance du terrain et des restaurants, faute de moyens. Car ils sont intimement convaincus que leur métier a besoin de s'aérer, d'acquérir plus de surface. Quand on effectue un reportage pour un magazine papier, radio ou télévision et du journalisme sur un certain nombre de chefs, personne ne paye. Ce qui n'est guère différent du journalisme arts et spectacles, au théâtre, au cinéma ou dans les expositions. Si les jeunes peuvent aujourd'hui renvoyer de manière étayée tout un tas de choses sur une cuisine, c'est surtout parce qu'ils vont voir plus loin, parce qu'ils analysent, sentent, comprennent ce qui est juste et sincère. Ils sont en plein dans une réflexion sur le sens et le travail et non plus dans le consumérisme de la cuisine. La nouvelle vague aurait pu exister sans les *Cahiers du cinéma,* mais elle n'aurait pas été la même, et c'est pareil pour la nouvelle cuisine. « En leur temps, écrit Bénédict Beaugé, Henri Gault et Christian Millau pour certains cuisiniers, Courtine pour d'autres, ont joué le rôle des critiques d'art vis-à-vis des plasticiens, c'est-à-dire de théoriciens capables de prendre une certaine distance par rapport à l'objet de leur étude, celui de la pratique des créateurs, de l'analyser, et, à la limite, de l'orienter. » Le rôle du journaliste, aujourd'hui, c'est d'interroger la matière, pas ce qui fait la fonction sociale du restaurant. Car c'est le côté social, mondain, qui a perdu ses aînés. Et la nouvelle critique a fait de la gastronomie un principe de vie, qu'elle défend honnêtement et intègrement. Ils rêvent d'un monde où journalistes et cuisiniers, industriels et artisans se côtoieraient en toute transparence. On en est encore loin.

Portrait-robot du jeune critique

Dans des publications comme *Le Figaroscope, Nova magazine, Zurban,* on sent poindre de nouvelles envies. Les nouveaux venus sont moins piégés par le jeu du restaurant ou du restaurateur. Ils considèrent que leur travail est de parler de cuisine, dans sa structure, dans ce qu'elle raconte d'une époque et à travers ce prisme-là. Le travail du journaliste n'est pas de raconter la réussite, ça n'a aucun intérêt en soi, il est de dire en quoi la cuisine de chacun de ces chefs s'inscrit dans son époque, est novatrice ou révélatrice d'une certaine façon de consommer. Le vrai métier du journaliste gastronomique, c'est d'être qualifié sur l'assiette. Après, les chroniqueurs évoquent ce qui est du registre du commentaire. Il faut bien distinguer les deux.

À cheval entre les deux générations montantes et descendantes, des érudits comme Bénédict Beaugé, et Andrea Petrini, à la fois excellents connaisseurs de l'histoire de la cuisine, de son actualité française et internationale et très bonnes plumes. Ils collaborent à tout un tas de revues françaises et européennes comme *Gambero rosso,* une référence incontournable en Italie, qui connaît un succès presque aussi important que Gault & Millau en leur temps. Sans renier les grands classiques, ils savent humer l'air du temps. Car la jeune génération dont on parle ne se reconnaît plus dans la restauration traditionnelle. Sans parler de la mode du *fooding* qui a le vent en poupe. Le *fooding,* essentiellement parisien, consiste à appréhender un restaurant dans son ensemble, avec son cadre, sa musique, son ambiance, et à considérer un repas comme une expérience. Le *fooding* s'est développé autour du magazine *Nova,* au tirage relativement confidentiel. À des endroits techniques, chers et étoilés, il privilégie des adresses de proximité, plus économiques, dont les habitués composent souvent une majeure partie de la clientèle. « Le principal critère est de savoir si on a envie de revenir », explique Alexandre Cammas, l'un des animateurs de ce mouvement. Parmi les proches de ce mouvement, on trouve Julie Andrieu, son égérie télégénique, également collaboratrice du *Guide Lebey*, Emmanuel Rubin, fils spirituel de François Simon, critique au *Figaroscope*, à BFM, auteur de guides et rédacteur en chef du magazine *L'Optimum*. Le *fooding* a été bien relayé par les médias, Cuisine TV en est très proche. Luc Dubanchet, ancien rédacteur en chef de *GaultMillau*, proche de ces cercles-là, a lancé en octobre 2003, une nouvelle revue qui a l'ambition de relever le niveau. Dans son éditorial, il est écrit : « *Omnivore*, ce sera chaque mois, le bonheur de la gourmandise, l'extase des sens et... Non, franchement, on aimerait beaucoup écrire ça, au moins une dernière fois. Continuer encore quelques lignes. On préfère laisser ça à d'autres qui le font tellement mieux et depuis si longtemps. » Informations, débats, voilà qui tranche avec un univers plutôt réputé rigide et codifié. Le journal qui assure que la jeune cuisine française commence aujourd'hui et qu'il est là pour l'accompagner se veut impertinent et surtout pertinent. Reportages, enquêtes, il pose des vraies questions et a pour ambition de poser des jalons pour les années à venir. Y participent chefs et journalistes. Sonia Ezgulian, ancienne journaliste et cuisinière à Lyon (*L'Oxalis*), symbolise bien cette conjonction des deux mouvements culinaire et journalistique dont elle porte en quelque sorte en elle l'espoir et l'avenir. Tous, ils ont réfléchi aux moyens à employer pour éviter de reproduire les erreurs et les excès du passé. Mieux formés, fouineurs, curieux, ils font du respect de la déontologie une affaire personnelle et non plus un pâle idéal collectif. Car ils veulent regagner une légitimité au sein des rédactions, où le prestige du métier a effacé l'anathème. Tous croient, à la sortie de l'ère de la cuisine guindée, qu'il est important et qu'il est temps de remettre la gastronomie et le journalisme à l'endroit. Et leurs mœurs avec.

Mais contrairement à l'histoire de la Nouvelle Cuisine, qui reposait largement sur l'impact médiatique formé dans le siège de Gault & Millau, l'évolution ne viendra sans doute pas de la presse. Trop morcelée, trop peu ambitieuse, elle a perdu beaucoup de poids dans la bataille du goût et préfère encore aujourd'hui, malgré de trop rares exemples cités ci-dessus, cultiver son terroir plutôt que de mettre en lumière une nouvelle forme de cuisine. Paradoxalement, la jeune garde de chefs a beaucoup à apprendre de la fin d'un système : celui du chef bête de scène, grand dévoreur de médias, qui, à l'instar de Bernard Loiseau, misait beaucoup sur sa couverture médiatique. Les médias sont « un mal nécessaire », aime à dire aujourd'hui Alain Ducasse. Un facteur de stabilité ou d'instabilité, mais en aucun cas le moteur de la cuisine française. De leurs aînés, de la fin de ce système, la jeune garde de la cuisine apprend également très vite qu'il vaut mieux des cuisiniers unis qu'ennemis. La division, une mentalité individualiste, a conduit à vider peu à peu la plupart des salles étoilées. Jouer contre le voisin n'a eu que l'effet inverse à celui qui était escompté. Et la course à la plus grande toque aboutit parfois au drame.

CET OUVRAGE A ÉTÉ ACHEVÉ D'IMPRIMER SUR ROTO-PAGE PAR L'IMPRIMERIE FLOCH À MAYENNE EN FÉVRIER 2004. N° D'IMPRESSION : 59458. DÉPÔT LÉGAL : FÉVRIER 2004.
(Imprimé en France)